Autors: MARTA MAS PRATS

ALBERT VILAGRASA GRANDIA

LLIBRE D'EXERCICIS I GRAMÀTICA

VEUS 3

CURS COMUNICATIU DE CATALÀ

ENFOCAMENT PER TASQUES

Publicacions de l'Abadia de Montserrat

Primera edició, novembre de 2008

© **Autors: Marta Mas Prats i Albert Vilagrasa Grandia, 2008**

© **Fotografia coberta: Jordi Salinas, 2008**

© **Il·lustracions: Linhart i Javier Olivares, 2008**

© **Fotografies: Getty Images 2008**

© **Fotògraf: Jordi Salinas, 2008**

Disseny: Blanca Hernández i Jordi Avià

La propietat d'aquesta edició és de Publicacions de l'Abadia de Montserrat
Ausiàs Marc, 92-98 - 08013 Barcelona
ISBN: 978-84-9883-075-0
Dipòsit legal: B.48.188-2008

Imprès a Gráficas'94 - P.I. Casablancas
Garrotxa, nau 5 - 08192 Sant Quirze del Vallès

Agraïments:

Agraïm especialment la col·laboració de Mònica Comas pel pilotatge del exercicis i les conseqüents observacions.
Volem fer una menció especial a amics, col·legues, familiars i alumnes que ens han animat a tirar endavant aquest projecte.

Unitat 1

VEURE MÓN

VEURE MÓN

1 **Completa el diàleg amb el lèxic del quadre, fent la flexió de nombre, si cal. Posa-hi, quan calgui, els articles determinats o indeterminats.**

1 A quina hora sortiu, demà?

A la una. Però hem d'arribar a _____ (1) dues hores abans que surti el vol. Com que és un vol internacional, hem de ser allà amb molta _____ (2).

2 Sí, ja ho sé. Sobretot agafeu _____ (3), ja sabeu que amb el document nacional d'identitat no us deixaran embarcar. I tampoc no us oblideu _____ (4).

No, no et preocupis. Els hem de recollir a la companyia aèria, perquè els vam comprar per Internet. Només tenim la confirmació i prou.

3 Ah! O sigui que no vau anar a _____ (5)?

No. Vam buscar tota la informació per Internet.

4 I també heu reservat _____ (6) per Internet?

Sí, també. Tenim totes les reserves fetes.

5 Que moderns! I aneu molt carregats?

Una mica. Jo porto _____ (7) amb rodes i la Mireia _____ (8). És que jo no puc portar pes. Tinc problemes d'esquena.

6 I ja sabeu _____ (9) que fareu?

Sí, sí. Farem una ruta molt interessant. Ens hem comprat _____ (10), que ens explica tots els detalls de cada lloc que visitarem.

7 Ostres, noia! Quina emoció!

Ja ho pots ben dir! És _____ (11) de la nostra vida! I tu què faràs?

8 Doncs una coseta més discreta. No aniré tan lluny ni agafaré tants _____ (12) de transport com vosaltres. Faré _____ (13) per les illes gregues.

Dona, no està gens malament! I quan hi vas?

9 Doncs la primera _____ (14) de setembre. Era més barat.

aeroport
agència
allotjament
antelació
bitllet
creuer
guia
itinerari
maleta
mitjà
motxilla
passaport
quinzena
viatge

2 **Completa els textos amb les paraules dels quadres. Fes la flexió de nombre, si cal. Hi ha més paraules que espais.**

1 Les vacances són per a no fer res! Aprofito per quedar-me a casa i dormir molt. Si vull viatjar, miro els programes d'animals o d'aquests països tan llunyans que fan a la tele i és com si viatgés. M'estiro al sofà, amb una cerveseta ben fresca i engego l'aire condicionat. No envejo gens els meus amics que se'n van a l'altra part del món! Agafen cinc _____ (1), tenen desfasament _____ (2), s'estan hores als _____ (3), perden les _____ (4)... Jo agafo el metro i vaig al cine! Això és viatjar també, oi? I a més, les meves vacances són ben baratetes.

aeroport
avió
equipatge
horari
maleta
mitjà
sac
vaixell

2 Sempre fem les vacances a l'estiu. Lloguem un apartament a la costa i ens hi instal·lem tot un mes: la segona _____(1) de juliol i la primera d'agost. Ja fa anys que anem al mateix lloc. Hi anem amb _____(2), i portem molt _____(3), perquè som quatre de colla. Coneixem els veïns, que també tenen fills de l'edat dels nostres. Anem junts a la platja, fem sopars, petem la xerrada... coses que aquí a ciutat no fem. Això sí, fem molta cua. Sempre trobem algun _____(4) quan sortim de la ciutat i quan hi entrem. Ja ho diuen: l'operació _____(5) i l'operació tornada.

> aglomeració
> cotxe
> embús
> equipatge
> maleta
> quinzena
> sortida
> temporada

3 Al Jordi i a mi ens agrada molt la _____(1). Acostumem a anar a la _____(2). Si trobem una _____(3) o un hostal econòmic a algun poble, hi fem nit. Si no, ens instal·lem en un _____(4). Sempre ens enduem la _____(5) de campanya, els _____(6) de dormir i les bicicletes. Fem _____(7) a peu o amb bicicleta. Normalment anem a llocs on no hi ha gaire gent, encara que sigui _____(8) alta. No ens agraden els llocs on hi ha molta _____(9).

> càmping
> cotxe
> excursió
> fonda
> gentada
> muntanya
> natura
> quinzena
> sac
> temporada
> tenda

4 Aquestes vacances han estat les primeres sense els pares. He anat amb la Marta a l'illa de Formentera. Vam sortir l'1 de juliol. Vam anar amb _____(1) fins a Eivissa i a Eivissa vam agafar un ferri fins a Formentera. Ens hi vam passar tres setmanes. Vam dormir a la platja, a l'aire lliure, sota les estrelles... fins que vam conèixer uns italians i ens van convidar a la _____(2) on vivien.

> casa rural
> embús
> hotel
> vaixell

5 Les vacances? Ui, ja ni me'n recordo. Solc fer vacances a la primavera, al març o a l'abril, quan no hi ha gaire _____(1) de gent. A la temporada _____(2), els preus dels _____(3) són més barats i els dels hotels també. Trio un _____(4) al centre de la ciutat, _____(5): esmorzar i sopar. M'agrada visitar ciutats europees: Venècia, Viena, París... Hi ha tanta cultura en aquestes ciutats...

> aglomeració
> allotjament
> alta
> baixa
> bitllet
> fonda
> gentada
> mitja pensió
> quinzena

6 Encara no hem fet vacances. Les farem el mes que ve. Farem un _____(1) pel Mediterrani! Em fa tanta il·lusió. L'any passat vam anar a Egipte en un _____(2) organitzat i en vam fer un pel Nil. Érem un grup de quinze persones de tot arreu i ens vam avenir molt. Aquest any hem decidit tornar-nos i fer-ne un altre de luxe: hi haurà balls, festes... I tots els àpats els farem al vaixell. L'_____(3) exacte encara no el sé, però sé que visitarem molts ports.

> allotjament
> creuer
> itinerari
> sortida
> vaixell
> viatge

3 Escriu l'adjectiu a partir del nom.

NOM	ADJECTIU	
	masculí singular	femení singular
atreviment	atrevit	atrevida
organització		
aventura		
comoditat		
previsió		
valentia		
curiositat		
esport		
prudència		
independència		
originalitat		
tradició		

4 Completa les frases amb tots els adjectius del quadre que puguin anar-hi bé. Fes la flexió de gènere quan calgui.

1 A la Lluïsa no li agrada viatjar sense planificar el viatge. Prefereix tenir-ho tot controlat i que no hi pugui haver cap contratemps.
És molt _____ .

2 En Pep s'estima més no organitzar res. Compra el bitllet i se'n va. I a més, no et pensis que va a països on pots pagar amb la targeta de crèdit. No! Sempre viatja per països on a mi em faria una mica de por anar.
És molt _____ .

3 Al meu fill no li agrada fer vacances gaire actives. Diu que les vacances són per descansar i no fer res. Per això, es queda a casa o bé va a casa d'amics, que tenen casa fora de la ciutat, amb piscina.
És molt _____ .

4 La Maria fa cada any el mateix. Sempre agafa les vacances a l'agost i se'n va amb una amiga a l'apartament que té a la costa. Hi va també la seva família alguns dies. Des que la conec no ha anat a cap altre lloc.
És molt _____ .

5 La Gemma fa sempre un tipus de vacances alternatives. L'any passat va anar fins a un poble del sud de França amb bicicleta. I crec que ja ha comprat un bitllet per anar a la lluna.
És molt _____ .

atrevit
aventurer
còmode
curiós
esportista
independent
organitzat
original
previsor
prudent
tradicional
valent

5   Completa els diàlegs amb la forma adequada dels verbs que hi ha entre parèntesis.

1   Crec que fer un creuer _____ (ser) un símbol de poder adquisitiu.

Doncs jo no crec que _____ (ser) un símbol de res.

2   Pensem que les vacances _____ (ser) per quedar-se a casa i descansar.

Doncs nosaltres no creiem que les vacances _____ (ser) només per quedar-se a casa i descansar.

3   No crec que _____ (haver-hi) gent que viatgi sense saber on va.

Doncs jo sí que ho crec. Penso que _____ (haver-hi) molta gent que no sap on va.
Vull dir que tant li _____ (ser) anar a Grècia o als Estats Units.

4   Per mi _____ (fer) vacances significa desconnectar de la feina.

Per mi també. I tu què hi dius?

Doncs que no crec que _____ (ser) el mateix fer vacances a l'estranger que quedar-se a casa.

6   Escriu els noms dels accidents geogràfics del quadre, que hi ha a cada dibuix.

> el bosc | la cascada | la costa
> el desert | l'illa | el llac
> el mar | la muntanya | l'oasi
> la platja | el riu | la selva
> la sorra | la vall | el penya-segat

1   _____, _____,
_____, _____,
_____

2   la sorra _____, _____,
_____, _____,
_____, _____,

3   la sorra _____, _____,
_____

4   _____, _____,

7 **Completa els textos amb el lèxic adequat.**

1 Hola, Arnau,

Ja hem arribat al Canadà i demà anirem a visitar les _____ del Niàgara, a la _____ entre el Canadà i els Estats Units. És un _____ d'aigua produït pel _____ Niàgara, que fa uns 56 km, en comunicar-se amb els _____ Erie i Ontario.

Has vist que ben informat que estic? Ja t'ho aniré explicant.
Un petó,
Marta

2 T'envio aquest missatge des de l'Himàlaia, la _____ més alta del món. Hi fa un fred que pela!

3 Aquest cap de setmana els alumnes aniran d'excursió als _____ de l'Empordà, davant mateix de les badies de l'Alt i del Baix Empordà. Són unes zones humides on s'observa la major varietat d'espècies animals.

4 Hem fet una travessia pel _____ del nord d'Àfrica. Per sort anem ben equipats, perquè no hi ha res: ni pobles, ni vegetació, ni animals, ni persones... només veiem i trepitgem _____. Hem dormit en tendes de campanya als _____ que hem trobat, i aquí sí que hi ha vegetació i aigua.

5 Bora Bora és una _____ petita de 38 km, a 280 km al nord-est de Tahití, considerada la més bella del món.

8 **Completa els textos amb els pronoms relatius que i on.**

1 Des de la carretera podrem contemplar els impressionants boscos _____ oculten glaceres i llacs mil·lenaris. Creuarem zones desèrtiques _____ descobrirem la bellesa de la glacera més impressionant del món: el Perito Moreno.

2 Al Carib, una activitat espectacular és bussejar en aigües transparents, _____ es pot descobrir la quantitat de colors que hi ha als seus fons. Us sorprendreu amb la gran varietat de peixos exòtics _____ tindreu al vostre voltant.

3 Mauritània, que és al continent africà, és un país _____ es pot trobar una infinitat de paisatges i _____ la naturalesa es manifesta en el seu estat més pur. És un país _____ té una extensa zona de deserts _____ es poden trobar oasis. És un país de contrastos: per una banda, hi ha la costa, _____ està banyada per l'oceà Atlàntic i que està envoltada per zones desèrtiques; per l'altra, cap al nord-est del país, hi ha penya-segats molt abruptes.

4 L'Amazònia és la zona del planeta _____ hi ha més concentració d'éssers vius. És una zona _____ molts biòlegs estudien espècies _____ només es troben allà. És un racó del paradís a la Terra _____ us sorprendrà per la seva bellesa.

5 És un país _____ té moltes zones desèrtiques, i en aquestes zones desèrtiques és _____ es troben les dunes més impressionants del món. També és en aquesta part del món _____ la gent descobreix el significat del desert.

6 Un dels principals atractius del país són els pobles _____ hi ha al voltant del llac i l'illa _____ hi ha al centre del llac, _____ es va construir una església, _____ només es pot visitar tres mesos l'any.

9 **Escriu les frases de l'exercici anterior sense els relatius.**

1 que: ***Els impressionants*** *boscos oculten glaceres i llacs mil·lenaris.*
  on: ***A les zones desèrtiques*** *descobrirem la bellesa de la glacera.*

2 on: _____
  que: _____

3 on: _____
  on: _____
  que: _____
  on: _____
  que: _____

4 on: _____
  on: _____
  que: _____
  que: _____

5 que: _____
  on: _____
  on: _____

6 que: _____
  que: _____
  on: _____
  que: _____

10 **Completa el text afegint-hi la informació que hi ha a continuació, amb els relatius adequats.**

Aquest estiu anirem a Sardenya, (1). Anirem a la costa est de l'illa, (2). Quan hi arribarem, anirem directament a l'hotel, (3). L'hotel és a prop d'un poble, (4), per fer algunes excursions. Volem anar a la costa nord, (5), per visitar i també volem visitar la ciutat de l'Alguer, (6).

1. Sardenya és una illa italiana a prop de Còrsega.

2. A la costa est de l'illa no hi ha gaire gentada.

3. L'hotel és de la cadena Mirton.

4. Al poble llogarem el cotxe.

5. A la costa nord hi ha unes cales magnífiques.

6. A la ciutat de l'Alguer es parla català.

11 Uneix un element de la primera columna amb un de la segona, per designar un objecte nou.

1. una navalla
2. una crema
3. unes ulleres
4. un barret
5. un repel·lent
6. una capsa
7. una tenda
8. un sac
9. una pastilla
10. un raspall
11. una càmera
12. unes botes

☐ de campanya
☐ de dents
☐ de dormir
☐ de llumins
☐ de mosquits
☐ de muntanya
☐ de palla
☐ de sabó
☐ de sol
☐ de vídeo
☐ multiús
☐ protectora

12 Completa les frases amb pronoms, quan calgui.

1 L'any passat per anar a París _____ vaig emportar una guia molt completa.

2 Quan marxi, _____ enduré el llibre a casa.

3 Sempre _____ porto un raspall de dents a la bossa.

4 Quan viatges sempre _____ endús un assecador de cabells?

5 El Manel quan arriba de viatge _____ duu un regal per a cadascú.

6 Què _____ vas emportar per anar al Carib?

7 Què _____ portes a la maleta? Pesa molt!

8 _____ endueu les maletes o les deixeu aquí?

9 La Cristina _____ va emportar cinc maletes, quan va anar a Londres.

10 Ja _____ enduem nosaltres la tenda de campanya. No cal que l'agafeu vosaltres.

13 Completa els diàlegs amb la combinació dels pronoms em, et, es i el, la, els, les, en.

1 No sé si emportar-me el sac de dormir. Pere, tu _____ emportaries?
Home, si voleu dormir en un càmping, jo _____ enduria. Jo _____ vaig endur, quan vaig anar al càmping. A més, no pesa gaire, oi?
No, no pesa. Però és que ocupa bastant espai.

2 Què faries amb la cantimplora? _____ enduries?
Potser sí. L'estiu passat _____ vaig endur i em va anar molt bé.
Doncs jo no _____ he endut mai, de vacances. Per això t'ho pregunto.

3 Quan vaig de vacances sempre m'enduc les ulleres de sol.
Jo també _____ enduc sempre, quan viatjo. Em molesta molt el sol.
Sí, sí! La Cristina _____ endú també a tot arreu.

4 De guia, _____ endús cap?
No, perquè l'última vegada _____ vaig endur una i no la vaig fer servir. I a més ja conec la zona.
Tu mateix, però li vaig deixar la meva guia a la Maria, _____ va endur i li va anar perfecte.
Bé, pesat! Doncs ja _____ emportaré.

5 Ah! Els prismàtics, _____ endús?
No, no _____ enduré.
Doncs _____ emporto a casa, d'acord?
A casa?
És que hi ha un veí a l'edifici de davant del meu...

14 Completa els diàlegs amb la combinació dels pronoms ens, us i el, la, els, les, en.

1 I vosaltres, us enduríeu la brúixola a la muntanya?

I tant, que _____ enduríem! Si no, com sabríeu on és el nord i el sud?

Però és que segurament hi haurà un guia...

No sé, nois, vosaltres mateixos, però nosaltres quan anem d'excursió sempre _____ enduem.

2 D'on heu tret aquests barrets?

Són un regal del Pau. _____ voleu emportar a Kenya?

Doncs potser sí, perquè ens anirien molt bé. Si no et sap greu, _____ emportem.

És clar que sí, ja els podeu agafar.

3 Nosaltres vam anar de càmping l'any passat.

I us vau endur la tenda de la Rosa?

No, no _____ vam endur. En vam comprar una.

I de llanterna, _____ vau endur cap?

És clar. Sempre que anem a un càmping _____ enduem una.

4 I no penseu endur-vos la farmaciola que us vaig regalar?

Sí, dona, sí que _____ endurem.

Millor! Perquè sort que nosaltres _____ vam emportar! Ens va anar molt bé.

5 Si aneu a la muntanya a caminar agafeu les botes.

Les botes? Vosaltres _____ endureu? És que pesen molt!

Nosaltres _____ endurem, encara que pesin, perquè són molt còmodes.

15 Contesta les preguntes utilitzant els pronoms. Quan puguin anar davant i darrere, posa-hi totes dues formes.

Quan viatges, t'endús sempre la navalla multiús?
*No, només **me l'enduc** quan vaig a la muntanya.*

1 T'emportaràs el barret de palla?

Sí, _____

2 T'enduries una brúixola a Nova York?

No, _____

3 El Guillem s'ha endut la tenda de campanya?

No, _____

4 Us vau endur la càmera de vídeo al viatge?

Sí, _____

5 Els teus germans s'han emportat el repel·lent de mosquits

Sí, _____

6 Us endueu les ulleres de sol?

No, _____

7 Es van emportar els raspalls de dents?

Sí, _____

8 Et vas endur l'encenedor que t'havies deixat?

No, _____

9 T'has endut crema protectora?

Sí, _____

10 Quantes maletes et vas emportar?

_____ dues.

16 Completa els diàlegs amb les formes adequades dels verbs **dur** o **endur-se**. Posa-hi els pronoms, si cal, que acompanyen el verb.

1 Ja ho tens tot preparat per al viatge?

Sí. Aquest matí _____ els passaports a l'agència perquè els necessitaven per fer un tràmit.

Deixa'm veure l'itinerari.

No el tinc aquí. A l'agència me l'han donat, però com que he anat a la feina, _____ i me l'he deixat allà. Demà quan plegui _____.

2 Quedem demà al matí?

No puc. Ho sento. És que _____ el meu fill al metge, perquè el vacunin.

I de què el vacunen?

No ho sé exactament, però com que va a l'Índia amb el seu pare, es veu que l'han de vacunar.

3 Què _____ de casa normalment quan te'n vas de viatge?

Sempre _____ el raspall de dents.

Dona, el raspall de dents jo sempre _____ a la bossa!

4 Ara quan arribem a l'aeroport, vigila que no perdis les bosses.

No et preocupis. _____ una bossa a cada mà.

És que amb la gentada que hi ha és molt fàcil que ens robin.

Ets un exagerat!

5 Ahir al migdia quan vas sortir de l'hotel, _____ les meves ulleres de sol?

Vols dir que _____ jo?

Bé, si no _____ tu, vol dir que les he perdut.

6 Un moment senyor. Hauria d'obrir la maleta. Què hi _____ (12)?

Doncs hi _____ roba, llibres...

I no hi _____ res per declarar?

No, però miri-ho vostè mateix.

7 Estic tan nerviós! No he agafat mai un avió. Un amic meu m'ha dit que em prengui unes pastilles per tranquil·litzar-me. Tu te les prendries?

Home, no ho sé. Però per si de cas jo _____, i així si et poses nerviós a dalt de l'avió, te les prens.

8 Has vist aquell noi? _____ l'encenedor d'aquella noia sense adonar-se'n.

Vols dir que ha estat sense adonar-se'n?

9 Encara estàs fent la maleta?

És que no em decideixo. Quin tipus de roba _____?

Jo per anar al Carib, _____ roba lleugera, perquè hi fa molta calor. A més a més, jo, de tu, _____ un repel·lent de mosquits i una crema protectora.

Vols dir? I si ho compro tot allà i d'aquesta manera no surto tan carregat?

Tu mateix, però jo _____ tot d'aquí. Vés a saber si ho trobes allà!

10 Què _____ vosaltres a la motxilla? Pesa molt!

Hi _____ roba i dues guies.

Ah, si hi _____ dues guies ja entenc per què pesa tant.

17 **Completa les frases, quan calgui.**

1 Cal _____ evitar banyar-se en rius i llacs.

2 Val la pena _____ t'informis del risc que suposa viatjar per aquest país.

3 Si vols visitar aquesta zona del país, és important _____ et facis una assegurança.

4 Has _____ portar dòlars americans, si vols estar tranquil.

5 Per entrar al país cal _____ demanem un visat.

6 Cada viatger ha _____ portar una farmaciola personal.

7 Per anar a l'Antàrtida no cal _____ demanar el visat.

8 No cal _____ vacunar-se, però et recomano _____ ho facis.

9 Pot ser útil _____ el metge et faci una revisió abans del viatge.

10 Cal _____ portar crema protectora per protegir-se del sol.

18 **Transforma la forma impersonal dels textos a la personal, com a l'exemple.**

1 *Per evitar les picades de mosquit, és molt important* **vestir-se** *amb peces de fibres naturals de màniga llarga i de colors clars, i fer servir repel·lents d'insectes. A la nit és recomanable* **cobrir-se** *amb la mosquitera o, encara millor,* **dormir** *vestida.*

Isabel,
Per evitar les picades de mosquit, és molt important **que et vesteixis** *amb peces de fibres naturals de màniga llarga i de colors clars, i* _____ *servir repel·lents d'insectes. A la nit és recomanable* _____ *amb la mosquitera o, encara millor,* _____ *vestida.*

2 És recomanable no **menjar** aliments crus o semicuits. Sempre cal **rentar** la fruita i **pelar-la.** És aconsellable **beure** només aigua envasada o bullida i val la pena **anar** amb compte amb la rebosteria i els gelats, per la seva fàcil contaminació.

Josep,
Et recomano _____ aliments crus o semicuits. Sempre cal _____ la fruita i _____. T'aconsello _____ només aigua envasada o bullida i val la pena _____ amb compte amb la rebosteria i els gelats, per la seva fàcil contaminació.

3 És important **evitar** el contacte amb qualsevol tipus d'animal, fins i tot els domèstics. I en cas de mossegada d'un animal o de picada d'un mosquit, pot ser útil **cobrir-se** la ferida i, sobretot, és important **anar** al metge immediatament.

Lluc,
És important _____ el contacte amb qualsevol tipus d'animal, fins i tot els domèstics. I en cas de mossegada d'un animal o de picada d'un mosquit, pot ser útil _____ la ferida i, sobretot, és important _____ al metge immediatament.

4 Per no perdre les maletes és aconsellable **etiquetar-les,** abans d'embarcar. Si es fan servir maletes d'amics, és important **canviar** la identificació. Pot ser útil **portar** maletes de colors vius perquè es reconeixeran immediatament. I sobretot és recomanable **tancar** la maleta amb un cadenat.

Teresa,
Per no perdre les maletes t'aconsello _____, abans d'embarcar. Si fas servir maletes d'amics, és important _____ la identificació. Pot ser útil _____ maletes de colors vius perquè es reconeixeran immediatament. I sobretot és recomanable _____ la maleta amb un cadenat.

19 **Completa el text amb la forma del present de subjuntiu dels verbs que hi ha entre parèntesis.**

Malalties tropicals

Quan viatgi a un país tropical cal que _____ [1] (estar) ben informat sobre els aspectes sanitaris relacionats amb el seu destí. Li recomanem que _____ [2] (vacunar-se) un mes i mig o dos abans de sortir de viatge. També és recomanable que _____ [3] (demanar) informació als centres de vacunació internacionals.

Sobretot, en cas que pateixi alguna malaltia que requereixi prendre's algun medicament específic, és necessari que _____ [4] (anar) al metge de capçalera perquè li _____ [5] (fer) una revisió, li _____ [6] (aconsellar) les normes sanitàries que cal que _____ [7] (seguir) i li _____ [8] (fer) un informe per portar-lo durant el viatge. És important també que, si ho necessita, el metge li _____ [9] (receptar) la medicació adequada per cobrir el període de temps que duri l'estada a l'estranger. També cal que _____ [10] (assegurar-se) que podrà adquirir la medicació al país de destí, en cas que sigui imprescindible.

En els viatges a països tropicals, és útil que _____ [11] (portar) repel·lents d'insectes i, en cas indispensable, la medicació recomanada per a la prevenció del paludisme. També li recomanem que _____ [12] (endur-se) una petita farmaciola de casa.

Si els viatgers són gent gran o nens, cal que _____ [13] (prendre) precaucions especials per protegir-se d'insolacions i de deshidratacions. En tots els casos, aconsellem a tots els viatgers que _____ [14] (conèixer) el sistema local d'assistència sanitària i que _____ [15] (contractar) una pòlissa d'assegurança que cobreixi les despeses per malaltia o accident durant el viatge.

20 **Completa els correus electrònic amb els verbs adequats.**

Envia:	M
Per a:	Pere
Tema:	Consells per anar a l'Índia

Hola, Pere,

Em demanes que et _____ [1] alguns consells per anar a l'Índia. Bé, les coses bàsiques i imprescindibles ja les deus saber. Cal que _____ [2] el passaport amb una validesa de sis mesos. També cal _____ [3] el visat per entrar al país. Recorda que has de pagar unes taxes de sortida del país, que es paguen directament a l'aeroport.

Pel que fa a les vacunes, és millor que te n' _____ [4] bé al teu centre de salut. Això sí, cal que t'_____ [5] una farmaciola ben proveïda, perquè segur que tindràs la diarrea del viatger. I a més t'aconsello que _____ [6] una pòlissa d'assegurances.

Ja saps que a l'Índia hi ha moltes vaques pel carrer. Val la pena _____ [7] en compte que són sagrades i que no els pots pegar perquè s'apartin. Si et vols moure per allà, és recomanable _____ [8] taxis, són molt barats.

Una cosa que cal que _____ [9] és que la gent, quan et veurà, voldrà venir a parlar amb tu i que sempre tindràs moltes persones al teu voltant.

Pel que fa a la roba, cal que hi _____ [10] ben equipat, perquè hi fa molta calor, i t'hauràs de canviar sovint. Et recomano que _____ [11] roba lleugera perquè suaràs molt. I si vas amb la Roser, sobretot que _____ [12] més vestida, perquè allà les dones no ensenyen cuixa!

I no sé què més aconsellar-te. Si em recordo d'alguna cosa més, t'escriuré una altra vegada.

Au, vinga! Una abraçada.

M.

21 Completa les frases quan calgui.

1 Recorda't _____ passaports, eh?

2 No t'oblidis _____ agafar el raspall de dents.

3 No et descuidis _____ que hem de sortir d'hora per no trobar embussos.

4 No t'oblidis _____ agafar els prismàtics.

5 Àngela i Sergi, no us oblideu _____ ulleres de sol.

6 Recorda't _____ portar els sacs de dormir.

7 No t'oblidis _____ que has d'anar ben equipat de roba.

8 Recordeu-vos _____ visitar el centre històric.

9 No us descuideu _____ tenda de campanya.

10 Sobretot, Lluís, no et descuidis _____ anar a l'agència de viatges.

11 No us descuideu _____ emportar-vos una farmaciola.

12 No us oblideu _____ agafar la cantimplora, perquè tindreu set.

13 Recordeu-vos _____ que hem d'arribar a l'aeroport a les sis en punt.

14 No us descuideu _____ diners.

15 Recorda't _____ que has d'informar-te de les vacunes que necessites.

16 No us oblideu _____ que heu d'arribar d'hora.

17 No et descuidis _____ agafar la guia, abans de sortir.

18 Recordeu-vos _____ bitllets! Que si no els porteu, no us deixaran pujar a l'avió.

19 No t'oblidis _____ que hem d'agafar la càmera de vídeo.

20 Pere, no t'oblidis _____ portar les botes de muntanya, perquè caminarem molta estona.

22 Contesta les frases, com a l'exemple.

No et descuidis d'agafar els bitllets.
*No, no **me'n descuidaré.***

1 No t'oblidis de portar els passaports.
No, no _____

2 Recorda't d'agafar el repel·lent de mosquits.
Sí, sí, ja _____

3 Recorda't que demà sortim a les quatre.
No pateixis, ja _____

4 No et descuidis de comprar els prismàtics.
Tranquil. No _____

5 Et recordes que hem d'anar a vacunar-nos?
Sí, és clar que _____

6 Recorda't que avui arriben els turistes.
Sí, ja _____

7 No t'oblidis de deixar-me el sac de dormir.
No pateixis, no _____

8 Recordeu-vos d'anar a l'agència.
Sí, ja _____

9 No us descuideu de trucar a l'hotel.
No pateixis, no _____

23 **Insereix el pronom hi al text sempre que es pugui.**

A la Selva, es troben nombroses cales amagades entre els penya-segats, on es pot fer nudisme. Es pot anar amb cotxe, amb tren o amb autocar des de Barcelona. Es poden menjar molts plats tradicionals catalans, es poden visitar molts pobles mariners... A tots aquests pobles hi ha una oferta molt variada d'allotjaments on es pot dormir molt bé. A més, a la Selva es poden practicar esports nàutics.

24 **Escriu el text de l'exercici anterior fent servir la forma personal de nosaltres.**

A la Selva hi trobem...

25 **Completa el diàleg amb hi o s'hi.**

Què puc fer aquest pont?

T'aconsello que visitis la meva ciutat: Perpinyà. És una ciutat preciosa i amb molta història. _____ [1] poden visitar molts llocs i _____ [2] poden fer moltes coses.

I com _____ [3] puc anar?

La ciutat està molt ben comunicada. _____ [4] pot anar amb cotxe, amb tren, amb autobús...

Jo t'aconsello que _____ [5] vagis amb cotxe, per la costa. El paisatge és esplèndid.

I quant _____ [6] està d'aquí a Perpinyà, per la costa?

D'aquí a Perpinyà amb cotxe _____ [7] està tres hores, més o menys.

I creus que _____ [8] trobaré algun lloc econòmic per dormir?

Segur que sí. Mira, uns amics meus _____ [9] van anar no fa gaire i em van dir que hi ha molts hostals econòmics.

Molt bé. M'has convençut! _____ [10] aniré.

26 **Tria l'opció correcta.**

1 Quant **triga / dura** el viatge?

Unes tres hores.

2 Quant **s'hi està / dura** del Japó a París amb avió?

No ho sé, però segur que moltes hores.

3 Que **durarà / tardarà** gaire el tren?

No, crec que no. D'aquí a deu minuts ja serà aquí.

4 Encara no ha arribat l'avió? Sí que **triga / dura**!

5 Quant **triga / dura** el tren de València a Alacant?

Crec que unes tres hores.

6 El metge m'ha receptat la medicació necessària per cobrir el període de temps que **duri / trigui** l'estada a l'estranger.

27 **Completa les instruccions amb la forma de l'imperatiu dels verbs que hi ha entre parèntesis.**

1 On puc trobar un centre d'informació turística?

N'hi ha un aquí mateix.

I com s'hi va?

Doncs miri, ara som a l'estació. _____ (sortir) de l'estació i _____ (tombar) cap a la dreta. _____ (pujar) per aquest carrer fins que arribarà al capdavall de la Rambla Nova. A la dreta, li quedarà la Rambla Nova, doncs vostè _____ (continuar) endavant. El mar el tindrà a la dreta, eh? Si segueix recte per aquest passeig arribarà a una plaça. Allà mateix, a la plaça on hi ha una estàtua, n'hi ha un.

2 On és el Museu de la Ciutat?

Doncs, deixi'm pensar quina és la millor manera d'arribar-hi. És que des d'aquí l'estació hi ha una drecera, però potser és una mica complicat, si no coneix la ciutat. Miri, _____ (sortir) de l'estació i _____ (agafar) aquest carrer, que fa una mica de pujada, cap a la dreta, i arribarà al capdavall de la Rambla Nova. Allà mateix _____ (enfilar) rambla amunt. Travessarà una plaça, però vostè _____ (continuar) cap amunt, fins que arribi a una altra plaça, una mica més gran. Llavors _____ (tombar) a l'esquerra. M'explico? Vull dir que a la plaça _____ (agafar) el carrer que surt cap a l'esquerra. _____ (seguir) endavant i a l'esquerra ja el veurà.

28 **Completa els textos amb la forma adequada dels verbs que hi ha entre parèntesis. Sempre que puguis, fes servir la forma de l'imperatiu.**

Text 1

Joan,

Si _____ [1] (venir) per l'autovia A2 de Barcelona-Lleida, _____ [2] (sortir) a la sortida 532, en direcció a Sant Guim de Freixenet. _____ [3] (continuar) 5 km per la carretera B-100 i un cop _____ [4] (arribar) a Sant Guim, _____ [5] (agafar) la carretera de Calaf BV-1001. Cal que _____ [6] (fer) uns 3 km, i després _____ [7] (tombar) pel trencall que trobaràs a mà esquerra. _____ [8] (seguir) el camí, fins que _____ [9] (trobar) la casa.

Text 2

Francesca i Pep,

Per arribar a casa _____ [1] (pujar) per l'autopista AP-7 fins a la sortida 6 (Girona Nord). _____ [2] (sortir) de l'autopista i _____ [3] (continuar) per l'autovia C-66 en direcció a Banyoles i Olot. _____ [4] (sortir) a Banyoles sud. Un cop _____ [5] (arribar) a Banyoles, _____ [6] (agafar) la carretera cap a Mieres i Santa Pau. Quan arribeu a Mieres, _____ [7] (girar) a la dreta, direcció al Torn. Després de fer uns 2 km, _____ [8] (agafar) un camí que hi ha a la dreta i que fa baixada. _____ [9] (tirar) avall fins que _____ [10] (trobar) la casa.

Text 3

Senyora Coll,

Per arribar al càmping, sortint de Barcelona, _____ [1] (agafar) l'autopista AP-7 cap a Girona fins a la sortida 6 i, tot seguit, la carretera C-66 en direcció a Banyoles i Olot. Un cop _____ [2] (passar) Besalú, arribarà a Argelaguer, on hi ha el desviament per anar a Tortellà, a la dreta. _____ [3] (seguir) aquesta carretera, _____ [4] (deixar) el nucli urbà de Tortellà a l'esquerra i _____ [5] (continuar) pujant cap al nord, per la circumval·lació. Més endavant, trobarà un camí veïnal asfaltat amb un rètol.

29 **Tria l'opció correcta.**

1 Continuï per aquest carrer fins **al capdamunt / amunt** i després giri a l'esquerra.

2 L'església és **al capdavall / a baix** de l'avinguda Catalunya.

3 Agafa aquest carrer i puja cap **avall / amunt.** Al final de tot hi trobaràs la plaça.

4 Si enfiles **cap amunt / capdamunt,** veuràs el museu que busques.

5 A Barcelona els turistes acostumen a passejar **a dalt i a baix / amunt i avall** per la Rambla.

30 **Completa el text.**

Hola, Blanca,

Em demanes que et _____ (1) un racó de la meva ciutat. Com enyoro la meva ciutat, ara que fa tant temps que ja no _____ (2) visc! _____ (3) la pena que _____ (4) pel barri de la Ribera, perquè és un barri ple d'encant. I vols que t'_____ (5) un racó? És que n'hi ha tants, de racons entranyables... Però _____ (6) un, que és especial. És la zona _____ (7) hi ha la basílica de Santa Maria del Mar. La basílica _____ (8) al costat del passeig del Born, al mig del barri, i al voltant _____ (9) botigues artesanes, restaurants, sales d'art i comerços especialitzats i, és clar, també, molts turistes.

T'aconsello que _____ (10) quan estigui tota l'església il·luminada i que et deixis emportar per la màgia que _____ (11) respira. L'accés per la porta principal es fa per la plaça de Santa Maria. No _____ (12) de fer un volt pels carrers que rodegen l'església, perquè _____ (13) moltes botigues curioses.

Com _____ (14)? Vés-hi tot passejant, o bé _____ (15) el metro. La parada de metro més propera és Jaume I (de la L4, la línia groga). Amb autobús, _____ (16) pot arribar amb les línies 14, 17, 40 o 45.

Si _____ (17) vas per Nadal, no _____ (18) d'anar a escoltar el Cant de la Sibil·la, que es fa a l'església, el dia 24 a la nit, abans de la missa del Gall. _____ (19) que hi vagis d'hora perquè _____ (20) anar molta gent. Espero que t'agradi! Si necessites res més, escriu-me.

Un petó,

Marta

31 **A cada frase hi ha un error. Corregeix-lo.**

1 Un cop surtis del metro, ja hi ets al museu.

2 Si no tens cotxe, es pot anar amb autobús.

3 Has de visitar la part antiga de el barri.

4 En Colòmbia hi ha de tot: muntanyes, rius, llacs...

5 El clima és tropical tot el any.

6 Les platjes del meu país són meravelloses.

7 Si vas a Grècia, et recomano que et portis la crema protectora.

8 Te aconsello que vagis al Museu d'Història de Catalunya.

9 Demà sortirem a les cinc. No t'oblidis.

10 No pateixis. Ja m'en recordo.

32 **Accentua aquestes paraules. Posa-hi l'article definit i fes els plurals.**

_____ avio   _____   _____ embus   _____

_____ aglomeracio   _____   _____ agencia   _____

_____ excursio   _____   _____ ocea   _____

_____ pensio   _____   _____ bruixola   _____

_____ antelacio   _____   _____ prismatics   _____

_____ autobus   _____   _____ sabo   _____

_____ pais   _____   _____ anecdota   _____

_____ camping   _____   _____ esglesia   _____

_____ provincia   _____   _____ distancia   _____

_____ tipic   _____   _____ recomanacio   _____

_____ poblacio   _____   _____ epoca   _____

_____ polissa   _____   _____ transit   _____

_____ camera   _____   _____ desti   _____

33 **Escolta les persones i completa el quadre.**

		V	F
1	A la capital de Mallorca hi viu la meitat de la població de tota l'illa.		
2	A l'aeroport internacional només hi arriben vols directes d'Alemanya i de Gran Bretanya.		
3	El vaixell és una opció per als turistes que viatgen amb cotxe.		
4	Palma està connectada amb altres poblacions amb autobusos i trens.		
5	Als centres turístics només s'hi pot arribar amb transport privat.		
6	Per moure's per l'illa es recomana el transport públic perquè evita problemes de trànsit.		
7	Han construït centres turístics a prop de moltes platges.		
8	Les platges que es conserven en estat natural són aquelles a les quals només es pot accedir per mar.		
9	Els turistes que van a Mallorca hi poden fer esports nàutics i de muntanya.		
10	Els plats típics de l'illa són els de peix.		

34 **Escolta els textos i marca l'opció correcta.**

Text 1

1. **a.** La Lluïsa i la Mònica fa cinc anys que són a Guatemala.

    b. La Lluïsa i la Mònica fa un any que viatgen per Guatemala.

    c. La Lluïsa i la Mònica van viatjar durant cinc anys.

2. **a.** La Lluïsa i la Mònica van arribar a Guatemala amb un viatge organitzat.

    b. La Lluïsa i la Mònica van arribar a Guatemala després de visitar altres països.

    c. La Lluïsa i la Mònica van arribar a Guatemala perquè hi van trobar parella.

3. **a.** La Lluïsa i la Mònica a vegades treballen com a mestres en un poble.

    b. La Lluïsa i la Mònica es lleven d'hora perquè viuen lluny de la ciutat.

    c. La Lluïsa i la Mònica coneixen bé el país i, de tant en tant, fan de guies.

Text 2

4. **a.** L'Arnau, de jove, va visitar gairebé tots els països del món.

    b. L'Arnau va decidir acabar la carrera abans de viatjar.

    c. L'Arnau, de jove, es va fer el propòsit de visitar tots els països del món.

5. **a.** L'Arnau viatja perquè no troba feina fixa.

    b. L'Arnau fa allò que li agrada i, a més, cobra per fer-ho.

    c. L'Arnau s'informa molt bé quan viatja.

Text 3

6. **a.** Els bombers van regalar una bicicleta a la Fina fa quatre anys.

    b. A la Fina li va fer il·lusió poder anar a treballar amb bicicleta.

    c. La Fina es va comprar una bicicleta fa dos anys.

7. **a.** La Fina està programant un viatge per Àfrica.

    b. La Fina vol buscar feina a l'Àfrica Occidental.

    c. La Fina pensa anar per tot Europa amb la bicicleta.

1

1. l'aeroport
2. antelació
3. el passaport
4. els bitllets
5. una agència / l'agència
6. l'allotjament
7. una maleta
8. una motxilla
9. l'itinerari
10. una guia
11. el viatge
12. mitjans
13. un creuer
14. quinzena

2

1. 1. avions
2. horari
3. aeroports
4. maletes

2. 1. quinzena
2. cotxe
3. equipatge
4. embús
5. sortida

3. 1. natura
2. muntanya
3. fonda
4. càmping
5. tenda
6. sacs
7. excursions
8. temporada
9. gentada

4. 1. vaixell
2. casa rural

5. 1. aglomeració
2. baixa
3. bitllets
4. allotjament
5. mitja pensió

6. 1. creuer
2. viatge
3. itinerari

3

organització: organitzat, organitzada
aventura: aventurer, aventurera
comoditat: còmode, còmoda
previsió: previsor, previsora
valentia: valent, valenta
curiositat: curiós, curiosa
esport: esportista, esportista, esportiu, esportiva
prudència: prudent, prudent
independència: independent, independent
originalitat: original, original
tradició: tradicional, tradicional

4

1. organitzada / previsora / prudent
2. atrevit / aventurer / valent
3. còmode
4. organitzada / tradicional
5. atrevida / curiosa / esportista / esportiva / original / valenta

5

1. és, sigui; 2. són, siguin; 3. hi hagi, hi ha, és; 4. fer, sigui

6

1. el bosc, el llac, la muntanya, el riu, la vall
2. la costa, l'illa, el mar, el penya-segat, la platja
3. el desert, l'oasi
4. la cascada, la selva

7

1. cascades; frontera; salt; riu; llacs
2. muntanya
3. aiguamolls
4. desert; sorra; oasis
5. illa

8

1. que, on; 2. on, que; 3. on, on, que, on, que; 4. on, on, que, que; 5. que, on, on; 6. que, que, on, que

9

2. on: En aigües transparents del Carib es pot descobrir la quantitat de colors que hi ha als seus fons.

que: Tindreu una gran varietat de peixos exòtics al vostre voltant.

3. on: A Mauritània es pot trobar una infinitat de paisatges.

on: A Mauritània la naturalesa es manifesta en el seu estat més pur.

que: El país té una extensa zona de deserts.

on: A la zona de deserts es poden trobar oasis.

que: La costa està banyada per l'oceà Atlàntic.

4. on: A l'Amazònia hi ha més concentració d'éssers vius.

on: A la zona hi ha molts biòlegs que estudien espècies.

que: Les espècies només es troben allà.

que: Aquest racó del paradís a la Terra us sorprendrà per la seva bellesa.

5. que: El país té moltes zones desèrtiques.

on: En aquestes zones desèrtiques es troben les dunes més impressionants del món.

on: En aquesta part del món la gent descobreix el significat del desert.

6. que: Els pobles són al voltant del llac.

que: L'illa és al centre del llac.

on: Al centre del llac es va construir una església.

que: L'església només es pot visitar tres mesos l'any.

10

Aquest estiu anirem a Sardenya, que és una illa italiana, a prop de Còrsega. Anirem a la costa est de l'illa, on no hi ha gaire gentada. Quan hi arribarem anirem directament a l'hotel, que és de la cadena Mirton. L'hotel és a prop d'un poble, on llogarem el cotxe, per fer algunes excursions. Volem anar a la costa nord, on hi ha unes cales magnífiques, per visitar i també volem visitar la ciutat de l'Alguer, on es parla català.

11

1. una navalla multiús
2. una crema protectora
3. unes ulleres de sol
4. un barret de palla
5. un repel·lent de mosquits
6. una capsa de llumins
7. una tenda de campanya
8. un sac de dormir
9. una pastilla de sabó
10. un raspall de dents
11. una càmera de vídeo
12. unes botes de muntanya

12

1. em	6. et
2. m'	7. Ø
3. Ø	8. Us
4. t'	9. es
5. Ø	10. ens

13

1. te l', me l', me'l; 2. Te l', me la, me l'; 3. me les, se les; 4. te n', me'n, se la, me l'; 5. te'ls, me'ls, me'l

14

1. ens l', ens l'; 2. Us els, ens els; 3. ens la, us en, ens n'; 4. ens l', ens la; 5. us les, ens les

15

1. me l'emportaré
2. me l'enduria
3. se l'ha endut
4. ens la vam endur / vam endur-nos-la
5. se l'han emportat
6. ens les enduem
7. se'ls van emportar / van emportar-se'ls
8. me'l vaig endur / vaig endur-me'l
9. me n'he endut
10. me'n vaig emportar / vaig emportar-me'n

16

1. he dut, me l'he endut, me l'enduré
2. he de dur / duré / duc

3. t'endús / t'enduus, m'enduc, el duc
4. Duc / Duré
5. et vas endur / vas endur-te, me les vaig endur / vaig endur-me-les, te les vas endur / vas endur-te-les
6. du / duu, duc, du / duu
7. me les enduria
8. S'ha endut
9. t'enduries, m'enduria, m'enduria, m'ho enduria
10. dueu, duem, dueu

17

1. Ø; 2. que; 3. que; 4. de; 5. que; 6. de; 7. Ø; 8. Ø, que; 9. que; 10. Ø

18

1. que facis, que et cobreixis, que dormis
2. que no mengis, que rentis, que la pelis, que beguis, que vagis
3. que evitis, que et cobreixis, que vagis
4. que les etiquetis, que canviïs, que portis, que tanquis

19

1. estigui; 2. es vacuni; 3. demani; 4. vagi; 5. faci; 6. aconselli; 7. segueixi; 8. faci; 9. recepti; 10. s'asseguri; 11. porti; 12. s'endugui; 13. prenguin; 14. coneguin; 15. contractin

20

1. doni; 2. tinguis / portis; 3. demanar / tenir; 4. informis; 5. enduguis / emportis; 6. (et) facis / contractis; 7. tenir; 8. agafar; 9. sàpigues; 10. vagis; 11. portis / duguis / t'emportis / t'enduguis; 12. vagi

21

1. dels; 2. d'; 3. Ø; 4. d'; 5. de les; 6. de; 7. Ø; 8. de; 9. la; 10. d'; 11. d'; 12. d'; 13. Ø; 14. els; 15. Ø; 16. Ø; 17. d'; 18. dels; 19. Ø; 20. de

22

1. me n'oblidaré / me n'oblido
2. me'n recordaré / me'n recordo
3. me'n recordaré / me'n recordo
4. me'n descuidaré
5. me'n recordo
6. me'n recordo
7. me n'oblidaré / me n'oblido
8. ens en recordem / ens en recordarem
9. ens en descuidarem / ens en descuidem

23

A la Selva, s'hi troben nombroses cales amagades entre els penya-segats, on es pot fer nudisme. S'hi pot anar amb cotxe, amb tren o amb autocar des de Barcelona. S'hi poden menjar molts plats tradicionals catalans, s'hi poden visitar molts pobles mariners... A tots aquests pobles hi ha una oferta molt variada d'allotjaments on es pot dormir molt bé. A més, a la Selva s'hi poden practicar esports nàutics.

24

on podem fer nudisme, Hi podem anar / Podem anar-hi, Hi podem menjar / Podem menjar-hi, hi podem visitar / podem visitar-hi, on podem dormir, hi podem practicar / podem practicar-hi

25

1. S'hi; 2. s'hi; 3. hi; 4. S'hi; 5. hi; 6. s'hi; 7. s'hi; 8. hi; 9. hi; 10. Hi

26

1. dura
2. s'hi està
3. tardarà
4. triga
5. triga
6. duri

27

1. Surti, tombi, Pugi, continuï
2. surti, agafi, enfili, continuï, tombi, agafi, Segueixi

28

Text 1 1. véns
2. surt
3. Continua
4. arribis / arribaràs
5. agafa
6. facis
7. tomba
6. Segueix
7. trobis / trobaràs

Text 2 1. pugeu
2. Sortiu
3. continueu
4. Sortiu
5. arribeu / arribareu
6. agafeu
7. gireu
8. agafeu
9. Tireu
10. trobeu / trobareu

Text 3 1. agafi
2. passi / passarà
3. Segueixi
4. deixi
5. continuï

29

1. al capdamunt
2. al capdavall
3. amunt
4. cap amunt
5. amunt i avall

30

1. recomani / digui
2. hi
3. Val
4. passegis / caminis / et perdis
5. aconselli
6. n'hi ha
7. on
8. és
9. hi ha / hi trobaràs
10. hi vagis / la visitis
11. s'hi
12. t'oblidis / et descuidis
13. hi ha / hi trobaràs
14. s'hi va / hi pots anar / s'hi arriba / hi pots arribar
15. agafa / amb / en
16. s'hi
17. hi
18. oblidis
19. Cal / Et recomano / T'aconsello
20. hi sol / hi acostuma a / hi pot

31

1. ...ja hi ets. / ja ets al museu.
2. ...s'hi pot anar amb autobús.
3. del barri.
4. A Colòmbia...
5. tot l'any.
6. Les platges...
7. ...que t'emportis / portis la crema...
8. T'aconsello...
9. No te n'oblidis.
10. Ja me'n recordo.

32

l'avió, els avions; l'aglomeració, les aglomeracions; l'excursió, les excursions; la pensió, les pensions; l'antelació, les antelacions; l'autobús, els autobusos; el país, els països; el càmping, els càmpings; la província, les províncies; el típic, els típics; la població, les poblacions; la pòlissa, les pòlisses; la càmera, les càmeres; l'embús, els embusos; l'agència, les agències; l'oceà, els oceans; la brúixola, les brúixules; els prismàtics; el sabó, els sabons; l'anècdota, les anècdotes; l'església, les esglésies; la distància, les distàncies; la recomanació, les recomanacions; l'època, les èpoques; el trànsit, els trànsits; el destí, els destins

33

1. V; 2. F; 3. V; 4. V; 5. F; 6. F; 7. V; 8. F; 9. V; 10. F

34

1. a; 2. b; 3. c; 4. c; 5. b; 6. c; 7. a

Unitat 2

EXPLICA-M'HO

1 Completa el text amb les paraules del quadre.

Va ser un _____ (1) net. La policia va anar al _____ (2), alertada pel germà de la _____ (3), i va trobar l'_____ (4) de la família Rodergues al soterrani de casa seva, _____ (5) d'un tret al pit. Els agents van _____ (6) el personal de la casa, el qual va dir que no havia vist ni sentit res, i de seguida van descartar la possibilitat d'un _____ (7). Tots van _____ (8) que feia temps que no la veien i que suposaven que, com era habitual, havia marxat uns quants dies amb el seu marit a la casa d'estiueig. Però ella, és clar, no hi havia anat. El marit va comparèixer al cap d'una setmana i, com a _____ (9), va explicar que l'havien drogat, _____ (10) a la casa d'estiueig i _____ (11) de matar la seva dona, si no els donava tota la fortuna de la família. La policia va _____ (12) la casa d'estiueig i hi va trobar un cabell ros, sospitós. El va portar a analitzar. Després d'això va _____ (13) el germà i el marit de la Rodergues i els va _____ (14) de còmplices en el _____ (15) de la seva germana i dona, respectivament. Finalment els acusats van _____ (16) que n'eren els autors. El motiu: l'herència, és clar. Ara us deveu preguntar: i el cabell ros, una pista inútil? Ho seria si no fos que el germà de la Rodergues lluïa una magnífica cabellera rossa, que el seu cunyat adorava.

acusar
amenaçat
assassinat
coartada
escorcollar
confessar
crim
declarar
detenir
difunta
hereva
interrogar
lloc dels fets
morta
segrestat
suïcidi

2 Escolta el text i fixa't en les paraules que s'hi diuen i que hi ha a continuació. (Donem els verbs en infinitiu.) Després fes correspondre aquestes paraules amb les seves definicions.

☐ amant

☐ delatar

☐ detenir

☐ esbrinar

☐ escorcollar

☐ estafa

☐ interrogar

☐ investigar

☐ jutjar

☐ revelar

☐ robatori

☐ seguir

☐ sospitar

1. Fer preguntes formalment i amb autoritat.

2. Acció de quedar-se els diners d'algú, enganyant-lo.

3. Agafar algú per privar-lo de llibertat.

4. Anar darrere d'algú.

5. Creure, per algun detall, que algú és culpable d'alguna cosa.

6. Descobrir una cosa, un cas... fent diverses investigacions.

7. Examinar amb tot detall una casa, una persona...

8. Examinar fets per mirar de descobrir alguna cosa, algun cas...

9. Explicar el que t'ha dit una altra persona, amb la finalitat d'obtenir-ne un benefici.

10. Explicar una cosa que es tenia amagada.

11. Acció d'agafar una cosa o una propietat que no és teva.

12. Persona que té relacions amb una altra que no és la seva parella.

13. Valorar si una persona és culpable o innocent, a partir d'interrogatoris, de proves...

3 **Transforma les frases d'estil directe en frases d'estil indirecte. Posa el verb preguntar en tercera persona del singular del perfet d'indicatiu.**

Què has fet?
He avisat la policia.
M'ha preguntat què havia fet / vaig fer i li he contestat que havia avisat / vaig avisar la policia.

1 Quan ha comès l'estafa, el gerent?
Fa dos mesos.

_____

2 Com ha passat?
M'han perseguit i m'han robat la bossa.

_____

3 Quants diners t'han robat?
M'han pres tots els diners que portava.

_____

4 Per què han segrestat el seu fill?
L'han segrestat perquè volen aconseguir un rescat.

_____

5 Qui us ha acusat?
Els veïns.

_____

6 Què heu confessat?
No hem volgut dir res.

_____

7 Vostès, què han declarat?
Hem confessat la veritat.

_____

8 Quin secret han revelat, els acusats?
Han revelat el nom del còmplice.

_____

9 Per què us han escorcollat el pis?
Ens han escorcollat el pis perquè buscaven droga.

_____

4 **Transforma les frases d'estil directe en frases d'estil indirecte. Posa el verb preguntar en tercera persona del plural del passat perifràstic d'indicatiu. Sempre que sigui possible posa els pronoms darrere del verb.**

Què va fer, vostè?
Vaig avisar la policia.
Van preguntar-me què havia fet / vaig fer i vaig contestar-los que havia avisat / vaig avisar la policia.

1 Quan va cometre l'estafa, el gerent?
Fa dos mesos.

_____

2 Com va passar?
Van perseguir-me i van robar-me la bossa.

_____

3   Quants diners van robar-te?

Van prendre'm tots els diners que portava.

_____

4   Per què van segrestar-lo?

Van segrestar-lo perquè volien aconseguir un rescat.

_____

5   Qui us va acusar?

Els veïns.

_____

6   Què vau confessar?

No vam voler dir res.

_____

7   Vostès, què van declarar?

Vam confessar la veritat.

_____

8   Quin secret van revelar, els acusats?

Van revelar el nom del còmplice.

_____

9   Per què us van escorcollar el pis?

Ens el van escorcollar perquè buscaven droga.

_____

5   **Transforma les frases d'estil directe en frases d'estil indirecte.**

1   Té coartada el sospitós?

M'ha preguntat _____

2   El sospitós té coartada.

M'ha assegurat _____

3   Quan va arribar?

Li ha preguntat _____

4   Saps quan va arribar?

M'ha preguntat _____

5   Quan va arribar al lloc dels fets, no hi havia ningú?

Li va demanar _____

6   Quan va arribar al lloc dels fets, no hi havia ningú.

Li va explicar _____

7   De qui era l'arma del crim?

Li ha demanat _____

8   Saben de qui era l'arma del crim?

Els han demanat _____

9 No sabem de qui era l'arma del crim.

Han contestat _____

10 Us han escorcollat la casa?

Ens han preguntat _____

---

6 Transforma les frases d'estil directe en frases d'estil indirecte.

*Ara **sóc** l'hereu de la família, després ho **serà** el meu fill.*
*Em va dir que **era** l'hereu de la família i que després ho **seria** el seu fill.*

1 No és un suïcidi, és un assassinat.

Em va assegurar _____

2 Estàs esbrinant un cas d'estafa?

Em va demanar _____

3 Interrogaré els còmplices del robatori.

Em va explicar _____

4 Investigo el crim del carrer Princesa.

Em va comunicar _____

5 Faràs l'interrogatori als testimonis del crim?

Em va preguntar _____

6 L'amenacen amb el segrest d'algú de la seva família.

Em va dir _____

7 El criminal té una bona coartada?

Em va demanar _____

8 Quan jutjaran els còmplices?

Em va preguntar _____

9 De qui sospites?

Em va preguntar _____

10 Creus que és un engany?

Em va demanar _____

11 El jutge anirà al lloc dels fets.

Em va dir _____

12 Aviat detindran els delinqüents.

Em va assegurar _____

---

7 Completa les frases amb els verbs del quadre en pretèrit perfet.

1 Aquest matí hi ha hagut un robatori al supermercat. Els lladres _____ de seguida.

2 Fins ara no se sap qui _____ l'estafa.

3 Ens ha dit una mentida. No ens _____ el que ens ha explicat.

4 No _____ mirar-me els informes aquesta tarda, ja me'ls miraré demà.

5 Per què no m'ho heu dit quan ho _____?

> cometre
> creure
> desaparèixer
> poder
> saber

8   **Transforma les frases d'estil indirecte en frases d'estil directe.**

Els agents van interrogar els criats de la casa, els quals van dir que no havien vist ni sentit res.
Els agents van interrogar els criats de la casa, els quals van dir: **«No hem vist ni sentit res.»**

1   Tots van declarar que feia temps que no la veien i que suposaven que havia marxat uns quants dies amb el seu marit a la casa d'estiueig.

Tots van declarar: « _____ »

2   El marit va explicar que l'havien drogat, l'havien segrestat i l'havien amenaçat de matar la seva dona, si no els donava tota la fortuna de la família.

El marit va explicar: « _____ »

3   Finalment els acusats van confessar que n'eren els autors.

Finalment els acusats van confessar: « _____ »

4   Creia que ningú no sospitaria mai qui havia comès el robatori.

Crec que: « _____ »

5   Els veïns van revelar que el Robert havia fet alguns canvis en la seva vida. Gastava cotxes luxosos, vestia amb roba de marca i, la Puri, la seva amant, portava més joies que mai.

Els veïns van revelar: « _____ »

6   L'Hernandes va amenaçar en Robert dient-li que el delataria si no li donava la meitat dels diners.

L'Hernandes va amenaçar en Robert dient-li: « _____ »

9   **Completa les frases amb els pronoms el, la, els, les, li, los davant o darrere del verb, i l'article definit amb la preposició a, quan calgui.**

1   Com que va acusar ____ seu soci, el jutge ____ va preguntar quines proves tenia.

2   ____ ha preguntat, ____ acusat, per què havia segrestat ____ víctima.

3   ____ va assegurar, ____ membres del jurat, que ella no havia delatat ____ seu germà.

4   ____ ha dit que no es preocupés, perquè ja havia detingut ____ assassí.

5   Va telefonar ____ sospitosa i ____ va citar a casa seva per confessar-____ que ____ havia delatat.

6   Primer van interrogar ____ acusats i després ____ còmplices i ____ van preguntar quina relació tenien entre ells.

7   Ningú no sabia el motiu del delicte i el detectiu ____ va esbrinar quan va perseguir ____ marit de la víctima.

8   Saps per què van detenir ____ directores? Doncs perquè quan van interrogar-____ van demanar-____ detalls de la seva actuació a l'empresa, i es van contradir.

9   ____ ha assegurat, al jutge, que mai no havia amenaçat ____ seva dona.

10   La policia ____ va preguntar pel robatori, i elles van respondre-____ que per què no perseguien ____ seus veïns.

10   **Marca l'opció correcta.**

1   Volien entrar a robar a casa, _____ hi havia l'alarma connectada i van marxar corrent.

a. però
b. a més
c. encara que

2   Els lladres van agafar les joies, _____ van deixar els quadres.

a. per tant
b. tampoc
c. en canvi

3 Els Mossos van anar a casa _____ els
   veïns els van avisar.

   a. tot i que
   b. doncs
   c. perquè

4 Ens ho van robar tot, _____ les pintures.
   Ara, tot és buit, menys les parets.

   a. per tant
   b. tret de
   c. a més de

5 Ens ho van agafar tot menys els diners, que teníem molt
   ben amagats i _____ no els van trobar.

   a. tampoc
   b. per això
   c. en canvi

6 El policia escrivia amb una màquina d'escriure
   _____ en aquella època no hi havia ordinadors.

   a. ja que
   b. doncs
   c. però

7 Van obrir la porta _____ hi havia un
   pany de seguretat.

   a. sinó que
   b. tot i que
   c. mentre que

8 _____ teníem una assegurança, ens
   van pagar una part del robatori.

   a. Encara que
   b. Perquè
   c. Com que

9 No sé per on podien fugir.
   _____ es devien escapar pel terrat.

   a. Per això
   b. Doncs
   c. Excepte que

10 No van entrar per la porta del carrer _____
   van entrar pel garatge.

   a. sinó que
   b. per això
   c. encara que

---

11 **Escolta les notícies i escull l'opció correcta.**

Notícia 1
   a. L'home ha robat milions de dòlars. ✓
   b. L'home va als Estats Units d'Amèrica.
   c. L'home ha recuperat la maleta.

Notícia 2
   a. Dintre del cotxe hi havia un nen. ✓
   b. Mentre la dona dormia li han robat el cotxe.
   c. A una dona li roben el seu fill petit, que dormia al seu llit.

Notícia 3
   a. La policia va detenir una noia morta.
   b. La policia vol detenir una noia morta. ✓
   c. La policia detindrà una noia morta.

Notícia 4
   a. Un lladre roba una noia a l'ascensor de casa seva.
   b. Un lladre roba un pis i després baixa amb ascensor, on troba una noia.
   c. Un lladre molt educat acompanya una noia fins a dintre casa seva. ✓

Notícia 5
   a. La policia para un automobilista perquè ha agafat un autoestopista.
   b. L'automobilista roba els documents als policies.
   c. L'autoestopista fa un favor al conductor. ✓

Notícia 6
   a. Una parella troba un gos a dintre casa seva. ✓
   b. Un gos evita que uns lladres robin en un pis.
   c. Uns lladres han entrat a robar en un pis i s'han trobat un gos rabiós.

Notícia 7
   a. L'home atura el cotxe perquè ha pres un whisky i se sent marejat.
   b. Els Mossos aturen l'home que ha pres un whisky. ✓
   c. L'home s'atura perquè un policia municipal li vol fer un control d'alcoholèmia.

Notícia 8
   a. Uns convidats denuncien la persona que els ha convidat, perquè s'han intoxicat.
   b. Unes persones, convidades a casa d'un amic, compren un llibre de cuina per regalar-l'hi.
   c. Un noi, que té convidats, elabora un plat d'un llibre de cuina. ✓

12 Torna a escoltar les notícies i fixa't com s'hi reacciona. De les quatre opcions, una no és adequada. Marca-la.

Notícia 1	**a.** Què dius, ara!
	b. No fotis!
	c. Hòstia!
	d. Això rai! ✳

Notícia 2	**a.** Que fort!
	b. No hi donis més voltes.✳
	c. Collons!
	d. De debò?

Notícia 3	**a.** Què dius, ara!
	b. N'estàs segur?
	c. No n'hi ha per a tant! ✳
	d. Vols dir?

Notícia 4	**a.** Pots pensar!
	b. Ostres!
	c. De debò?
	d. I com va anar? ✳

Notícia 5	**a.** Ja pots comptar...
	b. Sí, home!
	c. No pot ser!
	d. Òndia! ✳

Notícia 6	**a.** Què dius, ara!
	b. Digues, digues... ✳
	c. N'estàs segura?
	d. Caram!

Notícia 7	**a.** Vols dir?
	b. No fotis!
	c. Ves per on... ✳
	d. Déu n'hi do.

Notícia 8	**a.** Vaja!
	b. No m'ho acabo de creure!
	c. I com va anar? ✳
	d. Això rai!

13 Completa els textos canviant els temps verbals dels verbs en negreta, seguint el temps verbal de l'exemple. Posa el verb en plusquamperfet d'indicatiu, sempre que sigui possible.

Text 1

És la història de la típica família que **carrega** _va carregar_ el cotxe i **se'n va** _____ (1) —amb canari i iaia inclosos— de vacances a l'estranger. De tornada cap a casa, la iaia **té** _____ (2) un infart i **es mor** _____ (3). El pare de família, per evitar complicacions i per estalviar-se l'elevat cost que **suposa** _____ (4) traslladar un cadàver d'un país a un altre, **fa** _____ (5) el cor fort i **decideix** _____ (6) tornar cap a casa amb el cos de la iaia dins el cotxe —algunes versions expliquen que la van embolicar i la van carregar a la baca. Sigui com sigui, la família **s'atura** _____ (7) en una àrea de servei per dinar i quan **decideix** _____ (8) pagar el compte i reprendre el viatge de retorn a casa... sorpresa! Una banda d'aquestes que actua a les àrees de servei **s'ha endut** _____ (9) el cotxe, les maletes i... el cadàver de la iaia!

Text 2

Aquesta és la història d'un home que un matí **s'aixeca** _es va aixecar_ i **s'adona** _____ (1) que li **han robat** _____ (2) el cotxe, que tenia estacionat al carrer. El primer que **fa** _____ (3) **és** _____ (4) anar a denunciar el robatori, però quan **torna** _____ (5) **s'adona** _____ (6) que el vehicle **torna** _____ (7) a ser al seu lloc, amb una nota en què li **demanen** _____ (8) excuses per haver agafat el cotxe sense permís i li **ofereixen** _____ (9) dues entrades per a un espectacle que **es fa** _____ (10) aquella nit. L'home **s'adona** _____ (11) també que li **han netejat** _____ (12) el cotxe. Després de sopar, **decideix** _____ (13) aprofitar les entrades i **va** _____ (14) al teatre. Mentrestant, els lladres **aprofiten** _____ (15) el temps i li **buiden** _____ (16) el pis.

Text 3

Una nit de pluja un camioner que **circula** _circulava_ per una carretera plena de revolts **s'atura** _____ (1) per recollir una noia vestida de blanc que **fa** _____ (2) autoestop. El camioner li **pregunta** _____ (3) què **fa** _____ (4) en un lloc com aquell a aquella hora, però la jove **es limita** _____ (5) a contestar que **és** _____ (6) una història massa llarga. Abans d'arribar a un revolt molt tancat, la noia **fa** _____ (7) un crit, i quan el conductor **es gira** _____ (8) per saber què **ha passat** _____ (9) la jove **ha desaparegut** _____ (10). Desconcertat, **para** _____ (11) al municipi se-güent per explicar què li **ha passat** _____ (12) i per intentar esclarir els fets. La Guàrdia Civil, que no **és** _____ (13) la primera vegada que **sent** _____ (14) la història, li **ensenya** _____ (15) la fotografia de la desconeguda, una noia que **va morir** _____ (16) en un accident en aquell revolt.

Text 4

Es veu que una parella de nuvis **se'n va** _se'n va anar_ de viatge de noces a Tailàndia. Passejant pels carrers de la capital **es troben** _____ (1) un gosset que els **persegueix** _____ (2) nit i dia. La parella **s'encapritxa** _____ (3) de l'animaló i **se l'emporta** _____ (4) a l'habitació de l'hotel, primer, i cap a casa, després. Però es veu que el nouvingut no **es fa** _____ (5) gaire amic del gat que **viu** _____ (6) amb la parella i un dia se'l **troben** _____ (7) mort i mig menjat. Espantats, **porten** _____ (8) el gos al veterinari, que els **informa** _____ (9) que allò no **és** _____ (10) un gosset innocent, sinó una rata sanguinària tailandesa. Diuen que la parella va haver d'estar una temporada en quarantena.

14 **Completa els textos inserint les frases següents al lloc adequat.**

Text 1

El meu amic té un amic una mica despistat _que havia conegut ja feia anys a l'escola primària._ Saps què li va passar dissabte passat a l'amic del amic meu? Resulta que tornava d'una discoteca, (1) a altes hores de la matinada. Conduïa un tot terreny (2). A pocs quilòmetres de la disco el va parar la policia de trànsit, (3), amb el seu jeep, per fer-li una prova d'alcoholèmia. (4) els agents li van dir que s'esperés una estona, i que llavors el tornarien a fer bufar (5). Però veient que la cosa no baixaria tan fàcilment, l'amic del meu amic, (6), va aprofitar la distracció de les forces de se-guretat, arran d'un accident (7), per pujar al cotxe i marxar. L'endemà, (8), la policia es va presentar a casa seva acusant-lo del robatori del seu cotxe: amb les presses no se n'havia adonat, (9)!

que havia conegut ja feia anys a l'escola primària

☐ com que havia begut més del compte,

☐ on havia ballat i begut fins

☐ per veure si el grau d'alcohol ja havia anat baixant

☐ quan encara no s'havia llevat

☐ que havia agafat una borratxera considerable

☐ que hi havia hagut a la vora

☐ que l'havia estat seguint

☐ que li havia comprat el seu pare

☐ que s'havia equivocat de jeep

Text 2

Expliquen la història d'un jove que va anar a una festa a casa d'uns amics i va lligar amb una noia molt maca *que també hi havia anat*. Quan van sortir al carrer, la noia va agafar fred [1] i ell li va deixar el seu jersei. Al final de la nit el noi la va acompanyar a casa, li va fer un petó i es van acomiadar. Quan va arribar a casa seva es va adonar que no duia el jersei, [2]. Per això l'endemà, en un intent de recuperar la peça de roba i de tornar a veure la noia, [3], el jove va tornar a la casa [4]. Però, quan va trucar a la porta i va demanar per ella, una dona li va dir que la seva filla era morta, [5]. El noi, molt desconcertat, se'n va anar al cementiri per comprovar si la història era certa [6]. Un cop allà, no només hi va trobar la tomba de la noia, sinó també el jersei [7].

> *que també hi havia anat*
>
> ☐ o si la dona l'havia enganyat
> ☐ on l'havia deixat la nit anterior
> ☐ perquè s'havia descuidat la jaqueta a casa
> ☐ que ell li havia deixat
> ☐ que feia més d'un any que s'havia mort
> ☐ que l'havia enamorat
> ☐ que s'havia oblidat de demanar-l'hi

15 A continuació tens les dades, en present d'indicatiu, corresponents al suposat segrest del taxista Albert B. Escriu aquestes dades en el temps passat corresponent i posa-hi un temporal. Després redacta la història, escolta el text de l'exercici següent i compara'l amb el que has escrit tu.

Segresten el taxista Albert B.
Avui a dos quarts de dotze del migdia han segrestat el taxista Albert B.

El taxista Albert B. fa uns quants trajectes.
Abans del suposat segrest del migdia, el taxista Albert B. havia fet uns quants trajectes.

DADES D'ABANS DE DOS QUARTS DE DOTZE DEL MIGDIA

1. Albert B. agafa passatgers al barri de Sant Andreu.
2. Albert B. truca als seus companys de Teletaxi i els diu la paraula clau (codi d'atracaments i segrestos).
3. Albert B. desconnecta el mòbil i no contesta la ràdio.

DADES DE DESPRÉS DE DOS QUARTS DE DOTZE DEL MIGDIA

4. Els Mossos busquen el taxista per tot Catalunya.
5. Els Mossos es reuneixen amb la família d'Albert B.
6. Dos mil taxistes decideixen buscar Albert B., però no el troben.

DADES D'ABANS DE DOS QUARTS DE VUIT DEL VESPRE

7. Albert B. telefona a la seva família i explica que:
8. és a Vic.
9. està bé.
10. té un cop al cap.
11. no recorda res.

DADES DE DESPRÉS DE DOS QUARTS DE VUIT DEL VESPRE

12. Els Mossos envien una patrulla a buscar el taxista a Vic.
13. Els Mossos el porten a l'hospital.
14. Els metges fan un reconeixement mèdic al taxista i no troben cap lesió.
15. Els Mossos el porten a la comissaria de Vic per prendre-li declaració.

16 **Escolta la narració i completa les frases.**

1 Aquest vespre cap a les vuit els Mossos d'Esquadra han trobat el taxista Albert B., _____ _____ aquest migdia.

2 Diu que no recorda res del que ha fet a partir de dos quarts de dotze. Anteriorment _____ _____ Sant Andreu.

3 Els seus companys de Teletaxi han explicat que _____ la paraula clau.

4 Posteriorment no hi han pogut connectar perquè sembla que _____ el mòbil.

5 Els familiars d'Albert B. han sabut notícies seves quan ell els ha telefonat cap a les vuit del vespre i els ha dit que _____ i que no podia recordar res.

6 Els Mossos, _____, han enviat una patrulla a Vic.

7 Durant el matí els Mossos també s'han reunit amb la família i han estat en contacte amb alguns taxistes que _____.

17 **Escriu els verbs que hi ha entre parèntesis en el temps verbal passat corresponent.**

1 Quan el van denunciar, ja _____ (desaparèixer) del país.

2 El comissari _____ (voler) saber quan _____ (produir-se) l'homicidi.

3 Encara no _____ (cometre) l'estafa, quan tothom sospitava d'ell.

4 Aquest matí l'agressor _____ (admetre) que ahir _____ (apallissar) la seva dona.

5 Quan van assaltar aquell tren, ja els _____ (detenir) dues vegades pel mateix delicte.

6 Va morir perquè el van estrangular, però abans ja _____ (intentar) enverinar-lo.

7 Quan el van trobar, encara no _____ (morir).

8 Aquesta setmana els membres del jurat _____ (saber) qui _____ (cometre) el xantatge.

9 Quan eren joves ja _____ (conduir) cotxes sense tenir el carnet.

10 Quan li va disparar el tret, ella ja l'_____ (veure) pel mirall.

18 **Transforma les frases següents, de manera que tingui el mateix significat.**

1 Devia donar-se un cop ell mateix.
I si _____
Potser _____

2 Tinc la impressió que va explicar mentides.
_____ explicar mentides.
Segons sembla _____

3 Crec que s'ha tornat boig.
Em fa l'efecte _____
Potser _____

4 Vés a saber si la família no ho sabia.
_____ saber-ho.
I si _____

5 Sembla que l'han segrestat.
Segons _____ l'han segrestat.
_____ segrestar.

6 I si ha dit la veritat?
Penso _____
Potser _____

7 Potser s'ho va inventar tot.
_____ inventar tot.
Em fa l'efecte _____

8 Potser els Mossos no se'l creuen.
A veure _____
Tinc la impressió _____

9 Crec que la família no deia la veritat.
Vés a saber _____
_____ dir la veritat.

10 Sembla que no té cap coartada.
Segons _____
_____ si té cap coartada.

19 Completa les frases amb una de les paraules del quadre. Quan calgui, posa-hi l'article definit o indefinit.

1 A l'atracament al banc només van detenir _____, els altres es va escapar.

2 Al menjar del mort hi havia restes de _____.

3 Aquesta _____ és molt important per descobrir qui és el culpable.

4 Caldrà fer _____ per descobrir els culpables.

5 Després del judici el van tancar a _____.

6 _____ presentava símptomes d'estrangulació.

7 El jurat no sabia si _____ era innocent o culpable.

8 _____ el va declarar innocent.

9 El van segrestar i se'l van quedar com a _____.

10 El vigilant va veure per la càmera de vigilància com cometien _____.

> acusat
> difunt
> investigació
> jutge
> lladre
> pista
> presó
> ostatge
> robatori
> verí

20 Completa les frases amb una de les paraules del quadre. Quan calgui, posa-hi l'article definit o indefinit.

1 _____ del crim és una pistola.

2 _____ dels testimonis va aclarir el cas.

3 La van segrestar i la van portar amb els ulls tapats a _____ fora de la ciutat.

4 La van segrestar i van demanar _____ milionari a la família.

5 Les proves van demostrar _____ del principal sospitós.

6 Li feien _____ amb l'amenaça de fer públiques unes fotografies.

7 Li va disparar _____ al cap.

8 Tothom tenia _____ que no deia la veritat.

9 Va rebre _____ de mort.

10 Van descobrir _____ gràcies als testimonis.

> amagatall
> amenaça
> arma
> confessió
> engany
> innocència
> rescat
> sospita
> tret
> xantatge

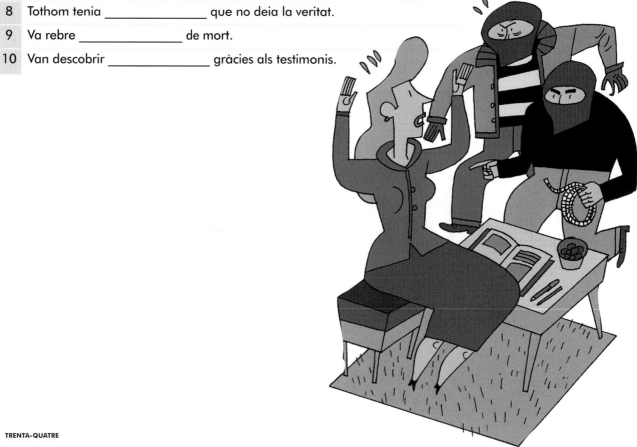

21 Completa el quadre. Quan escriguis el nom especifica si és masculí o femení.

	NOM	INFINITIU DEL VERB	PARTICIPI DEL VERB
	acusació (f)	*acusar*	*acusat*
1	admissió		
2		agrair	
3			alliberat
4			amagat
5	amenaça		
6	aparició		
7		assaltar	
8		atacar	
9			atracat
10		caure	
11	conducció		
12		confessar	
13			declarat
14		defensar	
15		detenir	
16		escapar	
17			interrogat
18			investigat
19		jutjar	
20		morir	
21	pallissa		
22	presó		
23	producció		
24		segrestar	
25		sospitar	
26	suïcidi		
27	tramesa		
28			enverinat

22 **Completa les frases amb un verb del quadre en passat perifràstic d'indicatiu. Hi ha més verbs que frases.**

1 El _____ quan sortia del banc i l'hi van robar tot.

2 Va morir perquè l'assassí li _____ un ganivet al pit.

3 L'advocat _____ l'acusat i va demostrar la seva innocència.

4 Li van posar una corda al coll i el _____ .

5 El segrestador la _____ a cops de mans i peus.

6 El lladre va sortir corrents del banc. Alguns empleats el va seguir, però _____ .

7 _____ el seu soci de l'estafa de l'empresa, encara que tots dos n'eren còmplices.

8 El detectiu _____ qui era el culpable a partir de les pistes que tenia.

9 La policia _____ el pis, però no hi va trobar res.

10 Els Mossos _____ el lladre fins que el van atrapar.

11 Finalment el còmplice _____ el secret que havia silenciat fins llavors.

12 Els sospitosos _____ la seva culpabilitat davant del jutge.

acusar
apallissar
atracar
clavar
declarar
defensar
derruir
esbrinar
detenir
dur
escapar-se
escorcollar
estrangular
perseguir
revelar
veure

23 **Completa les frases amb un verb en la forma verbal corresponent i pronoms si cal. Posa-hi totes les solucions possibles.**

1 Quan va començar el judici el sospitós es va asseure al banc dels acusats.
El jutge va decidir que el sospitós _____ al banc dels acusats.

2 Van caure en un gran error.
Després del judici es va demostrar que _____ en un gran error.

3 No va conèixer el seu defensor fins al dia del judici.
Fins avui, que se celebra el judici, no _____ el seu defensor.

4 Va morir ahir a la nit.
Avui els diaris han publicat que _____ ahir a la nit.

5 Es va suspendre el cas per falta de proves.
El jutge va sentenciar que _____ el cas per falta de proves.

6 No sé per què va venir a declarar aquest testimoni.
Em va preguntar: «Per què _____ a declarar aquest testimoni?»

7 Van admetre les últimes proves al judici.
Quan es va tancar el cas ja _____ les últimes proves al judici.

8 El jutge va agrair al jurat la seva rapidesa a l'hora de dictar la sentència.
Quan han dictat la sentència, el jutge _____ al jurat la seva rapidesa.

9 El dia anterior al dictamen de la sentència va aparèixer un testimoni nou.
Van aturar el dictamen de la sentència perquè el dia anterior _____ un testimoni nou.

10 Ahir van detenir tots els culpables.
Aquest matí ningú no sabia per què _____ els culpables.

11 Van dur les proves massa tard.
Van tancar el cas perquè _____ les proves massa tard.

12 Van conduir amb unes copes de més i van tenir un accident.
Van tenir un accident perquè _____ amb unes copes de més.

13	L'accident es va produir a la matinada.

L'accident _____ avui a la matinada.

14	El jutge va trametre les proves al fiscal.

Quan el fiscal va fer l'acusació, el jutge ja li _____ les proves.

15	La va veure amb el seu amant.

Com a prova del judici va declarar que _____ amb el seu amant.

16	El presumpte delinqüent va desaparèixer abans d'anar al jutjat.

No se sap per què el presumpte delinqüent _____ abans d'anar al jutjat.

17	No se sap qui va cometre l'estafa.

Fins ara no se sap qui _____ l'estafa.

18	No es va creure que l'assassí era el seu amant.

No _____ mai que l'assassí era el seu amant.

19	Va poder escapar-se, sense deixar pistes.

Ha desaparegut, _____ escapar-se sense deixar pistes.

20	Va saber de seguida qui era l'assassí.

No va dubtar gens, perquè de seguida _____ qui era l'assassí.

---

24 **Relaciona les definicions amb les paraules del quadre. Hi ha més paraules que definicions.**

1 Si una persona es lleva molt d'hora, diem que és _____.

2 Si una persona guarda els diners en comptes de gastar-los, diem que és _____.

3 Si una persona no improvisa i pensa en el futur, diem que és _____.

4 Si una persona actua sempre correctament segons les lleis, avaluant els pros i els contres, diem que és una persona _____.

5 Si una persona no imposa la seva raó i té en compte el que fan els altres, diem que és _____.

6 Si una persona cada dia fa el mateix, al mateix horari, diem que és _____.

7 Si una persona prefereix estar sola que acompanyada, diem que és _____.

8 Si una persona sap moltes coses i li agrada aprendre'n més, diem que és _____.

9 Si a una persona li agrada anar sempre molt neta i arreglada, diem que és _____.

10 Si una persona té distinció de maneres en els moviments, el vestir..., diem que és _____.

> comunicativa
> culta
> divertida
> elegant
> estalviadora
> justa
> maniàtica
> matinera
> oberta
> polida
> presumida
> previsora
> respectuosa
> rutinària
> silenciosa
> solitària

---

25 **Escolta aquestes persones i escriu les accions passades i les accions anteriors a les accions passades.**

	acció passada	acció anterior a l'acció passada
1	*vaig entrar a casa seva, el vaig trobar assegut*	
2		
3		
4		
5		
6		

26 A cada frase hi ha un error. Corregeix-lo.

1 Ho recordo tot. Ara li explico.

2 L'hi he donat un copet a l'espatlla i pum! ha caigut a terra com un mort.

3 He marxat corrent i els hi he trucat, a vostès.

4 Li va sentir arribar ahir a la nit?

5 L'agradava molt fer esport.

6 L'hi vaig preguntar on anava tan mudat.

7 I quan li ha vist, ja era mort?

8 Jo sóc la portera, la Pepita, per servir-li.

9 Havia suspès alguns alumnes. Però segur que si les va suspendre és que s'ho mereixien.

27 A cada frase hi ha un error. Corregeix-lo.

1 Quan van començar a buscar-lo ja havia desaparescut.

2 No ho hem sapigut fins que ens han telefonat.

3 Sospitaven dels alumnes que havia suspés.

4 El van detenir perquè havia conduit amb unes copes de més.

5 Finalment ha aparescut l'arma del crim.

6 No sabien qui havia cometit el crim.

7 Finalment havia admitit la seva culpabilitat.

8 Va agraïr als testimonis que declaressin la veritat.

9 L'explosiu va derruïr totes les cases del voltant.

10 Han detenit els sospitosos de l'assassinat.

28 Completa el text amb els verbs que hi ha entre parèntesis en el temps i la persona verbal corresponents. Sempre que sigui possible, utilitza el plusquamperfet d'indicatiu.

El senyor Kingsley va preguntar al detectiu Marlowe quant _____ (1) (voler) cobrar, i aquest li va dir que _____ (2) (voler) cobrar vint-i-cinc "papers" diaris. Com que el senyor Kingsley hi va estar d'acord, Marlowe va preguntar què _____ (3) (haver) de fer i el senyor Kingsley li va dir que _____ (4) (haver) de trobar la seva dona.

Marlowe va preguntar-li quan _____ (5) (desaparèixer) i el senyor Kingsley li va dir que _____ (6) (fer) aproximadament un mes. El detectiu va assegurar que la _____ (7) (trobar), però que _____ (8) (necessitar) saber tots els moviments de la senyora Kingsley.

El senyor Kingsley va explicar que la seva dona _____ (9) (anar-se'n) d'una cabana que tots dos _____ (10) (tenir) a la muntanya. Marlowe va demanar on _____ (11) (ser) aquella cabana i si hi _____ (12) (anar) sola. El senyor Kingsley va explicar que la cabana, de fet, _____ (13) (ser) una finca a cinc-cents quilòmetres del poble, a la vora d'un llac. Allà també hi _____ (14) (viure) uns amics.

> Què he de fer?
>
> Ha de buscar la meva dona.

> Quan va desaparèixer?
>
> Va desaparèixer la setmana passada.

Marlowe _____ (15) (voler) saber si la senyora Kingsley _____ (16) (tenir) per costum anar a la finca i amb quina freqüència i el senyor Kingsley va contestar que la seva dona hi _____ (17) (pujar) a mitjan maig i _____ (18) (baixar) dues vegades, dos caps de setmana. Marlowe li va demanar quant _____ (19) (fer) que no _____ (20) (saber) res de la seva dona i el senyor Kingsley va respondre que no _____ (21) (saber) on _____ (22) (ser) des del dotze de juny, dia que la seva dona _____ (23) (haver) d'anar a una festa, a la qual no va anar.

> Què ha fet per trobar-la?
>
> No he fet res.

Marlowe va preguntar al senyor Kingsley què _____ (24) (fer) per trobar la seva dona i ell li va dir que no _____ (25) (fer) res. Llavors el senyor Kingsley li va ensenyar un telegrama de la seva dona que _____ (26) (dir) que _____ (27) (passar) la frontera per aconseguir el divorci mexicà i que es _____ (28) (casar) amb el Chris.

> Em casaré amb el Chris.

---

29 **Completa el text amb els verbs que hi ha entre parèntesis en el temps i la persona verbal corresponents. Sempre que sigui possible, utilitza el plusquamperfet d'indicatiu.**

El comissari va preguntar qui _____ (1) (trobar) el cos i un home va respondre que l'_____ (2) (descobrir) ell. Llavors el comissari va preguntar-li on i quan l'_____ (3) (trobar). L'home va dir que l'_____ (4) (trobar) a uns dos-cents metres de la costa, _____ (5) (fer) una hora més o menys. També va explicar que l'_____ (6) (veure) al mig del mar, però que _____ (7) (trigar) una estona a agafar-lo perquè no l'_____ (8) (poder) pujar a la barca, ja que _____ (9) (anar) sol. Per això l'_____ (10) (arrossegar) fins a la costa. El comissari li va preguntar si l'_____ (11) (reconèixer) i ell va dir que sí i que _____ (12) (recordar-se'n) per sempre més.

30 **Completa el text amb els verbs que hi ha entre parèntesis en el temps i la persona verbal corresponents. Sempre que sigui possible, utilitza el plusquamperfet d'indicatiu.**

L'Artur va preguntar als policies per què _____ (1) (fer) aquella vigilància, si es _____ (2) (pensar) que _____ (3) (ser) un suïcidi. L'agent li va respondre que no ho _____ (4) (pensar) mai. L'Artur va insistir que _____ (5) (semblar) un suïcidi. Llavors l'agent li va repetir que sí que ho _____ (6) (semblar), però que ell _____ (7) (cometre) un error important, ja que, pel que semblava, _____ (8) (desconèixer) que el coronel Virós _____ (9) (tenir) el braç dret paralitzat i que, per tant, només _____ (10) (poder) utilitzar l'esquerre. En canvi la pistola _____ (11) (estar) situada de manera que només s'_____ (12) (poder) disparar amb la dreta. Després d'això, li va preguntar si ella no li _____ (13) (dir) que el coronel no _____ (14) (poder) fer servir la mà dreta.

Quan ell va respondre que ella no l'hi _____ (15) (dir), l'agent li va explicar que des del primer moment _____ (16) (sospitar) que es _____ (17) (tractar) d'un assassinat i que molt probablement l'_____ (18) (cometre) algú de la família, concretament l'hereva.

L'Artur, sorprès, va fer-l'hi repetir. L'agent ho va tornar a afirmar i va afegir que ella _____ (19) (tenir) una bona coartada, encara que ell sempre _____ (20) (saber) que _____ (21) (haver-hi) d'haver un còmplice i que un moment o altre apareixeria.

31 **Completa el text amb les paraules adequades. Els verbs que hi ha entre parèntesis s'han de posar en el temps i la persona verbal corresponents.**

Fa anys el meu home i jo vam anar de viatge per les vacances de setmana santa. A la tornada, per culpa del _____ [1], vam arribar a casa tard, cansats, pensant que l'endemà _____ [2] (haver) d'anar a treballar. Quan vam sortir de l'ascensor, ens vam adonar de seguida que la porta del pis _____ [3] (estar) mal tancada. Vam pensar el _____ [4] i no ens vam equivocar. Penjat a la porta hi havia un paper que _____ [5] (dir): "Per denunciar el _____ [6] aneu a la comissaria més pròxima". Quin ensurt! Jo estava a punt de marxar corrent i dir: "Això no és casa meva, _____ _____ [7] vaig..." Però _____ [8] (haver) de fer el cor fort i tirar endavant. _____ [9] merder! La roba de l'armari _____ [10] (ser) tota per terra, la personal i la de casa. A l'estudi _____ [11] no _____ [12] (haver-hi) res al seu lloc. Els calaixos _____ [13] (estar) buits i tots els papers eren per terra; en canvi, els llibres no els _____ [14] (tocar). També em van robar les joies, tret d'unes quantes que _____ [15] (deixar-se) sobre el llit... poques. El televisor i l'aparell de música no _____ [16] van endur, encara que _____ [17] (deure) pensar fer-ho, perquè estaven desconnectats. Els quadres no els havien tocat, tot i que _____ [18] hi havia algun de bo. _____ [19] (estar) nerviosos, desorientats i, sobretot, emprenyats. _____ [20] (decidir) que havíem de fer el que deia la nota; així doncs, vam anar a la policia per denunciar el robatori.

Afortunadament les comissaries d'ara no són com les de llavors, tot i que _____ [21] (preferir) no haver-_____ [22] d'anar. Quan ens va tocar el torn, un policia, davant d'una màquina d'escriure de l'era dels dinosaures (val a dir que en aquella època els ordinadors encara eren força desconeguts), va posar-hi dos _____ [23] de paper separats per un paper còpia i _____ [24] (començar) l'interrogatori, a mesura que anava teclejant suposadament el que nosaltres anàvem dient. A mi em semblava que érem en una pel·lícula. Les preguntes eren _____ [25] rutinàries com absurdes, i nosaltres ens _____ [26] (limitar) a contestar, també rutinàriament. A l'hora d'explicar què _____ [27] (trobar) a faltar, jo vaig anar dient les coses que recordava que no _____ [28] eren. D'entre les joies, em faltava un petit rellotge d'estil modernista que _____ [29] (regalar) una persona que m'estimava molt i per això em _____ [30] (fer) molta pena no tenir-_____ _____ [31]. Quan li vaig dir al poli: «A més, em falta un rellotge modernista», ell em va replicar: «_____ [32] (deure) voler dir: modern». «Doncs no –li vaig dir jo–, vull dir modernista». No em va contestar a mi sinó que es va dirigir al meu home i, d'home a home, va dir-_____ [33]: «Està nerviosa, oi?» En aquell moment, l'_____ [34] (haver) mort; després ens vam fer un _____ [35] de riure.

1

1. assassinat; 2. lloc dels fets; 3. difunta; 4. hereva; 5. morta; 6. interrogar; 7. suïcidi; 8. declarar; 9. coartada; 10. segrestat; 11. amenaçat; 12. escorcollar; 13. detenir; 14. acusar; 15. crim; 16. confessar

2

1. interrogar; 2. estafa; 3. detenir; 4. seguir; 5. sospitar; 6. esbrinar; 7. escorcollar; 8. investigar; 9. delatar; 10. revelar; 11. robatori; 12. amant; 13. jutjar

3

1. M'ha preguntat quan havia comès / va cometre l'estafa, el gerent i li he contestat que l'havia comès / la va cometre fa dos mesos.
2. M'ha preguntat com havia passat / va passar i li he contestat que m'havien perseguit / em van perseguir i m'havien robat / em van robar la bossa.
3. M'ha preguntat quants diners m'havien robat / em van robar i li he contestat que m'havien pres / em van prendre tots els diners que portava.
4. M'ha preguntat per què havien segrestat / van segrestar el seu fill i li he contestat que l'havien segrestat / el van segrestar perquè volien aconseguir un rescat.
5. M'ha preguntat qui ens havia acusat / va acusar i li he contestat que ens havien acusat / van acusar els veïns.
6. M'ha preguntat què havíem confessat / vam confessar i li he contestat que no havíem volgut / vam voler dir res.
7. M'ha preguntat què havíem declarat / vam declarar i li he contestat que havíem confessat / vam confessar la veritat.
8. M'ha preguntat quin secret havien revelat / van revelar els acusats i li he contestat que havien revelat / van revelar el nom del còmplice.
9. M'ha preguntat per què ens havien escorcollat / van escorcollar el pis i li he contestat que ens havien escorcollat / van escorcollar el pis perquè buscaven droga.

4

1. Van preguntar-me quan havia comès / va cometre l'estafa, el gerent i vaig contestar-los que l'havia comès / va cometre-la fa dos mesos.
2. Van preguntar-me com havia passat / va passar i vaig contestar-los que m'havien perseguit / van perseguir-me i m'havien robat / van robar-me la bossa.
3. Van preguntar-me quants diners m'havien robat / van robar-me i vaig contestar-los que m'havien pres / van prendre'm tots els diners que portava a la bossa.
4. Van preguntar-me per què l'havien segrestat / van segrestar-lo i vaig contestar-los que l'havien segrestat / van segrestar-lo perquè volien aconseguir un rescat.
5. Van preguntar-nos qui ens havia acusat / va acusar-nos i vam contestar-los que ens havien acusat / van acusar-nos els veïns.
6. Van preguntar-nos què havíem confessat / vam confessar i vam contestar-los que no havíem volgut / vam voler dir res.
7. Van preguntar-nos què havíem declarat / vam declarar i vam contestar-los que havíem confessat / vam confessar la veritat.
8. Van preguntar-me quin secret havien revelat / van revelar els acusats i vaig contestar-los que havien revelat / van revelar el nom del còmplice.
9. Van preguntar-nos per què ens havien escorcollat / van escorcollar-nos el pis i vam contestar-los que ens havien escorcollat / van escorcollar-nos el pis perquè buscaven droga.

5

1. si el sospitós tenia coartada; 2. que el sospitós tenia coartada; 3. quan havia arribat / va arribar; 4. si sabia quan havia arribat / va arribar; 5. si, quan va arribar / havia arribat al lloc dels fets, no hi havia ningú; 6. que, quan va arribar / havia arribat al lloc dels fets, no hi havia ningú; 7. de qui era l'arma del crim; 8. si sabien de qui era l'arma del crim; 9. que no sabien de qui era l'arma del crim; 10. si ens havien escorcollat / van escorcollar la casa.

6

1. que no era un suïcidi, que era un assassinat; 2. si estava esbrinant un cas d'estafa; 3. que interrogaria els còmplices del robatori; 4. que investigava el crim del carrer Princesa; 5. si faria l'interrogatori als testimonis del crim; 6. que l'amenaçaven amb el segrest d'algú de la seva família; 7. si el criminal tenia una bona coartada; 8. quan jutjarien els còmplices; 9. de qui sospitava; 10. si creia que era un engany; 11. que el jutge aniria al lloc dels fets; 12. que aviat detindrien els delinqüents.

7

1. han desaparegut; 2. ha comès; 3. hem cregut; 4. he pogut; 5 heu sabut

8

1. Fa temps que no la veiem, suposem que ha marxat / va marxar uns dies amb el seu marit a la casa d'estiueig.
2. M'han drogat / Em van drogar, m'han segrestat / em van segrestar i m'han amenaçat / em van amenaçar de matar la meva dona, si no els donava la fortuna de la família.

3. En som els autors.
4. Ningú no sospitarà mai qui ha comès / va cometre el robatori.
5. El Robert ha fet alguns canvis en la seva vida. Gasta cotxes luxosos, vesteix amb roba de marca i, la Puri, la seva amant, porta més joies que mai.
6. Et delataré si no em dónes la meitat dels diners.

9

1. el, li; 2. Li, a l', la; 3. Els, als, el; 4. Li, l'; 5. a la, li, l'; 6. els, els, els; 7. el, el; 8. les, les, los; 9. Li, la; 10. els, li, els

10

1. a; 2. c; 3. c; 4. b; 5. b; 6. a; 7. b; 8. c; 9. b; 10. a

11

1. c; 2. a; 3. b; 4. c; 5. c; 6. a; 7. b; 8. c

12

1. d; 2. b; 3. c; 4. a; 5. a; 6. b; 7. c; 8. d

13

Text 1
1. se'n va anar / va anar-se'n; 2. va tenir; 3. es va morir / va morir-se; 4. suposava; 5. va fer; 6. va decidir; 7. es va aturar / va aturar-se; 8. va decidir; 9. s'havia endut

Text 2
1. es va adonar / va adonar-se; 2. havien robat; 3. va fer; 4. va ser; 5. va tornar; 6. es va adonar / va adonar-se; 7. tornava; 8. demanaven; 9. oferien; 10. es feia; 11. es va adonar / va adonar-se; 12. havien netejat; 13. va decidir; 14. va anar; 15. van aprofitar; 16. van buidar

Text 3
1. es va aturar / va aturar-se; 2. feia ; 3. va preguntar; 4. feia; 5. es va limitar / va limitar-se; 6. era; 7. va fer; 8. es va girar / va girar-se; 9. havia passat; 10. havia desaparegut; 11. va parar; 12. havia passat; 13. era; 14. sentia; 15. va ensenyar; 16. havia mort

Text 4
1. es van trobar / van trobar-se; 2. perseguia / va perseguir; 3. es va encapritxar / va encapritxar-se; 4. se'l va emportar / va emportar-se'l; 5. es feia / es va fer / va fer-se; 6. vivia; 7. van trobar; 8. van portar; 9. va informar; 10. era

14

Text 1
1. on havia ballat i begut fins; 2. que li havia comprat el seu pare; 3. que l'havia estat seguint; 4. Com que havia begut més del compte; 5. per veure si el grau d'alcohol ja havia anat baixant; 6. que havia agafat una borratxera considerable; 7. que hi havia hagut a la vora; 8. quan encara no s'havia llevat; 9. que s'havia equivocat de jeep

Text 2

1. perquè s'havia descuidat la jaqueta a casa; 2. que s'havia oblidat de demanar-l'hi / que ell li havia deixat; 3. que l'havia enamorat; 4. on l'havia deixat la nit anterior; 5. que feia més d'un any que s'havia mort; 6. o si la dona l'havia enganyat; 7. que ell li havia deixat / que s'havia oblidat de demanar-l'hi

15 Solucions orientatives

1. Cap a les onze l'Albert B. va agafar / havia agafat passatgers al barri de Sant Andreu; 2. A dos quarts de dotze l'Albert B. va trucar / havia trucat als seus companys de Teletaxi i els va dir / havia dit la paraula clau (codi d'atracaments i segrestos); 3. A partir d'aquell moment l'Albert B. va desconnectar / havia desconnectat el mòbil i no va contestar / havia contestat la ràdio; 4. Així que van saber el fet, els Mossos van buscar el taxista per tot Catalunya; 5. De seguida els Mossos es van reunir amb la família d'Albert B.; 6. A la tarda, dos mil taxistes van decidir buscar Albert B., però no el van trobar; 7. Cap a les vuit l'Albert B. va telefonar / havia telefonat a la seva família i va explicar / havia explicat que; 8. era a Vic; 9. estava bé; 10. tenia un cop al cap; 11. no recordava res; 12. Quan els Mossos es van assabentar d'on era Albert B. van enviar una patrulla a buscar el taxista a Vic; 13. A continuació els Mossos el van portar a l'hospital; 14. Quan va arribar a l'hospital els metges van fer un reconeixement mèdic al taxista i no li van trobar cap lesió; 15. Després els Mossos el van portar a la comissaria de Vic per prendre-li declaració.

16

1. que havia desaparegut; 2. havia agafat passatgers al barri de; 3. els havia trucat i els havia dit; 4. havia desconnectat; 5. l'havien segrestat, que li havien donat un cop al cap; 6. que l'havien estat buscant tot el dia; 7. havien decidit buscar el seu company

17

1. havia desaparegut; 2. volia / va voler, s'havia produït / va produir-se / es va produir; 3. havia comès; 4. ha admès, havia apallissat / va apallissar; 5. havien detingut; 6. havien intentat / van intentar; 7. havia mort; 8. han sabut, havia comès / va cometre / ha comès; 9. havien conduït / van conduir / conduïen; 10. havia vist

18

1. I si es va donar / va donar-se un cop ell mateix? Potser es va donar / va donar-se un cop ell mateix; 2. Devia explicar mentides. Segons sembla va explicar mentides; 3. Em fa l'efecte que s'ha tornat boig. Potser s'ha tornat boig; 4. La família devia saber-ho. I si la família ho sabia?; 5. Segons sembla, l'han segrestat. El devien se-

grestar; 6. Penso que ha dit la veritat. Potser ha dit la veritat; 7. S'ho devia inventar tot. Em fa l'efecte que s'ho va inventar tot; 8. A veure si els Mossos no se'l creuen. Tinc la impressió que els Mossos no se'l creuen; 9. Vés a saber si la família deia la veritat. La família no devia dir la veritat; 10. Segons sembla no té cap coartada. Vés a saber si té cap coartada.

19

1. un lladre; 2. verí; 3. pista; 4. una investigació; 5. la presó; 6. El difunt; 7. l'acusat; 8. El jutge; 9. ostatge; 10. el / un robatori

20

1. L'arma; 2. La confessió; 3. un amagatall; 4. un rescat; 5. la innocència; 6. xantatge; 7. un tret; 8. la sospita; 9. una amenaça; 10. l'engany

21

1. admetre, admès; 2. agraïment (m), agraït; 3. alliberament (m), alliberar; 4. amagatall (m), amagar 5. amenaçar, amenaçat; 6. aparèixer, aparegut; 7. assalt (m), assaltat; 8. atac (m), atacat; 9. atracament (m), atracar; 10. caiguda (f), caigut; 11. conduir, conduït; 12. confessió (f), confessat; 13. declaració (f), declarar; 14. defensa (f), defensat; 15. detenció (f), detingut; 16. escapada (f), escapat; 17. interrogatori (m), interrogar; 18. investigació (f), investigar; 19. jutge – jutgessa, jutjat; 20. mort – morta, mort; 21. apallissar, apallissat; 22. empresonar, empresonat; 23. produir, produït; 24. segrest (m), segrestat; 25. sospita (f), sospitat; 26. suïcidar, suïcidat; 27. trametre, tramès; 28. verí (m), enverinar

22

1. van atracar; 2. va clavar; 3. va defensar; 4. van estrangular; 5. va apallissar; 6. es va escapar / va escapar-se; 7. Va acusar; 8. va esbrinar; 9. va escorcollar; 10. van perseguir; 11. va revelar; 12. van declarar

23

1. s'havia d'asseure; 2. havien caigut; 3. ha conegut / coneixerà; 4. havia mort / va morir; 5. s'havia suspès / es va suspendre / va suspendre's; 6. ha vingut / ve; 7. havien admès; 8. ha agraït; 9. havia aparegut / va aparèixer; 10. havien detingut / van detenir; 11. havien dut / van dur; 12. conduïen; 13. s'ha produït; 14. havia tramès; 15. l'havia vist / la va veure / va veure-la; 16. havia desaparegut / va desaparèixer; 17. ha comès; 18. s'ha cregut; 19. ha pogut; 20. havia sabut / va saber

24

1. matinera; 2. estalviadora; 3. previsora; 4. justa; 5. respectuosa; 6. rutinària; 7. solitària; 8. culta; 9. polida; 10. elegant

25

1. l'havien enverinat; 2. va pujar l'última persona, el senyor Bonifaci ja s'havia mort; 3. va sortir de casa per anar a una cita, s'havia vestit molt elegant; 4. les mans li feien pudor de ceba, no se les havia rentat; 5. els altres van sortir de la pizzeria, ells havien sortit abans; 6. l'últim dia de classe van anar a sopar a una pizzeria, el dia abans ja havia donat les notes

26

1. ...Ara l'hi / li ho explico.; 2. Li he donat un copet a l'espatlla... ; 3. ...els he trucat, a vostès.; 4. El / La va sentir arribar...; 5. Li agradava molt...; 6. Li vaig preguntar...; 7. I quan l'ha vist...; 8. ...la Pepita, per servir-lo / -la. ; 9. ... Però segur que si els va suspendre...

27

1. desaparegut; 2. sabut; 3. suspès; 4. conduït; 5. aparegut; 6. comès; 7. admès; 8. agrair; 9. derruir; 10. detingut

28

1. volia; 2. volia; 3. havia; 4. havia; 5. havia desaparegut; 6. feia; 7. trobaria; 8. necessitava / necessitaria; 9. se n'havia anat; 10. tenien; 11. era; 12. havia anat; 13. era; 14. vivien / havien viscut; 15. volia; 16. tenia; 17. pujava; 18. baixava; 19. feia; 20. sabia; 21. sabia; 22. era; 23. havia; 24. havia fet; 25. havia fet; 26. deia; 27. passaria / havia passat; 28. casaria

29

1. havia trobat; 2. havia descobert; 3. havia trobat; 4. havia trobat; 5. feia; 6. havia vist; 7. havia trigat; 8. havia pogut; 9. anava; 10. havia arrossegat; 11. havia reconegut; 12. se'n recordaria

30

1. havien fet; 2. pensaven; 3. era; 4. havien pensat; 5. semblava; 6. semblava; 7. havia comès; 8. desconeixia; 9. tenia; 10. podia / havia pogut; 11. estava; 12. havia pogut; 13. havia dit; 14. podia / havia pogut; 15. havia dit; 16. havia sospitat; 17. tractava; 18. havia comès; 19. tenia; 20. havia sabut; 21. hi havia

31

1. trànsit; 2. havíem / hauríem; 3. estava; 4. pitjor; 5. deia; 6. robatori; 7. me'n; 8. vaig haver / havia; 9. Quin; 10. era; 11. tampoc; 12. hi havia; 13. estaven; 14. havien tocat; 15. es van deixar / van deixar-se / s'havien deixat; 16. se'ls; 17. devien; 18. n'; 19. Estàvem; 20. Vam decidir; 21. prefereixo / preferim; 22. hi; 23. fulls; 24. va començar; 25. tan; 26. vam limitar / limitàvem; 27. havíem trobat; 28. hi; 29. havia regalat; 30. feia / va fer; 31. lo; 32. Deu; 33. li; 34. hauria; 35. tip / fart

Unitat 3

COM A CASA

1 Relaciona les definicions amb les paraules del quadre.

1 Conjunt de cases contigües separats per carrers, places, etc.

2 Casa de pisos d'una alçària molt superior a l'habitual.

3 Casa situada fora de la ciutat o als suburbis, generalment voltada de jardí.

4 Casa unida a una altra d'idèntica o semblant per la paret.

5 Habitatge de dos pisos integrat en un bloc.

6 Habitatge on només viu una família, situat en una parcel·la independent.

☐ casa adossada

☐ casa unifamiliar

☐ dúplex

☐ gratacel

☐ illa de cases

☐ torre

2 Completa les frases amb els verbs donar, fer, haver-hi, quedar, ser, estar i tenir.

1 Visc en un pis que _____ bastant gran. _____ 140 m².

2 L'estudi _____ al costat del bany, davant de la cuina.

3 A casa meva, al fons del passadís _____ el lavabo.

4 L'apartament que vaig llogar no _____ calefacció.

5 A l'edifici de l'Andreu no _____ ascensor.

6 L'apartament _____ barat, però _____ per reformar.

7 El safareig _____ al celobert.

8 No m'agrada el pis perquè la cuina _____ lluny del menjador.

9 Al fons del passadís _____ el menjador i a mà esquerra _____ dues habitacions.

10 Casa nostra no _____ gaire gran, però _____ ben distribuïda.

11 Les habitacions _____ al carrer i el menjador _____ al pati interior.

12 A la cuina _____ un espai separat, que faig servir de safareig.

13 Vivim en un àtic que _____ molt petit. Només _____ 30 m², però _____ molt assolellat.

14 El dúplex que s'han comprat _____ dues plantes i els espais _____ mal distribuïts.

15 La masia dels meus oncles _____ als afores del poble, però _____ ben comunicada.

16 La meva habitació _____ al costat del bany.

17 Els balcons de l'habitació _____ a un carrer amb molt trànsit.

3 Completa el text.

Visc al barri de la Sagrada Família, _____ (1) carrer Indústria. L'edifici _____ (2) cinc plantes. Hi ha quatre pisos per planta, dos que _____ (3) al carrer i dos que _____ (4) al pati de l'illa. Jo visc _____ (5) última planta, però, per sort, l'edifici _____ (6) ascensor. És l'únic habitatge en aquesta planta, perquè és un àtic que _____ (7) al carrer i al pati interior. És preciós i molt lluminós, perquè està orientat al sud i _____ (8) sempre el sol. A més, no és gens _____ (9) perquè, com que és tan alt, no se senten els cotxes del carrer.

El pis està _____ (10) comunicat perquè _____ (11) a prop del metro i davant _____ (12) de l'entrada de l'edifici _____ (13) una parada d'autobús.

Fa 80 m² i per a mi ja està _____ (14). Té calefacció i aire _____ (15), i està reformat. També està _____ (16) distribuït: entrant a mà dreta _____ (17) el rebedor i a mà _____ (18), la cuina. És petita, però _____ (19) de tot: rentadora, rentavaixella i una nevera gran. Davant del rebedor hi ha un passadís. El menjador i la sala d'estar _____ (20) al fons del passadís.

4 **Completa els anuncis amb les paraules dels quadres.**

1 Casa _____, de _____ mà, amb jardí i
_____ privat. _____ de 1000 m². Fantàsti-
ques vistes. Interiors i materials de primera qualitat. _____
de pedra. Energia solar. Excel·lents condicions de pagament.

> aïllada
> façana
> garatge
> parcel·la
> segona

2 Pis de 3 _____. _____ de 30 m². Garatge
i _____ al mateix edifici. Ascensor privat, aire condicionat,
calefacció i _____ d'hidromassatge. _____
donats d'alta. Ben comunicat. Fusteria de primera qualitat i cuina totalment
equipada. _____ nova.

> banyera
> habitacions
> obra
> serveis
> terrassa
> traster

3 _____ de dues plantes, a 2 km del _____
urbà. Zona _____ amb piscina comunitària. _____
_____ tancada amb totes les innovacions de seguretat. _____
_____, xemeneia i barbacoa. Molt bon estat. Terra de marbre a la planta
baixa i de parquet a la primera planta.

> celler
> enjardinada
> nucli
> urbanització
> xalet

4 Àtic completament reformat. Ascensor. _____ elèctrica,
d'aigua i de gas ciutat, nova. Acabats de primera qualitat. Sostres alts.
Porta _____. Terrassa de 40 m². _____
sud. _____ de garatge inclosa al preu de lloguer. Cèntric.
Traster al mateix _____. _____ automàtic.
_____ col·lectiva.

> antena
> blindada
> instal·lació
> orientació
> plaça
> porter
> replà

5 **Completa els diàlegs amb la forma del present de subjuntiu dels verbs del quadre.**

1 Saps si el Pau i la Rosa han llogat el pis?
No ho crec, perquè no es posen d'acord en els requisits que ha de tenir.
Com volen que _____?
La Rosa vol que l'edifici _____ ascensor, que _____ nou i
que al pis hi _____ el sol. I el Pau prefereix que el pis _____
vell i que no _____ gaire assolellat.
Doncs ho tenen difícil!

> estar
> fer
> haver-hi
> poder
> ser
> tenir
> tocar

2 A tothom li agrada que els pisos _____ nous i reformats, però jo m'estimo més
que _____ antics i grans, que _____ uns 140 m² i, és clar, que hi
_____ el sol.
Home, gairebé a ningú li agrada que els pisos _____ foscos.

3 Com vols el pis?
Vull un pis que _____ reformat i que _____ els serveis donats d'alta.
Ah! I, si pot ser, que _____ una terrassa.
A mi no m'importa que no _____ reformat, però prefereixo que _____
ben distribuït i sobretot vull que _____ cèntric.

4 Volem un pis que _____ barat, que _____ pagar amb el nostre sou, que
_____ molts metres i que _____ terrassa o _____ balcons!
Tothom busca pisos que _____ barats!

6 **Completa els diàlegs amb la forma del present de subjuntiu dels verbs que hi vagin millor. Després escolta els diàlegs de l'activitat 3 del Llibre de l'alumne.**

1 **client** Hola!

clienta Hola, bon dia!

home immobiliària Bon dia! Seguin, seguin. Diguin.

clienta Estem buscant un pis de lloguer.

home immobiliària Molt bé. I quines característiques ha de tenir aquest pis?

clienta Doncs miri, estem buscant un pis que no _____ [1] gaire car.

home immobiliària Ui, ara per ara això ho tenim difícil.

clienta No cal que _____ [2] gaire gran, perquè és per a nosaltres dos. Volem que _____ [3] un dormitori, una cuina, un menjador, un bany... Que _____ [4] uns 50 m².

client Ah, i, si pot ser, que hi _____ [5] el sol.

clienta Sí, sí, i que _____ [6] una sortida: un balcó o una terrasseta.

home immobiliària I volen que _____ [7] cèntric?

clienta Home, si pot ser, millor. I si no, que _____ [8] ben comunicat.

home immobiliària Mirin, en tinc un que fa 60 m². Està ben distribuït, hi toca el sol, però és un sisè sense ascensor.

clienta Ostres, un sisè sense ascensor... I no en té cap que _____ [9] més baix o que _____ [10] ascensor?

home immobiliària Si volen que hi _____ [11] el sol ha de ser alt: un àtic, per exemple. I els àtics no solen ser barats...

2 **home immobiliària** Immobiliària Cases, mani'm?

clienta Bon dia! Estic buscant un pis o una casa de compra i vull saber si vostès en tenen cap que s'adeqüi a les meves necessitats.

home immobiliària Segur que sí, dona! Justament ahir ens van entrar alguns immobles que estan molt bé. Si no és gaire exigent, segur que en trobarem un que li farà el pes.

clienta Exigent jo? I ara!

home immobiliària Doncs un moment, que li obro una fitxa. Digui'm el seu nom.

clienta Montserrat Setcases.

home immobiliària Montserrat Setcases. Molt bé. Doncs digui, digui.

clienta Ja li he dit que no sóc gaire exigent. Demano que _____ [1] el mínim. Ja no demano que _____ [2] assolellat, ni que _____ [3] terrassa o balcó, ni que _____ [4] al carrer, ni que _____ [5] aire condicionat ni calefacció, ni que els serveix _____ [6] donats d'alta, ni que _____ [7] piscina comunitària, ni que _____ [8] ben comunicat... Bé, si hi ha tot això millor; però, si no, no passa res.

home immobiliària Ostres! Ja veig que no demana gaire...

clienta Doncs no, ja l'hi he dit. Això sí, sobretot no vull que _____ [9] moblat.

home immobiliària Molt bé, cap problema. Li és igual un pis o una casa, oi?

clienta Sí. Tant me fa.

home immobiliària I té un límit de preu?

clienta Cap. Això sí! Vull que _____ [10] una banyera d'hidromassatge.

home immobiliària Una banyera d'hidromassatge? Bé, deixi'm mirar què tenim...

7 **Relaciona les preguntes amb les respostes.**

- ☐ 1 Quants diners hem de deixar de dipòsit?
- ☐ 2 El preu de lloguer inclou les despeses de la comunitat?
- ☐ 3 Tenen un pis a prop del barri de Torregrossa?
- ☐ 4 S'ha de tenir un aval bancari?
- ☐ 5 Està ben comunicat?
- ☐ 6 És assolellat?
- ☐ 7 Quantes habitacions té?
- ☐ 8 Té terrassa?
- ☐ 9 De quants anys és el contracte?
- ☐ 10 Estan donats d'alta, els serveis?

a. Ara per ara, no en tenim cap.

b. De cinc, prorrogable.

c. En té tres.

d. No en té, però té una petita sortida.

e. No, no cal. Amb el dipòsit ja n'hi ha prou.

f. Sí, sí que ho estan.

g. Sí, sí que ho és. I molt.

h. Sí, sí que les inclou.

i. Sí. Hi ha dues línies de metro a prop.

j. El lloguer de tres mesos.

8 **Transforma les frases, com a l'exemple. Després escolta i repeteix les frases. Fixa't com s'entonen.**

Hi ha calefacció? ***De calefacció, n'hi ha?***

1 Tens gas ciutat? _____

2 Hi ha ascensor? _____

3 Teniu garatge? _____

4 Hi ha mobles? _____

5 Té balcons? _____

9 **Completa els diàlegs amb el pronom, quan calgui.**

1 Que és gran el teu pis?
No, no _____ és. Només fa 30 m^2.
Ostres! Sí que _____ és petit!

2 Diu que la seva terrassa és assolellada i no _____ és gens.
Vols dir? Si m'ha dit que _____ toca el sol tot el dia.

3 Ja he trobat pis!
I com _____ és? És cèntric?
No, no _____ és. És una mica als afores.

4 Tens calefacció a casa teva?
No, no _____ tinc. I tampoc _____ tinc aire condicionat.

5 Casa teva _____ està ben comunicada?
No, no _____ està. Has d'agafar l'autobús des de l'estació.

6   M'agrada l'estudi perquè _____ toca el sol al matí.

I a la tarda no _____ toca el sol?

No, a la tarda el sol _____ toca a la terrassa del darrere.

7   Quantes habitacions _____ té el vostre pis?

Dues. Bé, de fet _____ té tres, però una la fem servir d'estudi.

8   El bloc de pisos on viu l'Esteve no m'agrada gens.

Per què?

Perquè no _____ hi ha balcons.

No _____ hi ha? Que estrany!

Sí que _____ és, però no _____ hi ha. Només _____ hi ha finestres.

9   La casa adossada _____ és preciosa. _____ hi ha de tot.

I de jardí, _____ té?

És clar que _____ té. _____ hi ha un davant de la casa i un altre darrere.

10   Està ben distribuït el vostre pis?

No, no _____ està gens. _____ hi ha molts espais desaprofitats.

10   Relaciona les definicions amb les paraules del quadre.

1   Acord firmat per dues o més persones o empreses que es comprometen a complir determinades obligacions.

2   Quantitat de diners que ens gastem quan comprem o paguem alguna cosa.

3   Quantitat de diners que dipositem en un lloc, en concepte de garantia, i que podem retirar més endavant.

4   Quantitat de diners que un banc ens deixa i que hem d'anar tornant.

5   Primer pagament d'una cosa venuda a terminis, i que es restarà al preu final.

6   Quantitat de diners que un banc ens dóna cada any pels diners que hi tenim dipositats o bé que ens cobra pels diners que ens ha deixat.

7   Persona que fa servir un pis, una casa... d'una altra persona o d'una empresa pagant-ne uns diners.

8   Persona que és l'amo o la mestressa d'una casa.

9   Deute que tenim amb una entitat bancària, per la compra d'un pis, d'una casa o d'una finca.

10   Quantitat de diners que hem de pagar periòdicament al propietari d'una casa.

☐ **el contracte**

☐ **el crèdit / préstec**

☐ **la despesa**

☐ **el dipòsit**

☐ **l'entrada**

☐ **la hipoteca**

☐ **l'interès**

☐ **el llogater**

☐ **el lloguer**

☐ **el propietari**

11   Completa les frases amb **llogar** o **lloguer**.

1   El _____ dels pisos al meu poble no ha pujat tant com a la ciutat.

2   Estem buscant un pis de _____, que no sigui gaire car.

3   Mentre el Pep sigui a l'estranger, pensa _____ el pis. O sigui que si t'interessa, truca-li.

4   El Joan i la Lluïsa comparteixen el pis i també el _____.

5   Els meus fills volen _____ un apartament al centre de la ciutat.

6 He vist un àtic de _____ al carrer Canonge. És una preciositat!

7 Si vols _____ una casa aïllada, és millor que parlis amb una immobiliària.

8 Us heu decidit? Ja sabeu si voleu anar de _____ o demanar una hipoteca i comprar-vos un pis?

9 El meu avi té una casa al poble i la vol _____ . Si coneixes algú que la vulgui _____ , avisa'm.

10 Entre el _____ i les despeses, amb el meu sou no arribo a final de mes.

12   Les paraules en negreta no corresponen a la frase on són. Escriu-les al lloc adequat.

1 El propietari em demana un **lloguer** del banc i un contracte laboral indefinit per llogar el pis.

2 Hauré d'**avalar** el pis que tinc per poder comprar la torre de la platja.

3 Hi ha moltes cases en **hipoteca,** però de lloguer no en trobo.

4 Els meus pares m'hauran d'**hipotecar** perquè pugui llogar el pis.

5 No sé si al banc us donaran la **venda,** perquè no teniu un contracte laboral.

6 El Jordi i jo busquem un pis amb un **aval** assequible a la nostra butxaca.

13   Completa el text.

Vols saber com està el sector immobiliari, aquí?
Doncs ben fotut! Francament la situació immobiliària
no passa per un bon moment. Si vols _____ (1)
un pis, perquè no vols comprar-ne cap, has de tenir
uns determinats requisits. Els _____ (2)
dels pisos normalment et demanen un _____
_____ (3) de tres mesos. Si no tens els diners,
pots demanar un _____ (4) al banc. El
banc t'avançarà els diners, però, és clar, a canvi de
pagar _____ (5), que no són baixos!
Què més et demanen? A vegades volen que algú

_____ (6) el llogater, per assegurar-se que algú pagarà el _____ (7).
I també demanen que el llogater tingui un _____ (8) de treball.
I si vols comprar, la situació no varia gaire. Primer hauràs de tenir diners estalviats per pagar una
_____ (9). Crec que és d'un 10% del preu del pis. Després, segurament, hauràs de
demanar una _____ (10) al banc. I això és com si et casessis amb el banc. És per a
tota la vida!
Ja veus com estan les coses. Si vols venir a casa meva, podem compartir les _____ (11)
de llum, d'aigua, de gas... Ja em diràs alguna cosa.

14 **Completa els diàlegs amb la forma adequada de l'indicatiu o del subjuntiu dels verbs que hi ha entre parèntesis.**

1 Al meu país els preus de lloguer són alts, però no crec que _____ (1) (ser) tan alts com els d'aquí.

Doncs jo crec que no _____ (2) (ser) tan alts com tothom pensa.

Què dius? Però si els pisos són caríssims! No és estrany que la gent _____ (3) (anar-se'n) de la ciutat.

No m'acabo de creure que la gent _____ (4) (anar-se'n) per això. Penso que la gent _____ (5) (anar-se'n) de la ciutat perquè vol viure en un poble.

I tu on vius? A casa dels pares, oi?

De moment, sí. Mentre no _____ (6) (trobar) un pis que m'agradi, no me n'aniré.

Crec que no _____ (7) (marxar) mai de casa dels teus pares, perquè encara que _____ (8) (trobar) el pis ideal, no el podràs pagar. Per mi, és estrany que un adult de 30 anys, com tu, encara _____ (9) (estar-se) a casa dels seus pares.

2 Com està l'Ona? Com li va la vida al pis nou?

Està bé. Molt feliç amb el pis, però crec que ara _____ (1) (estar) una mica preocupada perquè li han augmentat la hipoteca i em fa por que no _____ (2) (poder) pagar-la. Potser haurà de compartir el pis.

És una llàstima que el govern no _____ (3) (construir) pisos més petits i més barats, per a una persona. D'aquesta manera els joves podrien emancipar-se més aviat.

Sí, tens raó. No em sembla bé que els polítics només _____ (4) (preocupar-se) del problema de l'habitatge quan hi ha eleccions. Per molt que _____ (5) (parlar) del problema, no fan res per solucionar-lo.

No és veritat que no _____ (6) (fer) res. Estan construint pisos de protecció oficial.

Encara que _____ (7) (construir) habitatges socials, mai n'hi haurà suficients.

Ja ho sé, però estic content que, com a mínim, _____ (8) (fer) alguna.

3 A mi em sembla bé que els joves _____ (1) (viure) amb els pares, si no tenen diners per emancipar-se.

Sí, si no hi ha cap altre remei. Però francament penso que _____ (2) (ser) una llàstima que els joves no _____ (3) (tenir) dret a un habitatge digne. No m'imagino el dia que tothom _____ (4) (tenir) el dret i la possibilitat de tenir una casa.

Mentre que no _____ (5) (haver-hi) més ajudes per comprar o llogar pisos, el joves no podran tenir un habitatge i hauran de viure amb els pares.

I a més, no està bé que els preus dels pisos de lloguer _____ (6) (ser) tan alts com la mensualitat d'una hipoteca. Els lloguers haurien de ser més barats.

I diuen que s'apujaran més! Mentre que els preus de lloguer _____ (7) (apujar-se), els joves hauran de quedar-se amb els pares o compartir pis.

És estrany que per llogar un pis els propietaris _____ (8) (demanar) tantes coses.

Mira, per exemple, crec que _____ (9) (demanar) sis mesos de dipòsit.

4 Al meu entendre _____ (1) (ser) més lògic comprar un habitatge i demanar una hipoteca que no pas llogar-ne un.

Doncs a mi no em sembla malament que la gent _____ (2) (hipotecar-se) durant 40 anys. Penso que _____ (3) (valer) la pena estalviar per pagar l'entrada del pis i després pagar la hipoteca, com si fos un lloguer.

Doncs jo, per molt que _____ (4) (treballar) no em podré comprar mai un pis, perquè per molt que _____ (5) (intentar) estalviar per pagar l'entrada, m'és impossible.

No és veritat que _____ (6) (ser) impossible. Però coneixent-te com et conec, no estic segur que _____ (7) (poder) estalviar mai, si gairebé no arribes a final de mes! Estic content que, com a mínim, _____ (8) (pagar) les despeses del pis.

Doncs si tan convençut estàs d'hipotecar-te, hipoteca't. Ja em buscaré un altre company de pis.

15 Tria l'opció correcta.

1 _____ que pugui pagar un lloguer i emancipar-me, prefereixo viure amb els pares.

    a. Sempre
    b. Encara
    c. Mentre

2 _____ que el govern faci pisos per a joves. Sempre promet moltes coses abans de les eleccions.

    a. No m'acabo de creure
    b. És una llàstima
    c. Em fa por

3 Als joves els _____ que el govern els ajudi a pagar el lloguer.

    a. sembla bé
    b. estan contents
    c. és una llàstima

4 _____ que els preus dels pisos al meu país siguin més alts que els d'aquí.

    a. Em fa l'efecte
    b. Penso
    c. No estic segur

5 _____ que te'n vagis a viure amb el teu xicot, tu que pots!

    a. No m'acabo de creure
    b. Està bé
    c. Em fa por

6 _____ que encara s'apujaran més els preus dels pisos.

    a. Estic content
    b. Penso
    c. No és estrany

16 **Escriu el nom de les coses.**

1. _____

2. _____

3. _____

4. _____

5. _____

6. _____

7. _____

8. _____

9. _____

10. _____

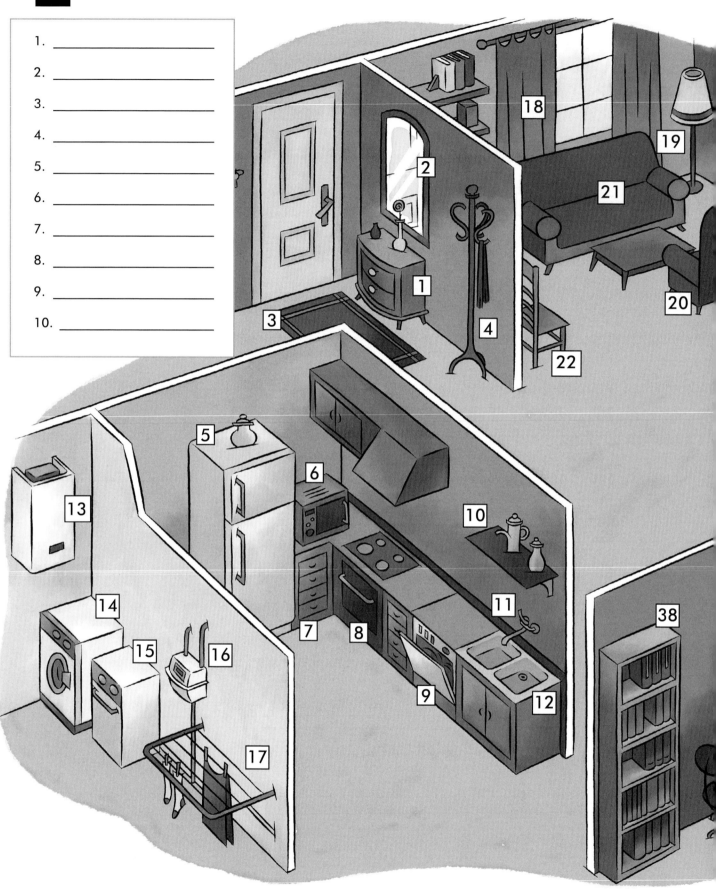

11. _____
12. _____
13. _____
14. _____
15. _____
16. _____
17. _____
18. _____
19. _____
20. _____
21. _____
22. _____
23. _____
24. _____
25. _____
26. _____
27. _____
28. _____
29. _____
30. _____
31. _____
32. _____
33. _____
34. _____
35. _____
36. _____
37. _____
38. _____

17 **Escriu el nom dels objectes que hi ha al plànol de l'exercici anterior, segons la informació de cada frase.**

1 És a l'entrada, a sobre d'un moble amb dos calaixos, penjat a la paret:
_____

2 És al safareig, arrambada en un racó, sota de l'escalfador:
_____

3 És davant de la porta del rebedor, a terra:
_____

4 És entre un armari de calaixos i l'aigüera de la cuina:
_____

5 És sobre de l'aigüera de la cuina. També n'hi ha dues més al bany:
_____

6 És sobre el marbre de la cuina, al costat mateix de la nevera, gairebé al racó:
_____

7 N'hi ha cinc al voltant de la taula del menjador:
_____

8 N'hi ha tres: un de sostre al menjador, un de peu a la sala d'estar i un altre a la tauleta de nit:
_____

9 És darrere de la cadira de l'estudi, arrambada a la paret:
_____

10 És al mig de l'habitació. A la dreta hi ha un armari i a l'esquerra, una tauleta de nit:
_____

18 **Escolta el text i completa'l. Mira el plànol de la casa de l'exercici 16 i digues quina informació del text no correspon a la distribució dels espais.**

_____ (1) a casa, hi ha el rebedor. No és gaire gran, però hi cap un moble de calaixos, davant per _____ (2) porta, que em va regalar la meva àvia, i un penja-robes, a la _____ (3) moble. Darrere _____ (4) porta hi ha un mirall.

A la cuina, hi tinc uns mobles baixos, de punta _____ (5) paret. _____ (6) el forn i el rentavaixella hi ha un armari amb calaixos. El microones és al _____ (7), _____ (8) costat de la nevera. A _____ (9) nevera hi ha uns prestatges.

A la galeria, hi ha la caldera, penjada a la paret, i, a sota _____ (10), la rentadora. A _____ (11) rentadora hi ha l'assecadora. I l'estenedor, _____ (12) a la paret.

La sala d'estar i el menjador és una sala única, però amb dos ambients. _____ (13) dreta, hi ha la taula quadrada, les cadires _____ (14) de la taula i un llum penjat al sostre. A l'altra part de la sala, hi ha un sofà i una butaca. _____ (15) del sofà i de la butaca hi una taula baixa. _____ (16) racó hi tinc un llum de peu, per llegir. I _____ (17) del sofà, _____ (18) esquerra, hi ha prestatges amb llibres.

Al dormitori hi ha un llit i dues tauletes de nit, _____ (19) banda del llit. _____ (20) de les tauletes de nit hi ha un llum. A terra, _____ (21) llit, hi ha una catifa. Al dormitori, també hi ha un armari, de punta _____ (22) habitació. _____ (23) racó hi ha una cadira, per deixar-hi la roba.

_____ (24) del bany hi ha la banyera. _____ (25) costat de la banyera hi ha el lavabo. A la _____ (26) lavabo hi ha el vàter i _____ (27), el bidet. A sobre _____ (28) lavabo hi ha un mirall.

A l'estudi hi ha una taula _____ (29) a la paret. A _____ (30) taula hi ha l'ordinador. I _____ (31) de la cadira hi ha una llibreria.

19 Completa les frases quan calgui.

1 El llit és _____ mig de l'habitació.

2 El sofà està _____ arrambat _____ la paret.

3 _____ banda i banda _____ llit hi ha dues tauletes.

4 _____ fons _____ passadís hi ha la cuina.

5 _____ racó hi ha la dutxa.

6 El moble que em vas regalar l'he posat _____ entrant _____ habitació.

7 _____ costat de la banyera hi ha el vàter.

8 La nevera és _____ entrant _____ cuina, _____ esquerra.

9 He posat un armari _____ punta _____ punta _____ dormitori.

10 Les cadires són _____ voltant de la taula.

20 Tria l'opció correcta.

1 És aquí el bany?
No, no. És més _____, al costat de la cuina.
   a. al davant
   b. endavant
   c. davant

2 _____ de la porta hi ha un penja-robes.
   a. Darrere
   b. Endarrere
   c. El darrere

3 La terrassa és _____ del menjador.
   a. fons
   b. en fons
   c. al fons

4 La taula és més _____, tocant a la paret.
   a. darrere
   b. el darrere
   c. endarrere

5 _____ de la cuina hi ha el safareig.
   a. Al costat
   b. Costat
   c. De costat

21 Les paraules en negreta no corresponen a la frase on són. Escriu-les al lloc adequat.

1 Si has d'anar al lavabo, vés al lavabo petit, perquè al gran no hi ha **xampú**. No en tinc ni un rotlle.

2 Quan ja era a la dutxa m'he adonat que no hi havia ni **edredó** per dutxar-me ni **galleda d'escombraries** per rentar-me els cabells. He hagut de fer servir el **matalàs** de les mans.

3 Per no embrutar-te, agafa el **sabó** que hi ha a la cuina.

4 Si et fa mal l'esquena deu ser perquè el **drap** és vell. S'hauria de canviar cada deu anys.

5 Encara dorms amb **gel de bany?** Però si fa molta calor!

6 No sé on llençar-ho. No hi ha cap **paper higiènic** a la cuina.

22 **Tria l'opció correcta.**

1 Quan acabeu de jugar, _____ l'habitació.
    a. guardeu
    b. col·loqueu
    c. endreceu

2 No toquis l'ampolla del gel de bany. _____,
perquè es pot trencar.
    a. Desa'l
    b. Deixa-la
    c. L'ordena

3 Els llençols, _____ desem a l'armari de l'habitació.
    a. les
    b. els
    c. ho

4 La manta, _____ sobre del llit, si fa fred.
    a. la poso
    b. l'ordeno
    c. la guardo

5 La galleda d'escombraries, _____ fora perquè fa pudor.
    a. endreça-la
    b. fica-la
    c. deixa-la

6 Aquesta habitació està molt desordenada.
L'hauries _____.
    a. de desar
    b. de deixar
    c. d'endreçar

7 Si et vols dutxar, agafa _____ que hi ha darrere
de la porta.
    a. la tovallola
    b. la flassada
    c. el llençol

23 **Completa els diàlegs amb els adjectius dels quadres. Fes la flexió de gènere i nombre, si cal. Es poden repetir.**

1 Aquesta casa no m'agrada, perquè la trobo massa _____ [1].
Hi ha molts mobles i molts objectes de decoració. Hi ha massa coses.
A mi tampoc m'agraden els espais _____ [2]. No són gens
_____ [3]. M'estimo més els espais buits, sense gaires mobles.
Però, si no hi ha mobles, l'espai pot quedar molt _____ [4].
Pots posar-hi terra de fusta, que fa que l'espai sigui més _____ [5].
Sí, és veritat. I si pintes les parets amb colors _____ [6], millor.

> acollidor
> càlid
> carregat
> confortable
> fred

2 Ja t'ha ensenyat el pis el Quim?
Sí, me'l va ensenyar ahir. El vaig trobar molt lleig. Bé, més que lleig,
_____ [1]!
Sí, jo també el vaig trobar terrible. Vas veure que no hi ha cap moble? Ell
diu que és un pis _____ [2], però jo diria que si no hi té mobles
és perquè no té diners per comprar-ne.
Sí, potser sí. Però és molt fred.
Ja ho pots ben dir. No és un pis gens _____ [3] ni càlid. Això sí,
no és gens _____ [4].

> acollidor
> carregat
> horrorós
> minimalista

24 Tria l'opció correcta.

Locutor: Ens podria donar algunes _____ [1] basades en aquest art oriental anomenat fengshui i que poguéssim aplicar de manera senzilla a casa o a la feina?

Sra. Sales: Naturalment. A les nostres llars podem potenciar l'energia positiva tenint _____ [2] quatre normes bàsiques _____ [3] de decorar els espais. Per exemple, a l'entrada no _____ [4] d'haver mobles grossos o pesants. Tampoc s'hi pot veure _____ [5] cable elèctric. Ha de ser espaiosa i àmplia.

Locutor: I la sala d'estar, per exemple?

Sra. Sales: _____ [6] de deixar el centre del saló o de la sala d'estar ben lliure de mobles, perquè l'energia pugui arribar a tots els _____ [7]. _____ [8] evitar les parets completament blanques o negres. Si l'espai ho permet, podeu unir el menjador i la sala d'estar. El menjador s'ha de mantenir net i _____ [9] ventilat. És important que la porta no _____ [10] darrere del sofà. Poseu coixins sobre el sofà i sobre la catifa, si _____ [11] teniu.

Locutor: I les altres parts de la casa? El bany o la cuina?

Sra. Sales: Els banys _____ [12] tenir llum natural i una bona ventilació. És important vigilar que el vàter, el lavabo, el bidet, la banyera o la dutxa no _____ [13] pudor. La cuina cal que sigui còmoda i que _____ [14] pugui circular bé, sense obstacles.

Locutor: I per dormir bé, alguna recomanació?

Sra. Sales: Cal col·locar el llit _____ [15] a la paret. És millor si al costat del llit _____ [16] dues tauletes de nit. I sobretot s'ha de tenir un llum _____ [17] de la tauleta de nit. I em fa l'efecte que això _____ [18] tot. I ja no _____ [19] recordava. Netegin la casa sovint!

Locutor: Doncs ja ho saben, senyores i senyors oients. No crec que _____ [20] gaire seguir les pautes que els hem donat.

	a	b	c
1	recomanacions	consells	advertiments
2	per compte	en compte	amb compte
3	a l'hora	alhora	aleshores
4	s'ha	hi ha	ha
5	ningú	gens	cap
6	hi ha	s'ha	cal
7	racons	sostres	terres
8	cal que	has	cal
9	bé	més	ben
10	quedarà	quedi	queda
11	en	ho	la
12	cal que	haurien de	devien
13	facin	fan	faran
14	se'n	es	s'hi
15	al voltant	arrambat	al mig
16	hi ha	són	hi són
17	damunt	dalt	amunt
18	sigui	ho és	és
19	m'ho	em	me'n
20	costi	costa	costava

25 **Tria l'opció correcta.**

1 Un sofà
 a. de pedra
 b. de pell
 c. de vidre

2 Una finestra
 a. de fòrmica
 b. de roba
 c. de fusta

3 Un coixí
 a. de pedra
 b. de roba
 c. de ferro

4 Una taula
 a. de suro
 b. de ferro
 c. de pell

5 Una porta
 a. de marbre
 b. de ciment
 c. de vidre

6 Un llum
 a. de plàstic
 b. de ciment
 c. de suro

7 Un drap
 a. de roba
 b. de plàstic
 c. de suro

8 Una tovallola
 a. de ciment
 b. de fusta
 c. de teixit

26 **Completa el correu electrònic amb les paraules del quadre. Fes la flexió de nombre, si cal.**

Envia: Cristina Carbonell

Per a: Finques Agustí

Tema: Obres al pis del carrer Verd, 23

> barana
> canonada
> envà
> finestra
> moqueta
> paper pintat
> paret
> parquet
> porta
> rajola
> sostre
> terra

Benvolguts senyors,

Els escric per explicar-los les obres que voldria fer al pis, tal com m'havien demanat.

Primer de tot s'haurien de canviar les _____ (1) del bany perquè són velles i a vegades perden aigua. També voldria canviar les _____ (2) de la cuina i del bany, perquè algunes ja han caigut i n'hi ha que estan a punt de caure. Voldria treure la _____ (3) de la cuina, perquè sempre la tinc oberta i no la utilitzo mai.

M'agradaria obrir l'habitació que hi ha al costat del dormitori, que ara serveix d'armari. Tiraria l'_____ (4) que dóna a l'habitació i quedaria un espai únic. El _____ (5) del dormitori també s'hauria de canviar. La _____ (6) que hi ha ara està feta malbé. I com que el llogater anterior tenia un gat, hi ha pèls a tot arreu i és gairebé impossible netejar-la. A més, em fa al·lèrgia. Per això, havia pensat de posar-hi _____ (7). N'hi ha un de bastant econòmic, que imita la fusta.

Com que en algunes de les _____ (8) del pis hi ha _____ (9) i en altres no, voldria treure'l i pintar-les totes. I aprofitant que s'han de pintar, també pintaria el _____ (10), perquè hi ha molts senyals dels llums que hi havia penjats.

Per acabar, no sé si serà possible, però m'agradaria que a les _____ (11) que donen al carrer s'hi posés un doble vidre, perquè se sent molt el soroll del trànsit. A les que donen al celobert, no cal posar-n'hi.

I una última cosa que no afecta el pis, sinó la finca. Caldria revisar la _____ (12) de l'escala, perquè es mou i algú pot caure.

Els adjunto el plànol del pis amb les reformes que els he descrit. Espero que em diguin alguna cosa, un cop hagin parlat amb el propietari.

Atentament,

Cristina Carbonell

27 Completa els espais amb la forma adequada dels verbs que hi ha entre parèntesis.

1 Em sembla que pintaré la cuina de color blau.

Doncs jo, si _____ (ser) de tu, la _____ (pintar) verda, perquè el blau cansa molt.

Dona, si _____ (fer) 60 m², potser sí; però és molt petita.

Bé, tu mateixa. Però m'estimaria més que _____ (ser) verda.

2 Us agrada molt el vostre pis, oi? Si _____ (poder), us el _____ (comprar)?

Si el propietari ens _____ (fer) un bon preu i si nosaltres _____ (poder) demanar una hipoteca, llavors sí que ens el _____ (comprar).

3 He anat a veure el pis que vol llogar el Pere.

Jo el vaig veure abans-d'ahir.

I què? Tu te'l _____ (quedar)?

Si _____ (tenir) un pare ric, com el de Pere, jo sí que me'l _____ (quedar).

Doncs, jo encara que _____ (tenir) un pare ric, no me'l _____ (comprar). No m'agrada gaire. El trobo poc acollidor.

4 Ja us heu decidit per la casa? Us la compreu o no?

Si no _____ (haver-hi) llogaters, ens la _____ (quedar), però com que n'hi ha, em sembla que no ens la quedarem.

5 Ja us vau vendre el pis de Manacor?

No. Per què? És que ens el vols comprar?

Jo no. Però la Marta em va dir que si us esperàveu que el banc li _____ (donar) el crèdit que ha demanat, se'l _____ (quedar).

Home, si li _____ (donar) el crèdit, _____ (ser) perfecte!

Sí, a ella també li _____ (agradar) que l'hi donessin.

6 Ja t'han donat la hipoteca que vas demanar?

Encara no me l'han donat. Diuen que ara falten alguns papers.

Això és perquè no tens un contracte fix. Si el _____ (tenir), segur que te la _____ (donar).

M'agradaria que me la _____ (donar) sense haver de fer tants tràmits.

7 Joan, _____ (fer) obres a casa?

Home, ja saps que no tinc diners, però si en _____ (tenir), _____ (canviar) el paper pintat de la paret i també hi _____ (posar) parquet.

Doncs jo el paper pintat, no el _____ (canviar). Això sí, hi _____ (posar) calefacció.

8 Què us ha semblat l'estudi dels nois?

Està bé, però si _____ (tenir) més llum, _____ (ser) més alegre. Jo _____ (treure) les cortines, perquè fan que l'habitació sigui més fosca. I si _____ (estar) més ben distribuït, potser _____ (haver-hi) més espai.

Ja veig que no us ha agradat gaire.

9 Com van les obres?

No me'n parleu! N'estic tipa! D'aquí a dues setmanes començaran a pintar.

De quin color pintaràs la casa?

No ho sé, encara. Vosaltres de quin color la _____ (pintar)?

Nosaltres la _____ (pintar) d'un to clar. És que no ens agraden els colors vius.

I les portes, les _____ (pintar) o les _____ (deixar) tal com estan?

Si nosaltres _____ (tenir) parquet, com tens a casa teva, llavors les _____ (pintar). No ens agrada tanta fusta. Però és casa teva i l'has de fer al teu gust.

10 Ja has parlat amb l'agència immobiliària?

Sí. I m'han dit que em reserven el pis.

I què esperes? Quins problemes hi veus?

No ho sé. És que si _____ (estar) ben comunicat...

Si _____ (estar) ben comunicat, _____ (costar) el doble.

Sí, és clar. Però si _____ (tenir) una habitació més...

Si _____ (tenir) una habitació més i _____ (estar) ben comunicat, no el _____ (poder) pagar.

11 El Pau i l'Enric m'han dit que, si la casa _____ (seva), _____ (tirar) a terra l'envà que separa aquestes dues habitacions. I vosaltres, també el _____ (tirar) a terra?

No, nosaltres no l'hi _____ (tirar), oi Rosa?

No, no cal. Les habitacions són bastant grans. Però sí que _____ (abaixar) el sostre, oi?

Sí, sí. És molt alt.

I una altra cosa que us vull preguntar. Les rajoles de la cuina, les _____ (canviar)?

Si _____ (poder) fer obres a la cuina, nosaltres sí que les _____ (treure). Són molt lletges. N'hi _____ (posar) unes de més discretes, oi Rosa?

28 Completa el text amb els pronoms (......) i els verbs (___) adequats.

Propietaris Passeu, passeu. Mireu com ens ha quedat la casa. No està del tot acabada. Encara ens falten algunes coses, però de mica en mica. Ja se sap... aquestes coses són lentes. Ens ha costat, però al final estem molt contents del resultat. Ui! Perdoneu, que ens demanen. Però mireu, mireu, com si fóssiu a casa vostra. Ara tornem.

Home Què? T'agrada?

Dona Home... Has vist el color de la façana? No et sembla una mica massa cridaner. I la teulada?

Home Déu n'hi do! No fa pel clima d'aquí. No sé on s'han pensat que viuen, aquests.

Dona Sembla una teulada d'una casa d'alta muntanya.

Home T'has fixat en la distribució de la casa? Vine, vine per aquí... Mira aquest envà que hi ha entre el menjador i l'estudi! Jo .... (1) _____ (2) a terra i faria el menjador més gran.

Dona _____ (3) a terra l'envà del menjador? Però si l'estudi és molt útil.

Home Sí, és útil si .... (4) fas servir, però si aquests no .... (5) fan servir per a res... I el sostre? .... (6) trobo massa alt. Jo .... (7) _____ (8). Ells tampoc són gaire alts...

Dona Que _____ (9) el sostre? No, home, no. A mi m'encanten els sostres alts. Però això sí, ... (10) _____ (11) d'un altre color.

Home Potser sí.

Dona Vine, vine. Mira per aquí. Ah! Hi ha la cuina. Què et sembla?

Home Què vols que et digui! Jo .... (12) _____ (13) una finestra, que comuniqués amb el menjador. És molt còmode..., però és clar ells tampoc no cuinen mai.

Dona Fer una finestra entre el menjador i la cuina? Vols dir? No .... (14) sé, no .... (15) trobo tan important. I aquesta porta? Ah! Dóna al rebedor. Ostres! Quin paper pintat que hi ha a la paret! Jo .... (16) _____ (17), ja! Encara que diuen que el paper pintat és l'última moda, però a mi no m'agrada gens. I el terra! Que .... (18) veus?

Home No m'hi havia fixat!

Dona Marbre fosc! Això sí que no té solució. Jo .... (19) _____ (20) una rajola clara, per donar-hi més caliu, saps?

Home Doncs jo .... (21) _____ (22) parquet.

Dona Qualsevol cosa abans que aquest marbre. Amb els terres s'han passat molt. Ah! I m'han dit que volen posar moqueta a l'habitació de convidats.

Home	Que volen posar moqueta a l'habitació de convidats? Com si fossin anglesos!
Dona	Això em van dir. Anem a l'habitació a veure què .... (23) han posat.
Dona	Ah! Espantosa!
Home	És horrible. Quin mal gust! Sort que no tenen gaires convidats! Mira, mira l'escala que puja a la planta de dalt. També de marbre! Quina mania! I amb la barana de fusta, que no hi lliga gens. Hauria de ser una escala més discreta, que no ocupés tant espai. Jo .... (24) _____ (25) de fusta perquè fes joc amb la barana.
Dona	Ja ho dic: volen fer una casa massa moderna. No sé quin decorador .... (26) està aconsellant.
Home	No .... (27) saps? Un amic seu, que fa de decorador. Segur que .... (28) coneixes.
Dona	Mare de Déu! Doncs amb aquests amics, fill, no cal tenir enemics.
Home	Ui, calla, que vénen.
Dona	Ostres, sí!
Propietaris	I què? Què us semblen les reformes? Us agraden els canvis?
Home	I tant! Ara ho estàvem comentant. Us ha quedat molt maca.
Dona	Sí, sí. Nosaltres no _____ (29) res de res. .... (30) deixaríem tot igual. Teniu molt bon gust!

29 Completa les frases **a** amb la forma adequada dels verbs que hi ha entre parèntesis. Transforma les frases **b**, com a l'exemple.

1.a

Vull una casa que _____ (tenir) jardí.
Doncs jo **prefereixo** que _____ (haver-hi) moltes habitacions i que la cuina _____ (ser) gran, per poder-hi menjar.

1.b

Voldria una casa que **tingués** jardí.
*Doncs jo **preferiria** que **hi hagués** moltes habitacions i que la cuina **fos** gran, per poder-hi menjar.*

2.a

M'estimo més que l'apartament _____ (tenir) balcons perquè hi _____ (entrar) molta llum.
Sí, sí. Que _____ (tenir) molta llum.
Home, posats a demanar, si _____ (tenir) terrassa, millor.

2.b

_____ que l'apartament _____ balcons perquè hi _____ molta llum.
Sí, sí. Que _____ molta llum.
Home, posats a demanar, si _____ terrassa, millor.

3.a

I així, com **voleu** el pis?
Ens interessa que _____ (ser) cèntric i que _____ (estar) ben distribuït.
Alguna cosa més?
Ah, sí! **És** imprescindible que hi _____ (tocar) el sol. **Volem** que _____ (ser) lluminós i assolellat. I per demanar... **Preferim** que la cuina _____ (ser) gran.

3.b

I així, com _____ el pis?
_____ que _____ cèntric i que _____ ben distribuït.
Alguna cosa més?
Ah, sí! _____ imprescindible que hi _____ el sol. _____ que _____ lluminós i assolellat. I per demanar... _____ que la cuina _____ gran.

4.a

No **vull** que la finca _____ (ser) antiga i que no _____ (haver-hi) ascensor.
És veritat. Jo també **m'estimo més** una finca que _____ (ser) nova, que _____ (haver-hi) tots els serveis. I si _____ (tenir) garatge, millor.

4.b

No _____ que la finca _____ antiga i que no _____ ascensor.
És veritat. Jo també _____ una finca que _____ nova, que _____ tots els serveis. I si _____ garatge, millor.

5.a

Com **voleu** que _____ (ser) la torre?

Volem que _____ (tenir) finestres molt grans. I que els sostres _____ (ser) alts.

És millor que _____ (haver-hi) una cuina gran, perquè hi _____ (poder) menjar. I que ja _____ (estar) mobla-da.

5.b

Com _____ que _____ la torre? _____ que _____ finestres molt grans. I que els sostres _____ alts. _____ millor que _____ una cuina gran, perquè hi _____ menjar. I que ja _____ moblada.

6.a

Preferim que la immobiliària ens _____ (buscar) l'apartament per a les vacances.

Volem que l'apartament _____ (tenir) uns requisits imprescindibles. **Ens agrada** que _____ (haver-hi) terrassa perquè hi _____ (poder) prendre el sol, que no _____ (haver-hi) paper pintat, que no _____ (haver-hi) gaires escales, que _____ (tenir) parquet i, sobretot, que totes les finestres _____ (donar) a l'exterior. Ah! I que no _____ (ser) gaire gran. Que _____ (fer) uns 100 m².

6.b

_____ que la immobiliària ens _____ l'apartament per a les vacances. _____ que l'apartament _____ uns requisits imprescindibles. _____ que _____ _____ terrassa perquè hi _____ prendre el sol, que no _____ paper pintat, que no _____ gaires escales, que _____ parquet i, sobretot, que totes les finestres _____ a l'exterior. Ah! I que no _____ gaire gran. Que _____ uns 100 m².

30 **Completa les frases, com a l'exemple.**

> a. Si **poguéssim, tiraríem** a terra l'envà.
> b. Si **podem, tirarem** a terra l'envà.
> c. Quan **puguem, tirarem** a terra l'envà.

1 a. Si **tingués** diners, _____ obres a casa.

b. Si _____ diners, **faré** obres a casa.

c. Quan _____ diners, **faré** obres a casa.

2 a. Si _____ canviar la distribució, ho **faria**.

b. Si _____ canviar la distribució, ho **faré**.

c. Quan **pugui** canviar la distribució, ho _____.

3 a. Si el govern _____ ajudes als joves, segur que _____ abans.

b. Si el govern **dóna** ajudes als joves, segur que _____ abans.

c. Quan el govern _____ ajudes als joves, segur que **s'emanciparan** abans.

4 a. Si **fes** la cuina més gran, hi _____ menjar tots.

b. Si _____ la cuina més gran, hi _____ menjar tots.

c. Quan _____ la cuina més gran, hi **podrem** menjar tots.

5 a. Si _____ el paper pintat, el pis _____ nou.

b. Si _____ el paper pintat, el pis **semblarà** nou.

c. Quan **canviem** el paper pintat, el pis _____ nou.

31 **Completa el correu electrònic amb la forma adequada dels verbs que hi ha entre parèntesis.**

Envia:	Alba
Per a:	Magda
Tema:	Busco pis

Hola, Magda,

Com anem? Com va tot? Espero que _____ [1] (estar) bé. L'altre dia _____ [2] (dinar) amb l'Anna per explicar-li que he de venir a viure a Perpinyà, per qüestions de feina, i em va dir que tu treballaves en una agència immobiliària. Quina casualitat! Perquè hi haig de buscar un pis. No és urgent, perquè fins a l'octubre no m'hi traslladaré, però si em _____ [3] (poder) ajudar a trobar-ne un, t'estaria molt agraïda. T'explico com _____ [4] (voler) que fos.

Busco un pis que no _____ [5] (ser) gaire petit, que _____ [6] (fer) uns 80 m², que _____ [7] (tenir) cuina, bany... M'agradaria que _____ [8] (ser) espaiós i que _____ [9] (tenir) com a mínim dues habitacions, perquè així podrien venir amics a visitar-me. I una altra cosa és que preferiria que el pis _____ [10] (ser) lluminós i assolellat i que _____ [11] (donar) al carrer. Si tingués una sortida, _____ [12] (ser) perfecte. Si l'edifici _____ [13] (ser) antic, m'estimo més que _____ [14] (estar) reformat i que _____ [15] (haver-hi) ascensor. Això sí, m'estimaria més que _____ [16] (estar) moblat. No sé quant temps m'hi quedaré i no vull comprar mobles. Ja m'estaria bé que els mobles _____ [17] (ser) senzills i pràctics, però no vull que n'_____ [18] (haver-hi) gaires, només els imprescindibles, perquè no m'agraden els espais carregats. I els mobles antics fan que els espais _____ [19] (semblar) molt plens. I sobretot m'agradaria que la cuina _____ [20] (estar) completament equipada.

Pel que fa a la zona, m'han dit que l'empresa és al centre. Així que _____ [21] (preferir) que el pis sigui cèntric, encara que no es tracta d'un requisit innegociable.

No crec que _____ [22] (ser) massa exigent, oi? Bé, ja em diràs alguna cosa si tens cap pis amb aquestes característiques. _____ [23]-me (escriure) a l'adreça del correu i si vols que et _____ [24] (trucar), _____ [25] 'm (enviar) el número de telèfon de l'agència.

Ah! Me n'oblidava! El preu no és un problema perquè l'empresa paga el lloguer i les despeses. Moltes gràcies per la teva ajuda.

Una abraçada,

Alba

32 **Transforma les frases, fent els canvis necessaris.**

1 **Potser** la distribució de l'habitatge **haurà canviat** i **es reduiran** alguns espais.

Pot ser que _____

2 **Qui sap si s'eliminaran** algunes habitacions de l'habitatge i d'altres **tindran** un caràcter polivalent.

És possible que _____

3 **És probable que al bany hagi desaparegut** la banyera i que només hi hagi dutxa.

Segurament _____

4 **Vés a saber si** la cuina **s'integrarà** al menjador i ja no **serà** una habitació separada.
Sembla lògic que_____

5 **Pot ser que** les parets de la casa **siguin** d'un material flexible i **que es facin** de suro o de plàstic.
Potser_____

6 **És possible que** molts electrodomèstics **desapareguin** i d'altres **s'integrin** a les parets.
Qui sap si_____

7 **Segurament s'haurà acabat** el sòl per construir-hi i **es buscaran** llocs alternatius per viure-hi.
És probable que_____

8 **Vés a saber si es construiran** gratacels i s'hi **faran** apartaments molt petits.
Sembla lògic que_____

9 **Pot ser que** el govern **hagi fet** unes residències per a les famílies nombroses i que **visquin** totes juntes.
Qui sap si_____

10 **Potser** les persones grans **se n'aniran** a viure a unes illes tropicals especials per a elles.
És possible que_____

33 **Completa els diàlegs amb la forma adequada dels verbs que hi ha entre parèntesis.**

1 Segurament d'aquí a cinquanta anys ja no _____ (haver-hi) problemes d'habitatge, perquè tots nosaltres _____ (viure) en pisos de 20 m².
No n'estic segur. És possible que el govern d'aquí a cinquanta anys encara no _____ (fer) res.

2 Potser les cases del futur no _____ (tenir) cuina perquè la gent ja no _____ (cuinar). Tothom _____ (menjar) productes prefabricats.
Aleshores segurament les persones només _____ (necessitar) un microones per escalfar el menjar.
Sí, tens raó. I segurament no _____ (saber) cuinar.

3 Els habitatges del futur _____ (reflectir) els canvis socials que segurament _____ (produir-se). Per exemple, els banys _____ (ser) més petits i no _____ (haver-hi) banyera.
Ves a saber si els banys no _____ (ser) fora del pis, al replà de l'escala.

4 D'aquí a no gaire, com que les persones _____ (viure) molts anys, _____ (haver-hi) moltes residències per a persones grans.
Pot ser que _____ (haver-hi) més gent gran que no pas gent jove.
Això segur!

5 Com t'imagines que _____ (ser) les cases del futur?
Com que no _____ (viure) tants anys per veure què _____ (passar), tant me fa.
Vés a saber si ho _____ (veure) o no. Amb la salut que tens, és probable que d'aquí a cent anys encara _____ (ser) viu.
Doncs llavors és possible que _____ (tenir) una habitació en una residència per a gent gran. Segurament els meus fills m'hi _____ (portar).

6   L'any 3000 tots nosaltres _____ (viure) a la Lluna, perquè a la Terra no hi _____
_____ (cabre).

Pot ser que l'any 3000 _____ (construir) gratacels molt alts.

I _____ (viure) en gratacels? I així doncs, no _____ (anar) a viure
a la Lluna? Quina llàstima!

Perdona, però quants anys _____ (tenir) l'any 3000?

34   Completa el text.

Els arquitectes volen que les cases del futur _____ [1] més sostenibles i respectuoses amb el medi ambient. Diuen que és una llàstima que no _____ [2] més l'energia solar, per exemple, en un país _____ [3] fa sol gairebé cada dia. Per tant, proposen que els nous habitatges _____ [4] amb una orientació nord-sud, per aprofitar el sol i la ventilació.

També es preocupen per la distribució _____ [5] interior dels habitatges. Volen crear espais oberts, però _____ [6], que no siguin freds. I que les diferents habitacions estiguin _____ [7] comunicades. Han dissenyat habitatges sense parets, en què els espais se separen per un _____ [8] mòbil. D'aquesta manera es poden modificar les habitacions: movent-lo es poden crear diferents habitacions, segons les necessitats.

Preocupats pel medi ambient, creuen que _____ [9] molt important el tipus de material que s'utilitza i, per això, preferirien que es _____ [10] servir materials naturals. Proposen l'ús d'un model d'_____ [11], per al bany i la cuina, que estalvia aigua. Si tots els arquitectes _____ [12] en compte el respecte pel medi ambient, no es farien algunes construccions que es fan. Asseguren que en un futur no _____ [13] habitatges amb aire condicionat ni calefacció, ja que és _____ [14] que l'edifici reguli la temperatura dels habitatges.

35 Llegeix el text i insereix la frase adequada en cada espai. Hi ha més frases que espais.

LA MORT DEL MENJADOR

Llegeixo al *Daily Telegraph* que el menjador, _____ [1], té els dies comptats. Els nous apartaments ja no el contemplen i als pisos vells la gent tendeix a crear espais amplis _____ [2]; en el pitjor dels casos la gran taula familiar del menjador ha estat substituïda per una tauleta que permet menjar davant del televisor, com a centre absolut de la casa moderna.

Informa el diari britànic que el menjador tradicional podria desaparèixer del tot ben aviat. És inevitable: el temps passa, els hàbits canvien _____ [3].

La llar de foc, el rebost, la cuina de carbó, el menjador... s'han perdut pel camí, i les que es perdran. Després de la gran revolució tecnològica, hem d'admetre que la cuina contemporània no té res a veure amb la d'abans. Neveres d'última generació, rentaplats, microones, cuines de vitroceràmica i robots de cuina _____ [4].

Al pas que anem, les novel·les realistes de més de cinquanta anys hauran d'anar acompanyades d'un glossari i d'un croquis _____ [5]. Tot canvia tan de pressa que fa només uns anys, quan un dels meus fills va veure per primera vegada un mocador de roba, no va saber identificar-lo. Quan li vaig explicar el que era, va exclamar: «Ah, és un clínex de roba!». El que dèiem: tot va tan de pressa _____ [6] el mocador de paper que vam veure néixer del "clínex de roba" dels nostres dies.

Xavier Moret, *El Periódico de Catalunya*
(text adaptat)

---

a. tal com s'entendrà d'aquí a uns anys

b. i moltes coses van quedant enrere

c. mantenint els envans per crear diferents espais

d. però les coses importants es mantenen

e. que els nostres fills no veuran

f. que indiquin com eren les cases abans

g. que t'ajudin a entendre les cases del futur

h. que tan sols una generació separa

i. s'han apoderat de l'espai que abans ocupaven olles i cassoles

j. tal com l'hem entès durant molts anys

k. desapareixeran per recuperar els estris de cuina tradicionals

l. tirant a terra envans i incorporant el menjador a la sala

1

1. illa de cases; 2. gratacel; 3. torre; 4. casa adossada; 5. dúplex; 6. casa unifamiliar

2

1. és, Fa / Té
2. és / queda
3. hi ha
4. té
5. hi ha
6. és, està
7. dóna
8. és / queda
9. hi ha, hi ha
10. és, està
11. donen, dóna
12. hi ha
13. és, fa / té, és
14. té, estan
15. és / queda, està
16. és / queda
17. donen

3

1. al; 2. té; 3. donen; 4. donen; 5. a l'; 6. té; 7. dóna; 8. hi toca; 9. sorollós; 10. ben; 11. és / queda; 12. mateix / per davant; 13. hi ha; 14. bé; 15. condicionat; 16. ben; 17. hi ha; 18. esquerra; 19. hi ha / té; 20. són / queden

4

1. aïllada, segona, garatge, Parcel·la, Façana
2. habitacions, Terrassa, traster, banyera, Serveis, Obra
3. Xalet, nucli, enjardinada, Urbanització, Celler
4. Instal·lació, blindada, Orientació, Plaça, replà, Porter, Antena

5

1. sigui, tingui, sigui, toqui, sigui, sigui
2. siguin, siguin, facin / tinguin, toqui, siguin
3. estigui / sigui, tingui, tingui / hi hagi, estigui / sigui, estigui, sigui
4. sigui, puguem, tingui / faci, tingui / hi hagi, tingui / hi hagi, siguin

6

1.
1. sigui
2. sigui
3. tingui / hi hagi
4. faci / tingui
5. toqui
6. tingui / hi hagi
7. sigui
8. estigui
9. sigui
10. tingui
11. toqui

2.
1. tingui / hi hagi
2. sigui
3. tingui / hi hagi
4. doni
5. tingui / hi hagi
6. estiguin
7. tingui / hi hagi
8. estigui
9. sigui / estigui
10. tingui / hi hagi

7

1. j; 2. h; 3. a; 4. e; 5. i; 6. g; 7. c; 8. d; 9. b; 10. f

8

1. De gas ciutat, en tens?
2. D'ascensor, n'hi ha?
3. De garatge, en teniu?
4. De mobles, n'hi ha?
5. De balcons, en té?

9

1. ho, Ø; 2. ho, hi; 3. Ø, ho; 4. en, Ø; 5. Ø, ho; 6. hi, hi, Ø; 7. Ø, en; 8. Ø, n', ho, n', Ø; 9. Ø, Ø, en, en, N'; 10. ho, Ø

10

1. el contracte; 2. la despesa; 3. el dipòsit; 4. el crèdit / el préstec; 5. l'entrada; 6. l'interès; 7. el llogater; 8. el propietari; 9. la hipoteca; 10. el lloguer

11

1. lloguer; 2. lloguer; 3. llogar; 4. lloguer; 5. llogar; 6. lloguer; 7. llogar; 8. lloguer; 9. llogar, llogar; 10. lloguer

12

1. aval; 2. hipotecar; 3. venda; 4. avalar; 5. hipoteca; 6. lloguer

13

1. llogar; 2. propietaris; 3. dipòsit; 4. crèdit / préstec; 5. interessos; 6. avali; 7. lloguer; 8. contracte; 9. entrada; 10. hipoteca; 11. despeses

14

1.
1. siguin
2. són
3. se'n vagi
4. se'n vagi
5. se'n va
6. trobi
7. marxaràs
8. trobis
9. s'estigui

2.
1. està
2. pugui
3. construeixi
4. es preocupin
5. parlin
6. facin
7. construeixin
8. facin

3.

1. visquin
2. és
3. tinguin
4. tingui
5. hi hagi
6. siguin
7. s'apugin
8. demanin
9. demanen

4.

1. és
2. s'hipotequi
3. val
4. treballi
5. intenti
6. sigui
7. puguis
8. paguis

15

1. b; 2. a; 3. a; 4. c; 5. b; 6. b

16

1. el moble; 2. el mirall; 3. la catifa; 4. el penja-robes; 5. la nevera; 6. el microones; 7. el calaix / els calaixos; 8. el forn; 9. el rentavaixella; 10. el prestatge; 11. l'aixeta; 12. l'aigüera; 13. la caldera / l'escalfador; 14. la rentadora; 15. l'assecadora; 16. el comptador de gas; 17. l'estenedor; 18. la cortina; 19. el llum; 20. la butaca; 21. el sofà; 22. la cadira; 23. el llum; 24. la taula; 25. la cadira; 26. el llum; 27. la tauleta de nit; 28. el llit; 29. l'armari; 30. la catifa; 31. el mirall; 32. la dutxa; 33. l'aixeta; 34. la banyera; 35. l'aigüera; 36. el vàter; 37. el bidet; 38. la llibreria

17

1. el mirall; 2. la rentadora; 3. la catifa; 4. el rentavaixella; 5. l'aixeta; 6. el microones; 7. les cadires; 8. els llums; 9. la llibreria; 10. el llit

18

1. Entrant; 2. davant de la; 3. dreta del; 4. de la; 5. a punta de la; 6. Entre; 7. racó; 8. al; 9. l'esquerra de la; 10. mateix; 11. sobre de la; 12. arrambat; 13. A la; 14. al voltant; 15. Davant; 16. Al; 17. darrere; 18. a l'; 19. a banda i; 20. A sobre; 21. davant del; 22. a punta de l'; 23. Al; 24. Al fons; 25. Al; 26. dreta del; 27. al costat; 28. del; 29. tocant; 30. sobre de la; 31. darrere

El moble de calaixos és entrant a l'esquerra.
El mirall és a sobre del moble de calaixos, penjat a la paret.
A l'esquerra de la nevera no hi ha prestatges.
L'assecadora és al costat de la rentadora.
Al dormitori només hi ha una tau-

leta de nit.
La catifa del dormitori és al costat del llit.
L'armari del dormitori és al racó.
El vàter és a l'esquerra del lavabo.

19

1. al; 2. Ø, a; 3. A, del; 4. Al, del; 5. Al; 6. Ø, a l'; 7. Al; 8. Ø, a la, a l'; 9. de, a, del; 10. al

20

1. b; 2. a; 3. c; 4. c; 5. a

21

1. paper higiènic
2. gel de bany, xampú, sabó
3. drap
4. matalàs
5. edredó
6. galleda d'escombraries

22

1. c; 2. b; 3. b; 4. a; 5. c; 6. c; 7. a

23

1.
1. carregada
2. carregats
3. confortables / acollidors
4. fred
5. acollidor / càlid / confortable
6. càlids

2.
1. horrorós
2. minimalista
3. acollidor
4. carregat

24

1. a; 2. b; 3. a; 4. b; 5. c; 6. b; 7. a; 8. c; 9. c; 10. b; 11. a; 12. b; 13. a; 14. c; 15. b; 16. a; 17. a; 18. c; 19. c; 20. a

25

1. b; 2. c; 3. b; 4. b; 5. c; 6. a; 7. a; 8. c

26

1. canonades
2. rajoles
3. porta
4. envà
5. terra
6. moqueta
7. parquet
8. parets
9. paper pintat
10. sostre
11. finestres
12. barana

27

1. fos, pintaria, fes, fos
2. poguéssiu, compraríeu, fes, poguéssim, compraríem
3. quedaries, tingués, quedaria, tingués, compraria
4. hi hagués, quedaríem
5. donés, quedaria, donessin /

donen, seria / serà /agradaria
6. tinguessis, donarien, donessin
7. faries / faràs, tingués, canviaria, posaria, canviaria, posaria
8. tingués, seria, trauria, estigués, hi hauria
9. pintaríeu, pintaríem, pintaríeu, deixaríeu, tinguéssim, pintaríem
10. estigués, estigués, costaria, tingués, tingués, estigués, podries
11. fos, tirarien, tiraríeu, tiraríem, abaixaríem, canviaríeu, poguéssim, trauríem, posaríem

28

1. el; 2. tiraria; 3. Tiraries; 4. el; 5. el; 6. El; 7. l'; 8. abaixaria; 9. abaixaries; 10. el; 11. pintaria; 12. hi; 13. faria / obriria; 14. ho; 15. ho; 16. el; 17. trauria / canviaria; 18. el; 19. hi; 20. posaria / col·locaria; 21. hi; 22. posaria / col·locaria; 23. hi; 24. la; 25. faria; 26. els; 27. ho; 28. el; 29. canviaríem / tocaríem; 30. Ho

29

1.a tingui, hi hagi, sigui
2.a tingui, entri, tingui, té / tingués
2.b M'estimaria més, tingués, entrés, tingués, tingués
3.a sigui, estigui, toqui, sigui, sigui
3.b voldríeu, Ens interessaria, fos, estigués, Seria, toqués, Voldríem, fos, Preferiríem, fos
4.a sigui, hi hagi, sigui, hi hagi, té / tingués
4.b voldria, fos, hi hagués, m'estimaria més, fos, hi hagués, tingués
5.a sigui, tingui, siguin, hi hagi, puguem, estigui
5.b voldríeu, fos, Voldríem, tingués, fossin, Seria, hi hagués, poguéssim, estigués
6.a busqui, tingui, hi hagi, puguem, hi hagi, hi hagi, tingui, donin, sigui, faci
6.b Preferiríem, busqués, Voldríem, tingués, Ens agradaria, hi hagués, poguéssim, hi hagués, hi hagués, tingués, donessin, fos, fes

30

1.
a. faria
b. tinc
c. tingui
2.
a. pogués
b. puc
c. faré
3.
a. donés, s'emanciparien
b. s'emanciparan
c. doni

4.
a. podríem
b. faig, podrem
c. faci
5.
a. canviéssim, semblaria
b. canviem
c. semblarà

31

1. estiguis; 2. vaig dinar; 3. poguessis; 4. voldria; 5. sigui; 6. faci; 7. tingui; 8. fos; 9. tingués; 10. fos; 11. donés; 12. seria; 13. és; 14. estigui; 15. hi hagi; 16. estigués; 17. fossin; 18. hi hagi; 19. semblin; 20. estigués; 21. prefereixo; 22. sigui; 23. Escriu; 24. truqui; 25. envia

32

1. hagi canviat, es redueixin
2. s'eliminin, tinguin
3. haurà desaparegut / desapareixerà, hi haurà
4. s'integri, sigui
5. seran, es faran
6. desapareixeran / hauran desaparegut, s'integraran / s'hauran integrat
7. s'hagi acabat, es busquin
8. es construeixin, facin
9. haurà fet, viuran
10. se'n vagin

33

1. hi haurà, viurem, hagi fet
2. tindran, cuinarà, Menjarà, necessitaran, sabran
3. reflectiran, s'hauran produït / es produiran, seran, hi haurà, seran
4. viuran, hi haurà, hi hagi
5. seran, viuré, passarà, veuràs, siguis, tingui, hauran portat/ portaran
6. viurem, cabrem, hagin construït / construeixin, viurem, anirem, tindràs

34

1. siguin; 2. s'aprofiti / s'exploti / es faci servir / s'utilitzi; 3. on; 4. es construeixin / es facin; 5. de l'; 6. acollidors / càlids / còmodes / confortables; 7. ben; 8. envà; 9. és; 10. fessin; 11. aixeta; 12. tinguessin; 13. hi haurà / es construiran / es faran / existiran; 14. possible / probable

35

1. j; 2. l; 3. b; 4. i; 5. f; 6. h

Unitat 4

LLEPAR-SE'N ELS DITS

LLEPAR-SE'N ELS DITS

1 **Escriu els ingredients següents a la columna que correspongui.**

	verdures i llegums	fruita	carns	peixos i mariscos
albergínia all ànec bacallà botifarra calamars ceba cirera costella de xai escamarlà llimona mandarina pastanaga pernil plàtan pollastre raïm rap rave sardina				

2 **En cada paràgraf s'han canviat les característiques dels menjars. Escriu cada característica al menjar que correspon.**

1 La Marta ha anat al mercat i ha comprat: llenties i cigrons verds i vermells, mongetes fregides, una col i un enciam cuits, mongetes frescos, patates seques i pebrots tendres.

2 També ha comprat fruita: albercocs i préssecs dolces, cireres i maduixes per fer suc, taronges ben grocs, peres vermelles, plàtans una mica verdes i dues pinyes madurs.

3 A la carnisseria ha comprat: dos conills més aviat secs, dues cuixes de porc, un bistec de xai, dos fuets de pollastre, unes costelles senceres, un filet de l'espatlla i un pernil de vedella.

4 Finalment ha anat a la peixateria i ha comprat: sardines per fer sopa, un cap de rap per fer a la brasa, dues rodanxes de gambes, una llagosta gros per fer al forn, un llobarro ben fresques i lluç vermella.

3 **Tria l'opció més adequada.**

1. cigrons
a. crus
b. madurs
c. frescos

2. pebrot
a. magre
b. dur
c. verd

3. julivert
a. madur
b. tou
c. fresc

4. pèsols
a. fregits
b. bullits
c. a la brasa

5. mongeta
a. verd
b. tendra
c. magra

6. poma
a. verda
b. amargant
c. tova

7. pruna
a. tendra
b. groga
c. bullida

8. taronja
a. sucosa
b. fresca
c. crua

9. albercoc
a. fregit
b. cuit
c. madur

10. plàtan
a. amargant
b. a la romana
c. al punt

11. pollastre
a. amargant
b. guisat
c. verd

12. xoriço
a. magre
b. a la marinera
c. madur

13. cuixa
  a. de llom
  b. de pollastre
  c. de filet

14. espatlla
  a. de pernil
  b. de pollastre
  c. de xai

15. costella
  a. de fuet
  b. de carn
  c. de porc

16. llenguado
  a. bullit
  b. a la planxa
  c. magre

17. sípia
  a. guisada
  b. verda
  c. madura

18. tonyina
  a. crua
  b. bullida
  c. amargant

19. truita
  a. de mar
  b. de riu
  c. de llac

20. lluç
  a. magre
  b. dur
  c. a la romana

21. bunyol
  a. de xai
  b. de sípia
  c. d'escarxofa

22. fulla
  a. d'enciam
  b. de taronja
  c. de llentia

23. llavors
  a. de préssec
  b. de síndria
  c. de pinya

24. pell
  a. de llagosta
  b. de col
  c. d'albercoc

25. pinyol
  a. de cirera
  b. de maduixa
  c. de plàtan

26. closca
  a. d'ou
  b. de patata
  c. de taronja

---

4   **Completa els diàlegs amb les paraules dels quadres. Es poden repetir. Fes la flexió de gènere i nombre quan calgui.**

Diàleg 1

T'agraden les escarxofes?

Ui, sí! M'agraden molt, sobretot a la brasa o al forn.

A mi m'encanten els bunyols d'escarxofa, fets a la romana, quan les escarxofes són _____ (1).

I amb truita, que no t'agraden?

Sí, però s'ha de vigilar de treure les fulles _____ (2), perquè són _____ (3).

Doncs jo, les fulles _____ (4) me les menjo.

Com te les menges?

_____ (5) o _____ (6); una mica _____ (7), que costin de mastegar, no m'agrada gens que siguin _____ (8), i les amaneixo amb una vinagreta.

Ah! Doncs les tastaré.

> amargant
> bullit
> cru
> dur
> tendre
> tou
> verd

Diàleg 2

A l'estiu la fruita que m'agrada més és el meló. Ni gaire _____ (1), ni gaire _____ (2), que estigui al punt, i ben _____ (3).

A mi també m'agrada, però potser prefereixo la síndria, quan és _____ (4) i ben _____ (5).

Sí, no està malament, però no m'agrada que tingui tantes _____ (6)...

Home! Les fruites, si no tenen _____ (7), tenen _____ (8), ja se sap!

És una llàstima! Jo només menjo la fruita si me la donen sense _____ (9), sense _____ (10), sense _____ (11)...

Que mandrós, que ets!

> fresc
> llavor
> madur
> pell
> pinyol
> verd
> vermell

Diàleg 3

Quina carn t'agrada més?

La de bou. Un bon filet de bou _____ (1) amb una mica d'oli a la paella, una mica _____ (2), que quedi rosat de dintre, és molt _____ (3).

A tu, no t'agrada?

No gaire, perquè a mi m'agrada que la carn sigui ben _____ (4), que no es vegi gens de sang, i el bou _____ (5) el trobo una mica _____ (6), costa de mastegar. M'estimo més un bistec de vedella a la planxa, que és més _____ (7) i més _____ (8), no té gaire greix.

Vaja! No em convidis a dinar a casa teva...

| cru |
| cuit |
| dur |
| fregit |
| gustós |
| magre |
| tendre |

Diàleg 4

Com us les mengeu les cloïsses?

A mi m'agraden molt al vapor, com els musclos.

Jo me les menjo sense coure, _____ (1), amb un raig de llimona. Són _____ (2)!

A mi em fan una mica de fàstic _____ (3), prefereixo que siguin _____ (4), a la marinera, en una caldereta o _____ (5) amb un suquet de peix amb patates o mongetes.

Tu no deus fer dieta, oi?

| cru |
| deliciós |
| fet |
| guisat |

5 Completa les frases amb els pronoms adequats.

1 _____ agrada la carn?

_____ agrada molt.

Com _____ menges?

_____ menjo una mica crua.

2 _____ agrada el peix a l'Antoni?

_____ agrada molt.

Com _____ menja?

_____ menja a la planxa.

3 _____ agrada la verdura?

Sí que _____ agrada.

Com _____ mengeu?

_____ mengem al vapor.

4 _____ agraden els cigrons als nens?

No gaire, però _____ mengen.

Com _____ mengen?

Avui _____ han menjat bullits i amanits.

5 _____ agraden les sardines?

_____ agraden molt.

Com _____ menges?

_____ menjo a la brasa.

6 I, a tu, _____ ha agradat el llobarro?

No _____ ha agradat gaire.

Com _____ han fet?

_____ han fet a la marinera.

7 _____ ha agradat la tonyina, als convidats?

Em sembla que sí perquè _____ han menjat tota.

8 Irene, què _____ han donat de primer plat?

_____ han donat pèsols.

Com _____ han fet?

_____ han fet al vapor.

9 Com _____ menges el lluç?

Normalment _____ menjo a la planxa amb all i julivert, però avui _____ he menjat fregit.

10 _____ agrada la fruita a la teva filla?

No _____ agrada gaire. _____ menja si _____ dono pelada, però si _____ ha de pelar ella, no _____ menja.

6 **Completa les frases amb ben, bon, bona, bons o bones.**

1 La carn m'agrada _____ magra.

2 M'agrada molt la llagosta _____ guisada.

3 Jo prefereixo unes _____ gambes a la planxa.

4 A mi m'agrada que la carn sigui _____ cuita.

5 Jo m'estimo més un _____ bistec de vedella.

6 L'espatlla de xai és molt bona _____ cuita, perquè així queda _____ tova.

7 Compra uns _____ pebrots, que els farem escalivats.

8 Jo m'estimo més un _____ fuet que una _____ llonganissa.

9 Les truites m'agraden _____ cuites.

10 A mi les truites d'ou m'agraden _____ cuites, però una _____ truita de riu és millor al punt.

7 **En parelles. Escolta el text i digues si les frases són veritables o falses. Després torna a escoltar el text i pren-ne notes. Contrasta-les amb les de la teva parella i fes un resum del text.**

		V	F
1	El tomàquet prové de Xile i Perú.		
2	El conreu del tomàquet es va estendre per Amèrica del Nord.		
3	En el seu origen, la paraula tomàquet vol dir "fruit inflat".		
4	El tomàquet va arribar a Espanya gràcies a la conquesta de Mèxic.		
5	Els espanyols van donar a conèixer el tomàquet per tot Europa.		
6	Els europeus de seguida van introduir el tomàquet a les seves cuines.		
7	A Europa el tomàquet va adoptar diversos noms, segons les seves propietats.		
8	El tomàquet sempre ha presentat la mateixa forma i gust.		
9	Els tomàquets es mengen sempre crus.		
10	El pa amb tomàquet es fa preferiblement amb pa sec.		

8 Relaciona els dibuixos amb els noms del quadre i després tria l'opció adequada al context.

- [ ] a. el cassó
- [ ] b. la cassola
- [ ] c. el colador
- [ ] d. l'embut (m)
- [ ] e. l'escumadora (f)
- [ ] f. l'espàtula (f)
- [ ] g. les estisores
- [ ] h. la graella
- [ ] i. el llevataps / l'obridor (m)
- [ ] j. el morter i la mà de morter
- [ ] k. l'obrellaunes (m)
- [ ] l. l'olla (de pressió) (f)
- [ ] m. la planxa
- [ ] n. el ratllador
- [ ] o. el setrill
- [ ] p. la tapadora

1 Agafa _____ per picar els alls.
  a. el morter
  b. l'espàtula
  c. el ratllador

2 Obre l'ampolla amb aquest _____.
  a. embut
  b. obrellaunes
  c. llevataps

3 Remena _____ amb una cullera de fusta.
  a. el setrill
  b. el colador
  c. la cassola

4 _____ les patates amb la forquilla.
  a. Ratlla
  b. Aixafa
  c. Amaneix

5 Agafa _____ per bullir la llet.
  a. el cassó
  b. l'escorredora
  c. la cassola

6 Agafa _____ de serra per tallar el pa.
  a. la planxa
  b. el ganivet
  c. la graella

7 _____ aquesta salsa! Jo la trobo una mica dolça.
  a. Tasta
  b. Salta
  c. Amaneix

8 _____ les verdures, però guarda el suc.
  a. Bat
  b. Destapa
  c. Escorre

9 Fes sopa amb _____ petita.
  a. una olla
  b. una escumadora
  c. una espàtula

10 En aquesta cassola, posa-hi _____ i abaixa el foc.
  a. les estisores
  b. la tapadora
  c. un colador

9 Completa el text amb les paraules del quadre. Es poden repetir i hi ha més paraules que espais buits. Els verbs s'han de conjugar. Fes la flexió de gènere i nombre quan calgui.

La ceba és un ingredient quasi indispensable de molts plats catalans. Per aconseguir resultats òptims, l'ideal és _____ (1) -la, ben a poc a poc, durant molta estona, fins que quedi ben _____ (2) i transparent. Si no ho fem així, quedarà cremada per fora i _____ (3) per dins, la seva textura serà desagradable al paladar i el seu gust resultarà _____ (4). També és millor _____ (5) la ceba a trossos ben prims que no pas _____ (6) -la, ja que si la triturem perd tota l'aigua que conté i, en canvi, si la _____ (7) l'aigua es va desprenent a mesura que es _____ (8) i té menys possibilitats de _____ (9) -se.

A més cal _____ (10) la ceba amb oli abundant. Si n'hi posem poc, la ceba l'absorbirà, deixarà el recipient sense greix, i molt possiblement es _____ (11). Per acabar, cal assenyalar que la ceba deixa de _____ (12)'s quan hi _____ (13) un altre ingredient. Per això, quan fem un sofregit, és important _____ (14) -la bé abans d'_____ (15) -hi cap altre ingredient.

> afegir
> amargant
> coure
> cremar
> cru
> dolç
> dur
> pelar
> ratllar
> tallar
> tou
> treure

10 Transforma les frases següents canviant **per** per **perquè** o viceversa.

> L'amanida, **per ser** bona, s'ha de fer amb productes frescos.
> **Perquè** l'amanida **sigui** bona, s'ha de fer amb productes frescos.

1 La carn arrebossada, per quedar bé, s'ha de passar per ou i pa ratllat.

_____

2 Perquè la verdura al vapor es faci de pressa, cal que tapis bé l'olla.

_____

3 Perquè la pasta quedi al punt, ha bullir en una olla gran i amb força sal.

_____

4 Perquè el rostit no quedi dur, s'ha de salar al final de la cocció.

_____

5 Perquè el peix quedi ben fregit, s'ha de coure amb l'oli ben calent.

_____

6 Per estar ben dessalat, al bacallà cal canviar-li l'aigua diverses vegades.

_____

7 El fricandó, per ser ben tendre, ha de fer xup-xup dues hores.

_____

8 Perquè l'ou ferrat sigui bo, s'ha de fregir amb força oli.

_____

9 Perquè la fruita sigui gustosa, no s'ha de posar a la nevera.

_____

10 Els pastissos, per ser saludables, s'han de fer amb ingredients naturals.

_____

11   El tomàquet fregit, per no ser àcid, ha de ser natural.

_____

12   Perquè les mongetes seques siguin bones, s'han de posar dotze hores amb aigua.

_____

13   Per poder pelar bé un ou dur, cal afegir sal a l'aigua quan bulli.

_____

14   Per conservar bé les fruites, convé deixar-les a la part menys freda de la nevera.

_____

15   Perquè la pell dels tomàquets es pugui treure bé, s'han de posar amb aigua calenta.

_____

11   Completa els diàlegs amb la forma adequada dels verbs que hi ha entre parèntesis, i els pronoms febles que calguin.

1   Mentre tu fas l'amanida, jo _____ (coure) les costelles?
No, no _____ (caure), que encara falta una mica per dinar.

2   Què podem fer? _____ (treure) l'olla de la verdura del foc?
Sí, _____ (treure), de seguida, que no es _____ (coure) massa.

3   Què faig, ara? _____ (fregir) el peix passat per farina?
No, _____ (fregir) sense enfarinar.

4   Àvia, vostè quanta estona _____ (coure) els cigrons?
Jo _____ (coure) més d'una hora, després _____ (treure) i els deixo reposar.

5   _____ (treure) els plats de sopa?
Sí, Pere, _____ (treure). Gràcies.

6   Deixeu que els pèsols es _____ (coure) a poc a poc, durant deu o quinze minuts.
I després _____ (treure) de l'aigua i _____ (fregir) amb una mica d'oli?
No, _____ (coure) en una cassola, amb una mica de mantega.

7   Neus, com _____ (coure) la sípia?
Primer la congelo i després _____ (treure) del congelador i _____ (coure) a la cassola, quan s'ha descongelat.

8   La carnissera sempre ens diu: «No _____ (coure) el llom de pressa.»
Doncs nosaltres _____ (fregir) molt poquet, a foc ben fort.

9   Jordi, _____ (treure) el bistec de la nevera, sisplau!
_____ (fregir)?
Sí, _____ (fregir), volta i volta; que quedi cruet.

10   La recepta diu que no es _____ (treure) la pell del llenguado.
Jo ja ho faig. El llenguado sempre _____ (coure) amb pell, és més gustós.

12 Completa el text amb els noms d'aparells i màquines que hi falten. Posa-hi també els articles i les preposicions, quan calgui.

Avui el Juli s'ha llevat aviat i s'ha preparat l'esmorzar i el dinar. Per fer l'esmorzar ha agafat dues taronges ben sucoses i s'ha ha fet un suc _____ [1] . Després ha agafat dues llesques de pa _____ [2] (sempre n'hi té per si s'oblida de comprar-ne, com acostuma a passar sovint) i les ha posat _____ [3] , però les hi ha hagut de posar dues vegades, perquè estaven molt gelades. Finalment han quedat perfectes i se les ha pogut menjar amb una mica de mantega i confitura.

Per dinar es volia fer un puré de carbassa _____ [4] , que és molt ràpid i ho fa tot. Però, com que estava espatllat, se l'ha hagut de fer d'una manera més manual; així que ha agafat la carbassa, l'ha fet bullir a la cuina de vitroceràmica, controlant una mica el temps perquè és nova. (La va canviar no fa gaire, quan se li va espatllar _____ [5] . Tan bé com ho coïa tot!) Després _____ [6] , n'ha fet el puré.

De segon plat s'ha preparat unes hamburgueses. Ha tret la carn que tenia _____ [7] i l'ha passat _____ [8] , dos cops, perquè quedés ben fina. Hi ha afegit sal, pebre, i una mica de ceba. Ha fet les hamburgueses i les ha posat _____ [9] amb l'oli ben calent. Només un minut! Per acompanyar-les s'ha fet unes patates senceres i per anar més ràpid, en lloc de fer-les _____ [10], les ha posat tres minuts _____ [11] . I llestos!

13 Marca l'opció en què el verb donat s'adequa a la frase.

1	**batre**	a. Vaig _____ l'ou i vaig fer una truita a la francesa.
		b. Va _____ la cassola perquè el menjar no s'agafés.
		c. Vas _____ el bacallà abans de fregir-lo?

2	**esprémer**	a. Per fer la pasta ben fina, la vaig _____ una bona estona.
		b. Vaig _____ dues llimones i vaig tirar el suc sobre el pollastre.
		c. L'espatlla de xai va tardar dues hores a _____-se.

3	**gratinar**	a. Per _____ la ceba, posa-hi força oli.
		b. Per _____ l'arròs, agafa la paella.
		c. Per _____ els macarrons, posa-hi formatge ratllat.

4	**rostir**	a. Per _____ aquest pollastre, posa'l al forn.
		b. Per _____ el pa, talla'l a llesques.
		c. Per _____ aquest peix, primer l'has de descongelar.

5	**refredar**	a. Diuen que si vols menjar el peix cru, abans s'ha de _____.
		b. Vaig treure el bistec del congelador i el vaig deixar _____.
		c. No posis la sopa a la nevera, ara és massa calenta, deixa-la _____.

6	**trinxar**	a. Vaig _____ els alls amb la mà de morter per fer l'allioli.
		b. Vaig _____ totes les verdures per fer la samfaina.
		c. Vaig _____ el lluç a rodanxes.

7	**torrar**	a. Per Tots Sants vam _____ castanyes.
		b. Per Sant Josep vam _____ la crema.
		c. Per Nadal vam _____ el pollastre.

14 **Completa les instruccions amb els verbs del quadre. Es poden repetir. Fes servir el tractament de vostè.**

1 No _____ olis, greixos o materials inflamables dintre del forn, no és el lloc més adequat i pot ser perillós, si l'engega.

2 No _____ ni _____ a la porta oberta del forn, podria espatllar-la a més de posar en perill la seva seguretat.

3 No _____ l'interior del forn amb fulls de paper d'alumini, ja que pot afectar el menjar, pot ser dolent per a la seva salut, i també pot fer malbé l'esmalt de l'interior del forn i l'interior del moble de cuina.

4 Per coure qualsevol aliment, _____ les plates o la graella que se subministren a les guies laterals del forn. No les _____ del tot, així evitarà cremar-se.

5 No _____ recipients ni aliments a baix de tot del forn, perquè no es couran bé i, quan se'ls mengi, els trobarà crus. _____ sempre les plates i la graella.

6 No _____ aigua a l'interior del forn mentre estigui engegat, ja que l'esmalt es pot fer malbé i vostè pot cremar-se.

7 Durant la cocció no _____ les portes del forn, si no és indispensable, així reduirà el consum d'energia.

8 Si vol refredar el forn, _____ la porta perquè es ventili i per eliminar les olors de l'interior.

asseure's
cobrir
desar
obrir
posar
recolzar-se
tirar
treure
utilitzar

15 **Escriu les instruccions de l'exercici anterior fent servir el tractament de vosaltres. Hauràs de canviar alguns elements de les frases.**

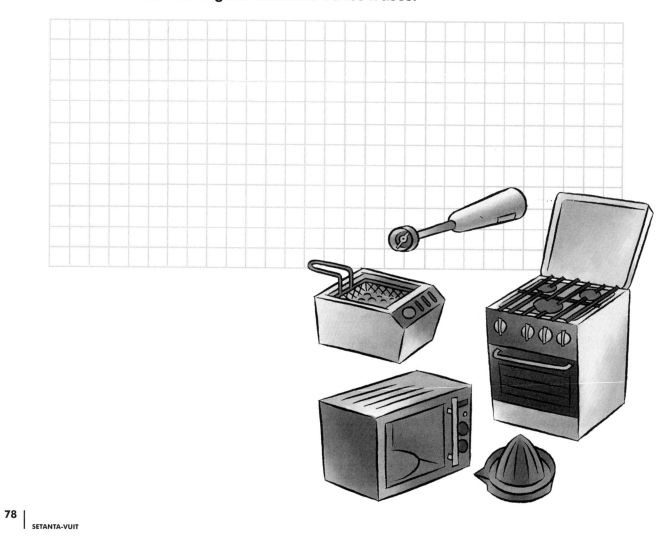

16 **Fes correspondre els dibuixos amb la seva definició i escriu el nom a cada requadre.**

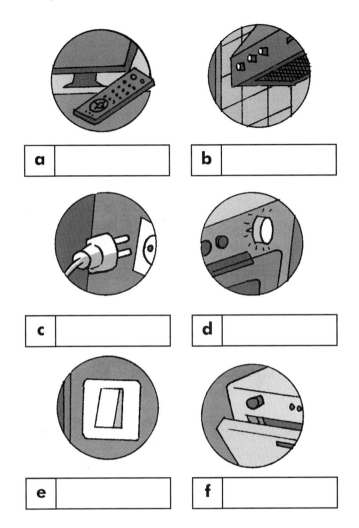

a	
b	
c	
d	
e	
f	

1. Instrument manual que permet la direcció i el control a distància del funcionament d'un aparell, una màquina, etc.

2. Dispositiu adossat a la paret o enganxat al final d'un cable elèctric, que s'utilitza per connectar un aparell, una màquina, un llum, etc., a la xarxa elèctrica.

3. Peça destinada a interrompre o a activar el pas del corrent elèctric, normalment situada en una paret.

4. Peça petita cilíndrica que sobresurt d'una superfície i que acciona un mecanisme, quan es pitja o s'estira.

5. Peça petita circular rígida de poc gruix que, quan es fa girar, canvia la intensitat de so, de temperatura, etc.

6. Peça petita de formes diverses, que no sobresurt d'una superfície i que, quan es pitja, acciona un mecanisme, obre o tanca un circuit elèctric, etc.

17 **Completa les frases amb la forma adequada dels verbs del quadre. Es poden repetir.**

1 Jordi, _____ la rodeta cap a la dreta per _____ la temperatura del forn, o cap a l'esquerra per _____ -la.

2 Agafa el comandament i _____ el botó del volum per _____ _____ el so del televisor, no el sento.

3 Eulàlia, el rentaplats ja és ple. _____ el botó per _____ _____ -lo.

4 L'endoll d'aquesta paret no funciona, _____ l'espremedora a l'altre, si vols fer-te el suc.

5 Maria Neus, _____ l'endoll de la batedora, abans de rentar-la.

6 Antoni, _____ l'interruptor per _____ el llum, estem a les fosques.

7 Eloïsa, _____ el piu per _____ l'extractor de la cuina, ja hem acabat de cuinar.

8 Marta, no _____ el cable per _____ la trinxadora, sempre és millor que _____ el botó o la _____ .

abaixar
apagar
apujar
desendollar / desconnectar
encendre
endollar / connectar
engegar
estirar
girar
parar / aturar
pitjar

18 **Escolta el diàleg i digues quina de les dues taules està parada tal com s'hi indica.**

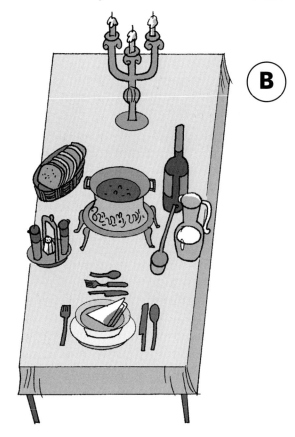

19 **Escolta el text i completa la fitxa.**

	menjar	beure
persona 1		
persona 2		

20 **Escriu els noms de les coses que hi pot haver a la taula de les persones de l'exercici anterior per poder menjar i beure els aliments següents.**

Persona 1

l'entrepà: *plat de postres,* _____

el pastís o l'ensaïmada: _____

la cervesa: _____

el cafè o el cigaló: _____

Persona 2

el iogurt: _____

la fruita: _____

les torrades: _____

els ous ferrats: _____

el suc de taronja: _____

el te amb llet: _____

21 Completa les frases amb els verbs del quadre, en subjuntiu. Es poden repetir.

1 Torneu a barrejar-ho tot fins que _____ una massa homogènia.

2 Encara que al pa _____ sal, jo n'hi poso una mica, quan el suco amb tomàquet.

3 Tan bon punt _____ a bullir, hi afegiu els cigrons.

4 Quan _____ una hora i mitja que l'olla bulli, hi afegiu les botifarres.

5 Quan tot _____ cuit, traieu les carns i les verdures i reserveu-les en un lloc calent.

6 Cal tenir la precaució de posar poca sal a l'olla, a fi que no _____ molt forta de gust.

7 Quan les carns _____ ben barrejades hi afegiu l'ou, el pa ratllat, el julivert i els alls picats.

8 No paris de fregar fins que el pa no _____ ben cobert de tomàquet.

9 Quan el pa _____ ben sucat, hi tires un bon raig d'oli.

10 Tot seguit s'hi afegeix el pa sucat amb el vinagre i es pica bé, fins que la pasta _____ ben fina.

11 Fins que l'oli no _____ calent, no hi posis el peix.

12 Quan la llet _____ freda, barregeu-hi els ous.

13 Serveix-lo abans que _____ .

14 Treu-la de la paella encara que _____ una mica crua.

15 Abans que _____ suc, treu-lo de la paella.

> començar
> estar
> fer
> haver-hi
> quedar
> refredar-se
> ser

22 Completa les frases amb pronoms, quan calgui.

1 Agafa el pollastre, renta i talla a trossos.

2 Posa el pollastre al forn i treu al cap d'una hora aproximadament.

3 A la sopa afegeix una mica de sal i de pebre.

4 Els espinacs, renta bé, que no tinguin terra.

5 Agafa un bol, posa farina, ous i sucre i remena tot junt fins que sigui ben fi.

6 Amb una cullera agafes la salsa i poses una mica sobre cada tall.

7 Rita, em sembla que l'arròs s'està agafant, remena.

8 Els formatges, traieu de la nevera almenys una hora abans de servir.

9 Fes una maionesa. Posa una mica sobre els espàrrecs i la que sobri posa a la salsera.

10 Afegiu les verdures a l'olla i, quan bullin, poseu la sal.

11 En aquesta escalivada no hi ha gens de sal, que no heu amanit?

12 Com que de mantega no tenim, poseu oli.

13 Francesc, les pastanagues, ratlla i amaneix amb llimona.

14 De pebrots vermells, no he trobat. He comprat de verds i he posat a la samfaina.

15 No he posat herbes perquè no tenia i havia d'anar a comprar al mercat.

23 Completa el text amb pronoms, quan calgui.

En una olla amb força aigua, tireu _____ [1] sal i un raig d'oli. Quan comenci a bullir, tireu _____ [2] els macarrons i deixeu _____ [3] bullir. Quan siguin cuits, escorreu _____ [4] i aboqueu _____ [5] en una plata que pugui anar al forn. Mentrestant, en una paella amb oli, fregiu _____ [6] la carn magra. Després traieu _____ [7] i poseu _____ [8] en un plat. Sofregiu _____ [9] la ceba picada al mateix oli i quan comenci a enrossir tireu _____ [10] el tomàquet, també ratllat i deixeu _____ [11] coure tot una mica. Tireu _____ [12] sal, una mica de sucre i afegiu _____ [13] també la carn magra. Remeneu _____ [14] tot de tant en tant i deixeu _____ [15] que s'acabi de coure. Quan ja sigui cuit, aboqueu _____ [16] aquesta salsa per damunt dels macarrons i poseu _____ [17] formatge ratllat. Fiqueu _____ [18] la plata al forn i deixeu _____ [19] fins que el formatge s'hagi daurat.

24 Completa els diàlegs amb un o dos pronoms.

1   Has posat les gambes a l'arròs?
    No, no poso fins que l'arròs no és cuit.

2. Afegeixo les patates a l'olla?
    Sí, però no posis gaires.

3   Posem la verdura a la plata?
    Encara no poseu, què es refredarà. De moment, deixeu a l'olla.

4   Fiquem els macarrons al forn?
    Encara no heu ficat? Fiqueu ara mateix. No sé a quina hora dinarem, avui.

5   Al conill poses alls?
    Si faig a l'allet, trinxo tres o quatre i poso quan comença a coure.

6   Quan tiro els macarrons a l'aigua?
    Tira quan bulli i, si no has posat sal, posa un grapat.

7   Remeno la cassola?
    Sí, remena i afegeix els bolets, però no posis tots, guarda uns quants.

8   Al brou poses api i pastanagues?
    D'api, no poso gaire, perquè és molt gustós. I les pastanagues posaré més tard.

9   Quan tires el brou a l'arròs?
    Tiro quan l'arròs està una mica fregit, però reservo una mica per si he de posar més tard.

10 Fas els carbassons al microones?
    Sempre faig. Si no heu fet mai, feu, ja veureu que bons que són.

25 Completa el diàleg amb els pronoms que hi calguin.

Com fas la truita de patates?

Doncs, com vols que _____ [1] faci? Amb patates.

És clar, dona, però _____ [2] poses ceba?

Ceba? És clar que _____ [3] poso.

I les patates, com _____ [4] talles?

_____ [5] tallo ben primetes i _____ [6] fregeixo.

I la ceba, _____ [7] afegeixes després?

Sí, sí, _____ [8] afegeixo quan les patates són quasi cuites. I, quan les patates i les cebes ja s'han

cuit, _____ [9] escorro i _____ [10] barrejo amb els ous.

Els ous, _____ [11] bats gaire estona?

No, no gaire. Després _____ [12] barrejo tot i _____ [13] poso a la paella amb una mica d'oli.

I, tens cap secret?

Sí _____ [14] poso una mica de llet.

A la truita?

Sí, _____ [15] poso una mica, perquè quedi més flonja. És el meu secret.

26 **Completa el text amb els verbs que hi ha entre parèntesis, en segona persona del plural de l'imperatiu, i els pronoms febles que hi calguin.**

El dia abans *poseu* (posar) els cigrons en remull en aigua tèbia i sal. _____ (1) (rentar) bé la vedella, la gallina, la cansalada, l'orella, el morro i els ossos. _____ (2) (posar) tot en una olla amb 6 litres d'aigua i _____ (3) (fer) bullir. Tan bon punt comenci a bullir, _____ (4) (afegir) els cigrons.

Per fer la pilota, _____ (5) (posar) en un recipient les carns picades de vedella i de porc. Quan estiguin ben barrejades _____ (6) (afegir) l'ou, el pa ratllat, el julivert i els alls picats, i _____ (7) (condimentar) amb sal i pebre. _____ (8) (barrejar) tot fins que quedi una massa homogènia. A aquesta massa _____ (9) (donar) una forma rodona o ovalada i _____ (10) (enfarinar) bé.

Quan faci una hora i mitja que l'olla bulli, les carns començaran a ser toves; llavors _____ (11) (afegir) les botifarres: la blanca i la negra; la col ben esbandida i tallada a trossos; les herbes, pelades i netes, i les patates, també pelades, netes i tallades a trossos. A continuació _____ (12) (afegir) la pilota.

Quan tot sigui cuit, _____ (13) (treure) les carns i les verdures i _____ (14) (reservar) en un lloc que sigui calent perquè no es refredin (al forn, apagat, però escalfat prèviament) i _____ (15) (colar) el brou amb un colador (ha de ser molt fi, perquè el brou sigui ben líquid). _____ (16) (posar) en una olla neta i _____ (17) (fer) bullir els galets, un quart d'hora, aproximadament, segons el vostre gust. _____ (18) (tastar) per veure'n la consistència i també el punt de sal.

En una plata ben gran _____ (19) (col·locar) les verdures totes juntes, així com les carns, tallades a trossos.

Primer _____ (20) (menjar) la sopa, que anomenem escudella, i després les verdures i les carns, que anomenem carn d'olla o bullit.

27 **Completa el text amb els verbs que hi ha entre parèntesis en forma impersonal i els pronoms que hi calguin.**

Per fer la salsa de xató *es posen* (posar) les nyores en remull durant dues hores en aigua freda o tèbia. Quan _____ (1) (estovar), amb un ganivet, i amb compte, _____ (2) (rascar) les nyores de manera que _____ (3) (separar) la polpa de la pell. _____ (4) (posar) la polpa en un morter, juntament amb els alls, les avellanes i les ametlles. També _____ (5) (posar) una mica de bitxo. Tot seguit _____ (6) (afegir) el pa sucat amb el vinagre i es pica bé, fins que la pasta queda ben fina. A continuació _____ (7) (tirar) l'oli, com si _____ (8) (fer) un allioli o una maionesa. _____ (9) (posar) sal i, si _____ (10) (voler), una mica de pebre vermell.

28 **Torna a escriure el text, posant-hi els pronoms que hi fan falta.**

Posa oli en una olla. Posa força i deixa escalfar bé. Quan sigui calent, sofregeix la ceba i uns grans d'all. Talla les patates a trossos petits i posa a l'olla. Aboca un brou de verdures i deixa bullir tot durant uns quinze minuts. Quan les patates siguin toves, apaga el foc i deixa que es refredi. Després bat tot amb la batedora, fins que quedi cremós. Al final posa julivert picat i remena.

29 **Transforma el text de l'exercici anterior, posant els verbs en forma impersonal i els pronoms que hi calguin.**

Es posa oli en una olla. _____ [1] força i _____ [2] escalfar bé. Quan és calent, _____ [3] la ceba i uns grans d'all. _____ [4] les patates a trossos petits i _____ [5] a l'olla. _____ [6] un brou de verdures i _____ [7] bullir tot durant uns quinze minuts. Quan les patates són toves, _____ [8] el foc i _____ [9] que es refredi. Després _____ [10] tot amb la batedora, fins que quedi cremós. Al final _____ [11] julivert picat i es remena.

30 **Completa el text amb els verbs del quadre i els pronoms que hi calguin. Els verbs es poden repetir. Fes el tractament de vosaltres.**

Compreu un peix de mig quilo aproximadament. _____ [1] les escates i les tripes i _____ [2]. _____ [3] dos talls amb un ganivet ben afilat, perquè es cogui més de pressa. _____ [4] en una plata per fer al vapor i _____ [5] el gingebre, prèviament pelat. _____ [6] al vapor durant set minuts, més o menys, _____ [7] i _____ [8] en una plata per servir a la taula. Per condimentar-lo, _____ [9] ceba tallada molt fina, salsa de soja i oli.

> coure
> fer
> posar
> ratllar
> rentar
> treure

31 **Transforma el text de l'exercici anterior, posant els verbs en el tractament de vostè i els pronoms que hi calguin.**

Compri un peix de mig quilo aproximadament. _____ (1)
les escates i les tripes i _____ (2). _____ (3)
dos talls amb un ganivet ben afilat, perquè es cogui més de
pressa. _____ (4) en una plata per fer al vapor
i _____ (5) el gingebre, prèviament pelat.
_____ (6) al vapor durant set minuts, més o
menys, _____ (7) i _____ (8) en una
plata per servir a la taula. Per condimentar-lo, _____ (9)
ceba tallada molt fina, salsa de soja i oli.

32 **Escolta i repeteix les paraules següents. A continuació escriu-les a la columna que correspongui, segons el so de les consonants marcades a l'exemple. Fixa't si un so s'escriu sempre de la mateixa manera.**

	gelat	**x**ocolata	**ll**entia	pi**ny**a
1				
2				
3				
4				
5				
6				
7				
8				
9				
10				
11				
12				
13				
14				
15				
16				
17				
18				
19				
20				

4

33 Escolta i repeteix les paraules següents. A continuació escriu-les a la columna que correspongui, segons el so de les consonants marcades a l'exemple. Si una paraula té més d'un so dels de les columnes, posa-la a cada columna que presenta aquest so i marca'n la síl·laba.

	fre*gi*u	dei*x*eu	ratl*ll*eu
1			
2			
3			
4			
5			
6			
7			
8			
9			
10			
11			
12			
13			
14			
15			
16			
17			
18			
19			
20			

1

verdures i llegums: albergínia, all, ceba, pastanaga, rave

fruita: cirera, llimona, mandarina, plàtan, raïm

carns: ànec, botifarra, costella de xai, pernil, pollastre

peixos i mariscos: bacallà, calamars, escamarlà, rap, sardina

2

1. ...llenties i cigrons cuits, mongetes seques, una col i un enciam frescos, mongetes tendres, patates fregides i pebrots verds i vermells
2. ...albercocs i préssecs madurs, cireres i maduixes vermelles, taronges per fer suc, peres una mica verdes, plàtans ben grocs i dues pinyes dolces
3. ...dos conills sencers, dues cuixes de pollastre, un bistec de vedella, dos fuets més aviat secs, unes costelles de xai, un filet de porc i pernil de l'espatlla
4. ...sardines per fer a la brasa, un cap de rap per fer sopa, unes gambes ben fresques, una llagosta vermella, un llobarro gros per fer al forn i dues rodanxes de lluç

3

1. a; 2. c; 3. c; 4. b; 5. b; 6. a; 7. b; 8. a; 9. c; 10. c; 11. b; 12. a; 13. b; 14. c; 15. c; 16. b; 17. a; 18. a; 19. b; 20. c; 21. c; 22. a; 23. b; 24. c; 25. a; 26. a

4

Diàleg 1
1. tendres; 2. verdes; 3. amargants; 4. amargants / verdes; 5. Crues / Bullides; 6. bullides / crues; 7. dures; 8. toves

Diàleg 2
1. madur / verd; 2. verd / madur; 3. fresc; 4. madura / vermella; 5. vermella / madura; 6. llavors; 7. llavors; 8. pinyols; 9. pell / llavors / punyols; 10. pinyols / llavors; 11. llavors / pinyols

Diàleg 3
1. fregit; 2. cru; 3. gustós; 4. cuita; 5. cuit; 6. dur; 7. magre / tendre; 8. tendre / magre

Diàleg 4
1. crues; 2. delicioses; 3. crues; 4. guisades; 5. fetes

5

1. T', M', te la, Me la
2. Li, Li, se'l, Se'l
3. Us, ens, us la, Ens la
4. Els, se'ls, se'ls, se'ls
5. T', M', te les, Me les
6. t', m', te l' / l', Me l' / L'
7. Els, se l'
8. t', M', te'ls / els, Me'ls / Els
9. et, me'l, me l'
10. Li, li, Se la / En, l'hi, se l', se la / en

6

1. ben; 2. ben; 3. bones ; 4. ben; 5. bon; 6. ben, ben; 7. bons; 8. bon, bona; 9. ben; 10. ben, bona

7

1. V; 2. F; 3. V; 4. V; 5. V; 6. F; 7. V; 8. F; 9. F; 10. F

8

1. i; 2. k; 3. d; 4. l; 5. o; 6. c; 7. e; 8. a; 9. b; 10. f; 11. p; 12. j; 13. g; 14. n; 15. m; 16. h

9

1. coure; 2. tova; 3. crua; 4. amargant; 5. tallar; 6. ratllar; 7. tallem; 8. cou; 9. cremar; 10. coure; 11. cremarà; 12. coure; 13. afegim; 14. coure; 15. afegir

10

1. Perquè la carn arrebossada quedi bé, s'ha de passar per ou i pa ratllat.
2. Per fer la verdura al vapor de pressa, cal que tapis bé l'olla.
3. Per quedar al punt, la pasta ha de bullir en una olla gran i amb força sal.
4. El rostit, per no quedar dur, s'ha de salar al final de la cocció.
5. El peix, per quedar ben fregit, s'ha de coure amb l'oli ben calent.
6. Perquè el bacallà estigui ben dessalat, cal canviar-li l'aigua diverses vegades.
7. Perquè el fricandó sigui ben tendre, ha de fer xup-xup dues hores.
8. L'ou ferrat, per ser bo, s'ha de fregir amb força oli.
9. La fruita, per ser gustosa, no s'ha de posar a la nevera.
10. Perquè els pastissos siguin saludables, s'han de fer amb ingredients naturals.
11. Perquè el tomàquet fregit no sigui àcid, ha de ser natural.
12. Les mongetes seques, per ser bones, s'han de posar dotze hores amb aigua.
13. Perquè un ou dur es pugui pelar bé, cal afegir sal a l'aigua quan bulli.
14. Perquè les fruites es conservin bé, convé deixar-les a la part menys freda de la nevera.
15. Per poder treure bé la pell dels tomàquets, s'han de posar amb aigua calenta.

11

1. coc, les coguis
2. Traiem, traieu-la, cogui
3. Fregeixo, fregeix-lo
4. cou, els coc, els trec
5. Trec, treu-los
6. coguin, els traiem, els fregim, coeu-los
7. cous, la trec, la coc
8. cogueu, el fregim
9. treu, El fregeixo, fregeix-lo
10. tregui, el coc

12

1. amb l'espremedora
2. del congelador
3. a la torradora
4. amb el robot de cuina
5. la cuina de gas
6. amb la batedora
7. a la nevera
8. per la trinxadora
9. a la fregidora
10. al forn
11. al microones

13

1. a; 2. b; 3. c; 4. a; 5. c; 6. b; 7. a

14

1. desi; 2. es recolzi, s'assegui; 3. cobreixi; 4. posi, tregui; 5. posi, Utilitzi; 6. tiri; 7. obri; 8. obri

15

1. deseu, l'engegueu.
2. us recolzeu, us assegueu, podríeu, la vostra seguretat.
3. cobriu, la vostra salut
4. poseu, tragueu, evitareu cremar-vos
5. poseu, us els mengeu, trobareu, Utilitzeu
6. tireu, vosaltres podeu cremar-vos
7. obriu, reduireu
8. voleu, obriu

16

1.a. comandament; 2.c. endoll; 3. e. interruptor; 4. b. piu; 5. d. rodeta; 6. f. botó

17

1. Gira, apujar, abaixar
2. pitja, apujar
3. Pitja, engegar
4. connecta / endolla
5. Desconnecta / Desendolla
6. Pitja, encendre
7. Pitja, apagar / parar / aturar
8. estiris, parar / aturar, pitgis, desconnectis / desendollis

18

A

19

Persona 1: menjar: entrepà, tros de pastís / ensaïmada; beure: cervesa, cafè / cigaló

Persona 2: menjar: iogurt, fruita, torrades, dos ous ferrats amb bacó; beure: suc de taronja, te amb llet

20 Solucions orientatives

Persona 1: l'entrepà: tovallons; el pastís o l'ensaïmada: plata, pala, plat de postres, coberts de postres: cullera, forquilla, ganivet; la cervesa: gerra; el cafè o el cigaló: tassa i plat de cafè, cullereta de cafè, cafetera, agafador / manyopla, sucrera, ampolla de licor

Persona 2: el iogurt: cullereta de postres, plat de postres, sucrera; la fruita: plat de postres, ganivet i forquilla de postres, fruitera; les torrades: plat de postres, ganivet i cullereta de postres; els ous ferrats: plat pla, forquilla, ganivet, panera del pa, tovallons; el suc de taronja: vas / got; el te amb llet: tassa i plat de te, cullera de postres, tetera, lletera, sucrera, agafador / manyopla

21

1. quedi
2. hi hagi
3. comenci
4. faci
5. sigui / estigui
6. sigui / quedi
7. estiguin / siguin / quedin
8. quedi / estigui / sigui
9. estigui / sigui / quedi
10. quedi /sigui
11. sigui
12. sigui
13. es refredi
14. sigui / quedi
15. faci / hi hagi

22

1. renta'l, talla'l
2. treu-lo
3. afegeix-hi
4. renta'ls
5. posa-hi, remena-ho
6. en poses
7. remena'l
8. traieu-los, servir-los
9. Posa'n, posa-la
10. poseu-hi
11. l'heu amanit
12. en tenim, poseu-hi
13. ratlla-les, amaneix-les
14. n'he trobat, N'he comprat, els he posat / n'he posat
15. hi he posat, en tenia, les havia d'anar a comprar / n'havia d'anar a comprar

23

1. tireu-hi
2. tireu-hi
3. deixeu-los
4. escorreu-los
5. aboqueu-los
6. fregiu-hi
7. traieu-la
8. poseu-la
9. Sofregiu
10. tireu-hi
11. deixeu-ho
12. Tireu-hi
13. afegiu-hi
14. Remeneu-ho
15. deixeu-ho
16. aboqueu
17. poseu-hi
18. Fiqueu
19. deixeu-l'hi / -la hi

24

1. les hi poso
2. n'hi posis
3. la hi / l'hi poseu, deixeu-la
4. els hi heu ficat, Fiqueu-los-hi
5. hi poses, el faig, en trinxo, els hi poso
6. Tira'ls-hi, hi has posat, posa-n'hi
7. remena-la, afegeix-hi, els hi posis, guarda'n
8. hi poses, n'hi poso, les hi posaré
9. L'hi tiro, en reservo, n'hi he de posar / he de posar-n'hi
10. els hi faig, els hi heu fet, feu-los-hi

25

1. la; 2. hi; 3. n'hi; 4. les; 5. Les; 6. les; 7. l'hi; 8. l'hi; 9. les; 10. les; 11. els; 12. ho; 13. ho; 14. hi; 15. n'hi

26

1. Renteu
2. Poseu-ho
3. feu-ho
4. afegiu-hi
5. poseu
6. afegiu-hi
7. condimenteu-ho
8. Barregeu-ho
9. doneu-hi
10. enfarineu-la
11. afegiu-hi
12. afegiu-hi
13. traieu
14. reserveu-les
15. coleu
16. Poseu-lo
17. feu-hi
18. Tasteu-los
19. col·loqueu-hi
20. mengeu

27

1. s'estoven / s'hagin estovat / s'estovin; 2. es rasquen; 3. se sepa-

ri; 4. Es posa; 5. s'hi posa; 6. s'hi afegeix; 7. s'hi tira; 8. es fes; 9. S'hi posa; 10. es vol

28

Posa oli en una olla. Posa-n'hi força i deixa'l escalfar bé. Quan sigui calent, sofregeix-hi la ceba i uns grans d'all. Talla les patates a trossos petits i posa-les a l'olla. Aboca-hi un brou de verdures i deixa-ho bullir tot durant uns quinze minuts. Quan les patates siguin toves, apaga el foc i deixa que es refredi. Després bat-ho tot amb la batedora, fins que quedi cremós. Al final posa-hi julivert picat i remena-ho.

29

1. Se n'hi posa; 2. es deixa; 3. s'hi sofregeix; 4. Es tallen; 5. es posen; 6. S'hi aboca; 7. es deixa; 8. s'apaga; 9. es deixa; 10. es bat; 11. s'hi posa

30

1. Traieu-hi; 2. renteu-lo; 3. Feu-hi; 4. Poseu-lo; 5. ratlleu-hi; 6. Coeu-lo; 7. traieu-lo; 8. poseu-lo; 9. poseu-hi

31

1. Tregui-hi; 2. renti'l ; 3. Faci-hi; 4. Posi'l; 5. ratlli-hi; 6. Cogui'l; 7. tregui'l; 8. posi'l; 9. posi-hi

32

gelat: julivert, taronja, mongeta, flonjo, sofregit
xocolata: cuixa, peix, xai, xoriço, maduixa
llentia: lluç, conill, espatlla, llom, tall
pinya: pinyó, tonyina, bunyol, manyopla, nyora

33

fregiu: salteja, gireu, fregeixis, apugeu, engega, sofregeixin, vigila, afegeixin
deixeu: enganxa, serveixi, fregeixis, aixafa, trinxi, abaixeu, amaneixes, sofregeixin, deixeu, afegeixin
ratlleu: ratlla, talleu, bullin, remulleu, ratllin

Unitat 5

JO, JO, JO... I ELS ALTRES

JO, JO, JO... I ELS ALTRES

1   **Relaciona la definició amb una de les paraules del quadre.**

1   Disgustar-se molt, sentir indignació per algú o alguna cosa que no ens agrada, tenir mal humor.

2   Estar d'acord dues o més persones, entendre's bé.

3   Discutir tan fort dues o més persones, que poden fins i tot donar-se cops. Diu el refrany que dos no ho fan, si un no vol.

4   Dues o més persones ho fan quan no estan d'acord en alguna cosa i cadascuna exposa les seves idees i opinions.

5   Quan una persona ens agrada o no.

☐ avenir-se
☐ barallar-se
☐ caure bé / malament
☐ discutir(-se)
☐ enfadar-se

2   **Completa els textos amb les formes adequades dels verbs del quadre i els pronoms que hi calguin.**

avenir-se
barallar-se
caure
discutir(-se)
enfadar-se
suportar

1   La relació amb la meva família és molt estreta. Parlem sovint per telèfon perquè _____ molt. A vegades, però, amb el meu pare _____; i xerrem més d'una hora, però sense cridar, perquè no veu les coses com les veig jo, però després canviem de tema i tot arreglat. I vosaltres, _____ tant com jo amb la vostra família?

2   Amb el meu germà no _____ gaire, perquè som molt diferents, i per això ens veiem molt poc. Amb els meus pares tampoc ens veiem sovint, però ens estimem, ens respectem i gairebé mai _____ ni _____ ni _____.

3   La meva germana no _____ gens amb el meu xicot. Diu que li _____ malament, que no el _____. Cada cop que es veuen _____ per qualsevol cosa: que si un té fred, l'altre té calor; que si un vol això, l'altre vol allò..., i així durant hores. Naturalment jo _____ amb tots dos, perquè es comporten com si fossin nens petits. Llàstima que no els pugui castigar de cara a la paret!

4   Tinc dues germanes casades, que viuen al Canadà. No m'agrada gaire la seva forma de vida, i no _____ gaire amb elles, perquè no tenim gaires coses en comú. A Girona visc amb dos bons amics i _____ molt. A vegades _____, _____ i, fins i tot, _____, però en el fons ens estimem.

5   L'Eulàlia i la Flor _____ molt. Sempre van juntes a tot arreu, tenen els mateixos gustos... Segur que s'enamoraran de la mateixa persona i llavors sí que _____ i _____. I com acabarà? Doncs que _____ i no es parlaran durant una temporada.

3   **Escolta els textos i marca quina és la informació que correspon a cadascun.**

		text 1	text 2
1	Confia en els seus pares, però no en depèn.		
2	El seu germà viu lluny de casa dels pares.		
3	Els avis viuen a casa dels pares.		
4	Gairebé mai no es discuteix ni es baralla amb els seus pares.		
5	Hi ha bona comunicació entre tots els membres de la família.		
6	La família es reuneix sovint.		
7	La seva família és la seva parella.		
8	No s'avé gaire amb el seu germà.		
9	S'avé molt amb tota la família.		
10	Vol que el seu fill tingui la mateixa relació amb la família que ell ha tingut amb la seva.		

4 Completa les frases fent les transformacions necessàries.

Quan el Pere i l'Agustí van acabar la carrera...

1 Devien anar a viure junts.

Suposo _____

M'imagino _____

És possible _____

És probable _____

Dubto _____

Probablement _____

2 Suposo que van muntar una empresa.

_____ muntar una empresa.

M'imagino _____

És possible _____

És probable _____

Dubto _____

Probablement _____

3 M'imagino que se'n van anar a l'estranger.

_____ anar-se'n a l'estranger.

Suposo _____

És possible _____

És probable _____

Dubto _____

Probablement _____

4 Probablement es van separar perquè es van discutir per problemes econòmics.

_____ separar perquè es van discutir per problemes econòmics.

M'imagino _____

És possible _____

És probable _____

Dubto _____

Suposo _____

5 És possible que cadascú se n'anés a viure sol.

Cadascú _____ anar a viure sol.

M'imagino _____

És probable _____

Dubto _____

Probablement _____

6 És probable que es distanciessin i que perdessin el contacte.

_____ el contacte.

M'imagino _____

És possible _____

Dubto _____

Probablement _____

7 Dubto que se separessin.

_____ separar.

M'imagino _____

És possible _____

És probable _____

Probablement _____

8 Es devien adonar que estaven fets l'un per a l'altre.

M'imagino _____

És possible _____

És probable _____

Dubto _____

Probablement _____

5 **Escolta les frases i relaciona-les amb una suposició.**

a		Devien enfadar-se molt.
b		M'imagino que no li cau bé.
c		No devia ser una cosa tan insignificant perquè té molta paciència.
d		És possible que tingui un amant.
e		Suposo que es van fer amics quan eren petits.

6 **Tria l'opció correcta.**

1 Amb la Maria m'hi avinc molt, _____,
amb la Mònica no m'hi avinc gens.
    a. en canvi
    b. més aviat
    c. llavors

2 El meu pare és molt pesat. Cada dia em truca,
_____, cinc cops per saber on sóc. No exagero!
    a. de sobte
    b. més aviat
    c. com a mínim

3 Quan el vaig conèixer em va caure malament.
Però, _____, el vaig anar coneixent i em va
començar a caure millor. Ara som molt amics!
    a. de mica en mica
    b. de sobte
    c. si fa no fa

4 _____ no el vaig trobar gaire simpàtic, però
després d'haver parlat amb ell una bona estona,
el vaig trobar encantador.
    a. Llavors
    b. Al començament
    c. De seguida

5 El Pau em cau molt bé. És tan simpàtic!
Doncs jo el trobo _____ antipàtic.
    a. més aviat
    b. si fa no fa
    c. aleshores

6 El primer dia de classe vaig veure que la Júlia
i jo ens avindríem. Ho vaig notar .
    a. més aviat
    b. d'hora
    c. de seguida

7 El meu germà es va discutir amb els meus pares i se'n va
anar de casa. _____ els meus pares li van trucar
per intentar parlar amb ell, però no els va contestar.
    a. A poc a poc
    b. De cop
    c. Llavors

8 Coneixes la Conxita?
La veritat és que no gaire. No sembla gaire xerraire, oi?
Jo diria que és _____ tímida.
    a. de seguida
    b. més aviat
    c. si fa no fa

7 **Completa el quadre.**

NOM	ADJECTIU			
	singular		plural	
	masculí	femení	masculí	femení
	gelós			
		sincera		
l'odi				
el respecte				
			afectuosos	
la passió				
				rabioses
la felicitat				

8 **Completa les frases amb les paraules del quadre. Fes la flexió de gènere i nom-bre, quan calgui.**

1 Quan va néixer el seu germà petit l'Alba es va posar molt _____ , perquè ningú li feia cas. Ara que és més gran, ja està més tranquil·la.

2 Es va pensar que era l'home de la seva vida fins que va descobrir que ja era casat. Va tenir un _____ amorós tan gran que no ha tornat a sortir mai més amb cap home.

3 L'únic que demano a la meva parella és que sigui _____ , que no em menteixi.
Per a mi la _____ també és molt important. No suporto la hipocresia.

4 Per a què serveix l'_____? És un sentiment molt negatiu que no t'ajuda a ser feliç.

5 Veus aquella parella? Quina _____! S'estan fent uns petons de pel·lícula! Ja m'agradaria que algú m'estimés d'aquesta manera tan _____.

6 Sembla que es van separar d'una manera amistosa, però al cap d'un temps van començar els _____: que si ella l'havia estimat més que ell; que si ell no li perdonaria mai que l'hagués enganyat...

7 Els pares del Jan són com els meus pares. Sento un gran _____ pels seus pares, perquè m'hi avinc molt i ells em tracten com si fos fill seu.

afecte
apassionat
desengany
gelós
odi
passió
retret
sincer
sinceritat

9 **Completa el text amb la forma adequada dels verbs del quadre. Es poden repetir.**

L'Andreu i el Blai eren companys de classe de la facultat. Un dia el Blai va anar a casa de l'Andreu a estudiar i _____ (1) la germana de l'Andreu, l'Olívia, que tenia tres anys menys que ells. De seguida es va fixar en l'Olívia i li va somriure. L'Olívia també es va fixar en el Blai perquè no la va tractar com una nena petita, li va somriure i van parlar molta estona.

L'Andreu anava a estudiar molt sovint a casa del Blai i així veia l'Olívia. De mica en mica tots dos van anar _____ (2) i van començar a _____ (3) junts. Al començament el Blai estava molt per ella: l'_____ (4), l'_____ (5), li _____ (6) petons... Des del primer dia es van adonar que tenien moltes coses en comú i per això no _____ (7) ni _____ (8) mai. _____ (9) molt bé quan estaven junts, perquè _____ (10) per qualsevol cosa i s'ho passaven molt bé. A vegades el Blai també sortia amb el germà de l'Olívia i la seva colla de la facultat, però ella no _____ (11), ni estava gelosa.

Durant molt temps _____ (12), però de mica en mica l'Olívia va començar a _____ (13) alguna cosa. Ja no _____ (14) tant com abans i _____ (15) per petites coses. A poc a poc la passió es va anar _____ (16) fins que va desaparèixer. L'Olívia notava que el Blai no era sincer quan li deia que l'estimava.

El dia de sant Jordi, _____ (17). Es veu que el Blai va enviar un ram de roses a casa de l'Olívia, però no eren per a ella, sinó per al seu germà, l'Andreu. De cop l'Olívia _____ (18) què havia passat. L'Andreu i el Blai _____ (19). Se li va trencar el cor i _____ (20) durant moltes hores. _____ (21) el seu germà i també, el Blai. Quan li va passar la ràbia i l'odi, va entendre que no hi podia fer res, perquè l'amor és cec. Per això va parlar amb els enamorats i ells li van demanar perdó i ella els _____ (22). Ella va entendre que el Blai havia trobat la felicitat amb el seu germà. Des de llavors són molt amics, a més de cunyats.

abraçar
acariciar
apagar
barallar-se
conèixer
discutir(-se)
enamorar-se
enfadar-se
entendre
estimar-se
fer
notar
odiar
perdonar
plorar
renyir
riure
sentir-se
sortir

10 **Escriu els noms dels animals al dibuix que correspongui.**

l'abella
l'aranya
el cavall
l'ocell
el conill
l'elefant
la formiga
el gat
el gos
el lleó
l'ós
l'ovella
la papallona
la vaca
el tauró
el tigre

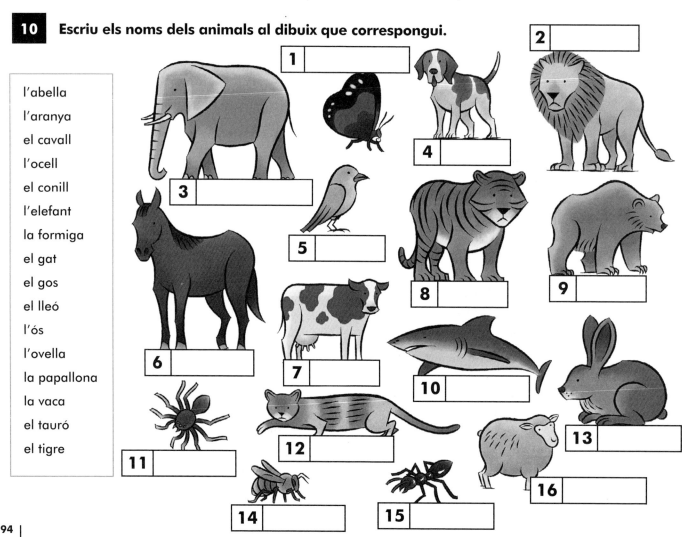

11 Completa les frases amb els adjectius del quadre. Fes la flexió de gènere i nombre.

1 Els gossos són molt _____ , perquè mostren afecte, si també els en dónes.

2 Els gats, quan són petits són molt _____ , perquè són graciosos i bonics.

3 L'ós és un animal molt _____ , perquè li agrada molt dormir.

4 Els tigres i els gats són animals molt _____ i àgils, perquè es mouen amb elegància.

5 Encara que la formiga és molt petita, diuen que és molt _____ perquè arrossega coses molt pesades.

6 No m'agraden gens les aranyes. Em fan fàstic.

Jo també les trobo _____ .

7 M'estimo més tenir un gos que un gat a casa, perquè el gos és _____ . En canvi, del gat no te'n pots refiar.

És veritat. Els gats són _____ , no te'n pots refiar. A més, sempre van a la seva, són molt _____ .

8 L'elefant és molt gros, però també molt _____ . Diuen que quan veu un ratolí s'espanta.

> afectuós
> bufó
> dormilega
> esquerp
> esvelt
> fastigós
> fidel
> fort
> poruc
> traïdor

12 Tria l'opció correcta.

Els animals ajuden les persones que estan deprimides, perquè els fan companyia.

_____ [1] tu, però no crec que sigui l'única solució. Tenir un animal a casa implica molta responsabilitat, i si estan deprimides...

_____ [2], però potser si tenen un animal que els obliga a sortir...

1 **a.** Tens raó
  b. Estic d'acord amb
  c. Potser sí

2 **a.** Això és cert
  b. Per exemple
  c. Estic d'acord

Quan tens un animal l'has de cuidar. _____ [3] l'has de treure a passejar, l'has de portar al veterinari, no el pots deixar sol, entre altres coses.

3 **a.** Potser sí
  b. No tens raó
  c. Per exemple

Si tinguessis un gos o un gat a casa, no et sentiries tan sol.

_____ [4], però no vull tenir-ne cap.

4 **a.** No hi estic d'acord
  b. No és veritat
  c. Tens raó

_____ [5] és que la gent gran que té animals a casa se sent més acompanyada.

_____ [6] és cert. Molta gent gran té animals per no sentir-se sola.

5 **a.** Això és cert
  b. La veritat
  c. És un fet

6. **a.** El que dius
  b. Tens raó
  c. Em fa l'efecte

No tindria mai un animal en un pis.
No entenc per què no.
Doncs, _____ [7], perquè crec que els animals necessiten un espai més adequat.

7 **a.** no hi estic d'acord
  b. per exemple
  c. potser no

13 **Escriu aquestes notes en tractaments diferents.**

1 Pere, truca a la Pilar.
Sr. Pont, _____

Nois, _____

Senyors, _____

2 Feu una còpia del projecte.
Magda, _____

Sra. Casamitjana, _____

Senyors, _____

3 Sra. Vilardell, enviï l'última factura al departament.
Laura, _____

Pere i Joan, _____

Senyores, _____

4 Aneu a la sala de reunions.
Carme, _____

Sra. Tous, _____

Senyors, _____

5 Escriviu el vostre nom aquí.
Lola, _____

Sr. Pou, _____

Senyors, _____

14 **Transforma les frases d'estil directe en frases d'estil indirecte, com a l'exemple.**

Rosa: Deixa els documents sobre la taula.
La Rosa m'ha dit que deixi els documents sobre la taula.

1 Sr. Pou: Escrigui la carta al senyor Roca.
El Sr. Pou li diu _____

2 Txell: Vés a la cafeteria i porta'm un cafè.
La Txell m'ha dit _____

3 Pep: Puja a la sisena planta i porta'm els documents signats.
El Pep diu a la secretària _____

4 Sra. Pilar: Feu el projecte i deixeu-me'l sobre la taula.
La Sra. Pilar ens diu _____

5 Carles: Envia'm el missatge al més aviat possible.
El Carles em diu _____

6 Laura: Júlia, envia'm els documents.
Júlia, la Laura diu _____

7 Sr. Carbonell: Rosa, truca a l'empresa de neteja.
Rosa, el Sr. Carbonell diu _____

8 Sr. Antoni: Anul·li la reunió amb l'agència de comunicació.
El Sr. Antoni ha dit al director _____

9 Joan: Marta, escriu la carta d'acomiadament i dóna-la a l'Eva.
Marta, el Joan ha dit _____

10 Sra. Verdés: Sisplau, enviïn els pressupostos al senyor Pujol.
La Sra. Verdés diu _____

11 Lluïsa: Fes les fotocòpies i dóna-les al Pau.
La Lluïsa li diu _____

15 **Transforma les frases d'estil indirecte en frases d'estil directe (tractament informal i formal).**

La Rosa ha dit que deixis els documents sobre la taula.
Rosa: Deixa / Deixi els documents sobre la taula

1 El Miquel m'ha dit que arribi més d'hora a l'oficina.
Miquel: _____

2 El senyor Pi m'ha demanat que faci un curs d'informàtica abans de començar a treballar.
Sr. Pi: _____

3 La Laura ha dit a la Teresa que pugi a la sisena planta.
Laura: _____

4 El director m'ha dit que vagi a correus i que enviï els documents.
Director: _____

5 La cap de secció ens ha dit que truquem a l'empresa de manteniment.
Cap de secció: _____

6 L'Anna diu que vagi a esmorzar perquè el Toni m'espera a la cafeteria.
Anna: _____

7 La Sra. Pepita diu que faci el projecte i que l'hi deixi sobre la taula.
Sra. Pepita: _____

8 La Carme diu que li enviïs els missatges tan aviat com puguis.
Carme: _____

9 La Maria diu que escrigui la carta al senyor Roca.
Maria: _____

10 La Mariona ha dit que vagi a la cafeteria i que li porti un tallat.
Mariona: _____

11 El senyor Roure diu que li faci les fotocòpies i que les hi doni.
Senyor Roure: _____

16 **Transforma les frases d'estil directe en frases d'estil indirecte.**

1 Truca al senyor Tous i demana-li els pressupostos.
Em va dir _____

2 Aneu a comprar els paquets de fulls de paper per a la impressora.
Ens havia dit _____

3 Recull els documents i desa'ls al primer calaix de la taula de l'estudi.
Et va dir _____

4 Preparin les factures i enviïn-les a l'oficina.
Els van dir _____

5 Engega l'ordinador i contesta el correu.
Us havia dit _____

6 Fes el projecte i porta'l a la directora.
Et van dir _____

7 Escolteu els missatges i contesteu-los.
Us van dir _____

8 Paga les factures i desa-les a l'arxivador.

Em van dir _____

9 Quan arribi al despatx doni les cartes al gerent.

Li havia dit _____

10 Avisin els socis de l'empresa i convoquin-los a la reunió.

Els van dir _____

11 Vagi a l'empresa A2Promocions i reculli els documents.

M'havia dit _____

17 **Transforma les frases d'estil directe en frases d'estil indirecte.**

Vindrem a cobrar les factures.
Van dir que vindrien a cobrar les factures.

1 Deixaré les factures a la gerent de l'empresa.

Va dir _____

2 Prepararem el projecte i el donarem al cap de la secció.

Vam dir _____

3 Acabaré la carta i l'enviaré a la Dolors.

Havies dir _____

4 Llegirem els missatges i els contestarem.

Vau dir _____

5 Prepararé un cafè i el portaré a la Carme.

He dit _____

18 **Transforma les frases d'estil directe en frases d'estil indirecte.**

1 Aneu a comprar els cartutxos de tinta per a les impressores i canvieu-los.

Ens havia dit _____

2 Acabarem el projecte i l'enviarem al director de l'empresa.

Vam dir _____

3 Lara, escriu la carta de presentació i envia-la a la Rosa.

Diu _____

4 Demà tindrem la reunió amb els francesos i després anirem a dinar al Bull.

Han dit _____

5 Fes les tasques del director.

Et van dir _____

6 Vés al departament de gestió i fes el que et manin.

Diu _____

19 Transforma les frases com a l'exemple.

1 Em prepares un cafè i me'l portes, sisplau?
(A la Maria) *Li prepares un cafè* _____

2 Em dónes la documentació del Carles i me la signes?
(Al Pere) _____

3 M'escrius un correu electrònic o m'escrius una carta?
(Al Sr. Joaquim) _____

4 M'envies el rebut de la comanda ara o me'l portes més tard?
(Al gerent) _____

5 Em vas dir que em miraries el projecte i me'l corregiries.
(Al Pau) _____

20 Completa els textos amb els pronoms (.......) i les formes dels verbs (_____) que hi ha entre parèntesis.

1 Benvolgut senyor,
Ahir .... (1) vaig enviar un missatge electrònic on .... (2) demanava que _____ (3) (llegir) els documents que adjuntava al missatge i que .... _____ (4) (corregir), i que després .... _____ (5) (enviar). Fins ara no he rebut res. Si encara no ho ha fet, ... (6) demano que .... _____ (7) (llegir), que .... _____ (8) (corregir) i que .... _____ (9) (enviar), tan aviat com pugui perquè .... (10) necessito.
Segurament avui arribarà el Sr. Armengol, que em va dir que _____ (11) (venir) al despatx.
Si ve, ... (12) podrà ajudar.
Si té cap problema, truqui'm.
Atentament,
Lola Pla

2 Benvolguda senyora,
La setmana passada .... (1) vaig enviar els documents que m'havia demanat. Espero que els hagi rebut i que els hagi pogut signar. Recordi que, un cop signats, ... (2) haurà d'enviar perquè pugui continuar amb els tràmits.
.... (3) demano que .... _____ (4) (enviar) també la carta que l'empresa .... (5) va donar quan .... (6) va acomiadar. Si no .... (7) té, no es preocupi. Ja demanaré a l'empresa que .... _____ (8) (enviar) una a mi.
Si necessita alguna informació, no dubti a trucar-me.
Atentament,
Joan Quer

21 Completa els diàlegs amb pronoms.

1 On vas?
És que l'Arnau m'ha dit que _____ prepari un cafè i que _____ porti.

2 Ja has acabat el projecte?
Sí, ara mateix _____ he acabat. Demà _____ enviaré al client.
Però envia _____! No te n'oblidis.

3 Ja has enviat l'arxiu al Carles?
Sí, sí. _____ he enviat aquest matí.
Doncs ha trucat i m'ha dit que no _____ ha rebut.
Ja _____ tornaré a enviar.

4 El director vol el document que has escrit. Porta _____, perquè _____ necessita.
Ara _____ truco per preguntar _____ quan vol que _____ porti.

5 Ja sap, Sr. Huguet, que _____ escriuré tan aviat com pugui. Ara per ara _____ saludo molt atentament.

6 Quan hagi escrit el missatge, envïi _____ al director immediatament.
_____ envio a l'adreça de sempre, oi?
Sí, sí.

7 On vas amb aquests papers?
_____ porto al departament de comptabilitat. _____ ha demanat el Sr. Trau.

8 On has deixat els paquets?
_____ he deixat un a recepció i els altres, a la primera planta.

9 Has acabat la feina?
Sí. Als directors _____ he deixat una còpia del projecte i _____ he enviat un correu electrònic.
A més, dels arxius, _____ he fet dues còpies.

10 Fes una còpia de la carta. _____ envies una a mi, i l'altra, a la senyora Rosa.

22 Tria l'opció correcta.

1 Estem molt contents amb la seva feina i, _____,
hem pensat que podria encarregar-se del departament
d'importació.
- **a.** encara que
- **b.** per aquest motiu
- **c.** tot plegat

2 _____ hagis enviat avui el projecte, no te l'acceptaran
perquè no compleixes els requisits.
- **a.** Encara que
- **b.** Un cop
- **c.** Com que

3 I, _____, voldria agrair-li la seva bona disposició, que
ha demostrat durant aquests darrers mesos.
- **a.** últimament
- **b.** malauradament
- **c.** finalment

4 _____ l'empresa ha hagut de fer reducció de plantilla,
han acomiadat molts empleats que no tenien contracte fix.
- **a.** És cert que
- **b.** Tot i que
- **c.** Com que

5 M'agradaria que la meva proposta s'adeqüés als objectius
de la seva empresa. _____, que la seva empresa
comptés amb la meva proposta per a futures col·laboracions.
- **a.** En primer lloc
- **b.** En altres paraules
- **c.** Un cop

6 Els clients van arribar tard, el director estava de mal humor
i jo em vaig oblidar els documents. A més, no ens vam entendre
i no vam firmar cap acord. _____ un desastre.
- **a.** Tot plegat
- **b.** Finalment
- **c.** Últimament

7 _____ li vam assegurar que li faríem un contracte fix;
però després dels resultats durant el primer mes de prova, no
podem renovar-l'hi.
- **a.** És cert que
- **b.** Com que
- **c.** Encara que

8 Estem contents que _____ torni a treballar per a
nosaltres. Segur que hi haurà una bona entesa, com
sempre hi ha hagut.
- **a.** tot plegat
- **b.** malauradament
- **c.** novament

23 **Completa les frases com a l'exemple.**

No netegen mai els carrers!
*Sí, és veritat. Caldria que **els netegessin més sovint.***

1   No crec que restaurin el teatre del barri.

Tens raó. M'estranyaria que _____ .

2   Hi hauria d'haver més zones verdes.

Totalment d'acord. Caldria que _____ més.

3   Hi hauria d'haver més vigilància.

És veritat. M'agradaria que _____ més, perquè aniria pel carrer més segur.

4   Diuen que trauran la font del carrer Major i que la traslladaran a la plaça.

A mi, no m'estranyaria que _____ del carrer Major.

A mi ja m'estaria bé que _____ a la plaça.

5   Dubto que plantin més arbres al barri.

Al barri? M'estranyaria que _____ més arbres.

24 **Completa les frases amb el present, perfet o imperfet de subjuntiu dels verbs que hi ha entre parèntesis, i posa-hi el pronom, sempre que sigui possible.**

1   M'entristeix que les obres de la plaça no _____ (acabar) abans de vacances.

2   Em preocupa que l'Ajuntament, fins ara, no _____ (fer-se) càrrec de les obres.

3   M'agradaria que a la pròxima reunió _____ (haver-hi) més propostes.

Doncs jo voldria que no _____ (haver-hi) tantes!

4   Espero que demà _____ (començar) les obres de la plaça.

Jo voldria que _____ (començar) avui mateix!

5   M'indigna que els carrers _____ (ser) tan bruts i que l'Ajuntament només _____ (netejar) un cop al dia.

6   Em sap greu que l'Ajuntament ja _____ (tirar) a terra el teatre del barri, sense haver avisat els veïns, i que no _____ (voler) restaurar.

7   No hi ha dret que els polítics només ens _____ (fer) cas perquè hi ha eleccions i que després _____ (oblidar-se) de totes les promeses.

8   El sopar del dia de la festa es fa a l'aire lliure. Em fa por que _____ (ploure).

No tinguis por. Si plou, el sopar es farà al casal.

9   Has vist què han fet a la plaça?

I tant! No hi ha dret que _____ (posar) aquest tipus de monument. És horrorós!

No m'estranyaria que l'autor del monument _____ (ser) parent de l'alcalde.

10 Confio que _____ (assistir) bastant gent a la reunió.

Jo també. Això sí: m'agradaria que la senyora Palmira no _____ (assistir). Estic farta de les seves queixes!

25 **Completa els textos amb les paraules dels quadres. Escolta el text de l'activitat 11 del Llibre de l'alumne i comprova'n els resultats.**

Molt bé, després de llegir i d'aprovar l'acta de l'última reunió, podem passar a l'altre punt. Poden fer el favor de callar, que continuarem amb la reunió? Sisplau, una mica de silenci. Moltes gràcies. Com a president de l'associació de veïns del barri, els he convocat perquè hem de discutir alguns punts que afecten el barri i _____ (1) avui prenguem algunes decisions. _____ (2) voldria explicar la situació de les obres de la plaça.

Això, això! Van dir que _____ (3) les obres abans de vacances i encara no les han acabat.

Però està quedant molt bé. Ja veurà com li agradarà quan acabin, Sra. Palmira.

_____ (4) que m'agradi, però el que vull és que acabin! _____ (5) que les obres no s'acabin mai! I també van dir que posarien bancs i encara no ho han fet.

Un moment, sisplau. Demanin la paraula i parlin un darrere l'altre. No parlin tots alhora. _____ (6). És evident que les obres no han acabat i _____ (7) tant com a vostès que tinguem la plaça en obres durant les vacances.

De quines vacances parlem, les d'aquest any o les de l'any que ve?

Bé, _____ (8): que aquestes vacances la plaça encara estarà en obres. _____ (9) amb això és que la festa d'estiu no es podrà celebrar a la plaça. I per ser franc em preocupa que _____ (10) de les eleccions municipals tot vagi més lent i no hi puguem celebrar el dia de la Salut.

acabarien
cal que
el que vull dir
em fa por
m'indigna
no estic segura
per començar
per culpa
resumint
tenen raó

A mi _____ (11) que aquests polítics només vulguin els vots: que et prometin mil coses i que després no facin res. No m'estranyaria que la plaça quedés en obres fins després de les eleccions. _____ (12) una llei que fes complir les promeses!

_____ (13), demanaré una reunió amb el regidor d'Urbanisme de l'Ajuntament per expressar-li el nostre malestar i per demanar-li que es comprometi a donar-nos una data d'acabament de les obres. En l'última reunió es va decidir que es restauraria la imatge de la Verge de la Salut que hi haurà a la plaça. Per tant, tothom, i quan dic tothom vull dir _____ (14), ha d'ingressar al compte de l'associació els diners per a la restauració, perquè ha d'estar restaurada el dia de la Salut, que és quan es farà el dinar. Em sap _____ (15) que encara hi hagi gent que no hagi ingressat els diners. I _____ (16), parlant de l'organització del dinar del dia de la Salut, _____ (17) fer comissions que s'encarreguessin de diferents coses. Tothom _____ (18) d'apuntar-se a una de les comissions que hi ha penjades al suro de l'entrada. En la pròxima reunió, cada comissió presentarà la seva proposta.

I cadascun de nosaltres ens hem d'apuntar a una comissió? No _____ (19)!

I tant! _____ (20) farem excepcions. _____ (21) que entre tots puguem organitzar un dinar ben lluït! I _____ (22), passem al punt de precs i preguntes. Hi ha algú que vulgui dir res?

cadascun de nosaltres
confio
en cap cas
en qualsevol cas
finalment
greu
hi estic d'acord
hi hauria d'haver
m'entristeix
per cert
s'haurien de
té l'obligació

Jo, jo! Demano la paraula! Voldria insistir que en el nostre barri hi falta llum. No s'hi veu gens. _____ (23) demanar a l'Ajuntament que hi posés més llum.

Sí, _____ (24) estic totalment d'acord. I, entre altres coses, les voreres estan totes fetes malbé i és molt fàcil caure. Considero que l'associació hauria de pressionar l'Ajuntament perquè _____ (25).

Molt bé, m'ho apunto. Senyor Mir, digui.

Només voldria dir una cosa. M'agradaria que l'Ajuntament ens digués quin tipus d'arbre pensen plantar a la plaça. És que sóc al·lèrgic, saben? _____ (26) que hi plantin, _____ (27), plataners...

Sí, sí... Però ja sap com són les coses. _____ (28) m'ho apunto i a la reunió que tindrem amb el regidor l'hi demanarem. Cap altra pregunta? El torn un altre cop de la senyora Palmira. Pot parlar, senyora Palmira.

Voldria denunciar aquests joves que seuen al carrer a beure a les nits. No em deixen dormir. _____ (29)! _____ (30) que l'Ajuntament fes alguna cosa, que posessin més vigilància. És que no sé pas on anirem a parar amb aquest jovent!

D'acord. Doncs si ningú més demana la paraula, acabem aquí la reunió. Per cert, _____ (31), vull recordar-los que només queden cinc dies, com tothom ja sap, perquè s'acabi el termini de presentació de fotografies del concurs de «El barri: ahir i avui». Recordin que _____ (32) presentar-hi més d'un original per concursant. Doncs ara sí que acabem. Gràcies per venir i bona tarda a tothom.

> ara que hi penso
>
> caldria
>
> de tota manera
>
> em preocupa
>
> hauríem de
>
> hi
>
> les arreglés
>
> no hi ha dret
>
> posem per cas
>
> queda prohibit

---

26 **Completa les frases amb la forma adequada dels verbs del quadre. Es poden repetir.**

1 Hauré de trucar a un lampista perquè l'aigüera _____. Hi deu haver caigut alguna cosa, perquè l'aigua no se'n va.

2 Aquest matí l'aixeta de la cuina _____ i no gira ni cap a la dreta ni cap a l'esquerra. No vull fer força perquè em fa por que _____, i em quedi amb l'aixeta a les mans.

3 Hi ha temporades que _____ tots els aparells de casa de cop: la nevera, la rentadora... I quan vénen els tècnics, moltes vegades et diuen que no els _____ _____ perquè et costarà més que no pas canviar-los.

4 No compraré més aquest tipus de bombetes perquè _____ molt de pressa. Aquesta la vaig comprar fa dues setmanes i avui ja _____.

5 Què has menjat? Has vist que _____ la camisa? Te l'hauràs de canviar, perquè així de brut no pots anar a la reunió.

6 Des d'ahir el televisor no _____ bé, encara que apugi el volum. Millor que te'n compris un de nou, perquè també _____ malament, la imatge no és gens clara. Abans de comprar-me'n un de nou, miraré si es pot _____.

7 Haig d'avisar el tècnic perquè l'ordinador no _____. Encara que el connecti no s'engega. Pitja fort el botó, perquè moltes vegades el botó _____ i no fa connexió.

8 La pantalla de l'ordinador ha caigut a terra i _____. I no es pot _____? No! M'he quedat amb tres trossos de pantalla! N'hauré de comprar una!

> arreglar
>
> embussar-se
>
> encallar-se
>
> espatllar-se
>
> fondre's
>
> funcionar
>
> sentir-se
>
> tacar-se
>
> trencar-se
>
> veure's

27 **Completa les frases amb els pronoms adequats.**

1 Ja has canviat la bombeta?

   Sí, sí. ___ he canviat aquest matí.

2 Has enviat els documents?

   Ostres! Encara no ____ he enviat. ____ faré ara mateix.

3 Has connectat l'ordinador?

   Sí, ja ____ he connectat.

4 Has pitjat el botó per engegar l'ordinador?

   Sí, ja ____ he fet.

5 Si no se sent bé, apuja el volum.

   Ja ____ he fet. ____ he apujat, però no se sent bé.

6 Que has arreglat els llums?

   Sí, és clar. ____ he arreglat aquesta tarda. I què més vols que faci?

   Has desembussat el lavabo?

   Sí, també ____ he fet.

28 **Transforma les frases fent servir l'estructura fer res + infinitiu. Després tria la resposta més adequada a la frase transformada.**

Podeu apagar els mòbils? **Us fa res apagar els mòbils?**	**a.** Ai, sí! Ens n'havíem oblidat. ✗ **b.** És clar que no! Ara els apaguem.
1 Pots mirar la impressora abans d'anar-te'n? _____	**a.** Sí. Ara me la miro. **b.** No, no. Ara me la miro.
2 Pot revisar els llums de la sala de juntes? _____	**a.** Ostres! És que ara me n'anava. **b.** Sí. Em fa molt.
3 Podeu enviar els documents al Sr. Prats? _____	**a.** No, no. Ara els enviem. **b.** Sí que ens fa. És que estem ocupats.
4 Podries anar a buscar el microones, que ja l'han arreglat? _____	**a.** I tant! **b.** I ara!
5 Poden canviar la bombeta del llum? _____	**a.** Sí. És que ara no podem. **b.** No, no. Ara ho farem.

29 **Completa el text amb la forma adequada del present d'indicatiu del verb poder. Després escriu el text fent servir l'estructura fer res + infinitiu.**

Pere i Carles,

Quan arribeu a l'oficina, _____ (1) desconnectar la fotocopiadora? És que la vaig deixar con-

nectada. Demaneu a la Pilar si _____ (2) enviar-me els documents, perquè me'ls començaré a

mirar. Si vénen els tècnics de manteniment a arreglar la instal·lació elèctrica, els dieu si _____ (3)

controlar l'aire condicionat, perquè a vegades s'apaga. I res més. Ah! _____ (4) trucar al Lluís,

l'informàtic, perquè passi a instal·lar l'antivirus? Gràcies per tot. Si _____ (5), us trucaré.

30 **Digues quina funció té cada frase.**

		Demanar un favor	Demanar permís	Oferir-se a fer una cosa
1	Pot trucar al tècnic, sisplau?			
2	Et fa res si faig servir el teu ordinador?			
3	Puc imprimir els documents?			
4	Voleu que us ajudi?			
5	Els faria res apagar els llums?			
6	Li fa res que encengui el llum?			
7	Vols que t'arregli l'ordinador?			
8	Us fa res desconnectar el mòbil?			
9	Et fa res ajudar-me?			
10	Li fa res que faci servir la seva impressora?			

31 **Completa les frases, de manera que signifiquin el mateix.**

1 Pere,
Puc fer servir la teva impressora?
Et fa res si _____ servir la teva impressora?
Et fa res que _____ servir la teva impressora?

2 Júlia i Carla,
Podem _____ el volum del televisor?
Us fa res si _____ el volum del televisor?
Us fa res que abaixem el volum del televisor?

3 Joan,
Puc llegir els documents que has imprès?
Et fa res si _____ els documents que has imprès?
Et fa res que _____ els documents que has imprès?

4 Sr. Güell,
Puc enviar el meu projecte al seu estudi d'arquitectura?
Li fa res si _____ el meu projecte al seu estudi d'arquitectura?
Li fa res que _____ el meu projecte al seu estudi d'arquitectura?

5 Magda,
Puc apagar el llum?
Et fa res si _____ el llum?
Et fa res que _____ el llum?

32 **Completa els diàlegs, utilitzant el present d'indicatiu dels verbs poder i voler, i les formes fer res, fer res que, fer res si. Escriu-hi totes les solucions possibles.**

1   Sí, digui?

Sóc el Robert, de manteniment.

Ah, sí, digui, digui.

_____ fer-me unes fotocòpies de les factures?

No, no. Ara mateix les hi faig.

2   Perdona, però _____ abaixar el volum de la ràdio?

No, no. Ara l'abaixo.

Gràcies.

3   No sé com funciona aquest aparell. No aconsegueixo engegar-lo.

_____?

Doncs ara que ho dius, si m'ajudes em faràs un gran favor.

4   Pere, _____ faig servir el teu ordinador?

No, home, no.

5   _____ desconnectar el mòbil? No vull que soni mentre fem classe.

Molt bé. Ara el desconnectem.

6   Au, vinga! Anem-nos-en!

_____ l'ordinador?

No, no l'apaguis. Deixa'l engegat perquè quan tornem treballaré una mica.

7   Sr. Miret, _____ canviar la bombeta de l'estudi? És que es va fondre ahir.

No pateixi. Ara mateix la canviaré.

8   _____ apugi el volum? És que hi ha molt soroll i no se sent bé.

No, tranquil. Fes, fes. A nosaltres no ens molesta.

9   L'equip de música s'ha espatllat un altre cop!

_____?

Ja sabràs arreglar-lo?

L'últim cop que es va espatllar, bé que el vaig arreglar, oi?

10   _____ aviso els tècnics perquè instal·lin l'antivirus aquest migdia?

No, no, avisi'ls, avisi'ls.

Així, quan vostè vingui a la tarda ja l'hauran instal·lat.

Molt bé.

33 **Escolta els textos de l'activitat 16 del Llibre de l'alumne, relaciona les opinions següents amb un dels textos i digues si expressen la mateixa opinió o no.**

		NÚMERO	DESACORD	ACORD
A	No crec que la dona tingui la mateixa mentalitat que l'home quan té un càrrec important. No només no té la mateixa mentalitat, sinó que actua d'una manera ben allunyada de com ho fa un home. L'home ha sotmès la dona massa temps, perquè ara ella es comporti igual que un home.			
B	Espero que prohibeixin l'entrada de gossos als llocs públics. No hi ha dret que, mentre estàs menjant en un restaurant, hi hagi un gos a un metre del teu plat. D'una banda no és higiènic i, d'una altra, molesten els cambrers.			
C	M'entristeix veure que no es valora res. S'ha d'educar i fer entendre que el carrer és un espai de tots i que tenim l'obligació de mantenir-lo net. Si renyem els nostres fills quan embruten a casa, algú ens ha de renyar si embrutem el carrer.			
D	Potser el problema és que està gelosa perquè el seu exsecretari es va embolicar amb la seva excap. No s'ha plantejat seriosament el motiu de l'acomiadament? Si el director o la directora creu que algú no és prou competent, l'acomiaden. Sigui un home o una dona.			
E	Com es pot comparar un ésser humà i un animal? On hem arribat? Un animal ha de viure fora de la ciutat i, per tant, no ha d'agafar transports públics, entre altres coses perquè els altres passatgers no tenen l'obligació de suportar que un animal els llepi les cames.			
F	Hi ha molta gent que sembla que demana que l'enredin. No vull dir que no puguem refiar-nos dels altres, però hi ha coses que es veuen d'una hora lluny. Quantes vegades ens han demanat diners perquè s'han quedat sense benzina? Em fa l'efecte que pequem d'ingenus.			
G	L'Ajuntament no és qui ha de controlar el comportament incívic de les persones. El que ha de fer l'Ajuntament és oferir serveis als ciutadans i no pas multar-los. Vivim en una ciutat i, si volem aire pur, potser ens haurem de plantejar anar a viure al camp.			
H	L'empresa hauria de tenir una assegurança que cobrís els clients, en cas d'estafa. A mi també em van enredar i la companyia no se'n va fer responsable. No hi ha dret que els clients estiguin tan desprotegits. No s'han de buscar culpables, sinó solucions.			

34 **Completa els textos amb les formes adequades dels verbs dels quadres. Hi ha més verbs que espais i n'hi ha que es poden repetir.**

1 Quan vaig arribar a l'aeroport, em van dir que les meves maletes s'havien perdut i que les havia de _____ (1). Vaig fer la reclamació i em van dir que ja m'avisarien. Han passat sis mesos i ningú no m'ha dit res. He trucat molts cops al telèfon que em van donar, _____ (2) del mal servei i _____ (3) que em donessin una solució. Sempre em diuen que, si les maletes no apareixen, _____ (4). Però no em diuen ni quan ho faran ni quants diners em donaran.

> enganyar
> exigir
> indemnitzar
> queixar-se
> reclamar
> refiar-se

2 El paleta que havia de fer reformes a casa em va demanar que li avancés els diners per comprar el material. No sé si sóc massa ingènua, però _____ (1) de les persones. Per això li vaig avançar els diners. No l'he vist mai més. _____ _____ (2) el pèl i els diners! I a més no vaig poder _____ (3) res perquè no tenia cap document firmat. _____ (4) de la seva paraula.

> enganyar
> prendre
> queixar-se
> reclamar
> refiar-se

1

1. enfadar-se; 2. avenir-se; 3. barallar-se; 4. discutir(-se); 5. caure bé / malament

2

1. ens avenim, (ens) discutim, us aveniu
2. ens avenim / m'hi avinc, (ens) discutim, ens barallem, ens enfadem
3. s'avé, cau, suporta, (es) discuteixen / es barallen, m'enfado
4. m'avinc, ens avenim / m'hi avinc, ens enfadem, (ens) discutim, ens barallem
5. s'avenen, es discutiran, es barallaran, s'enfadaran

3

Text 1: 3, 5, 6, 9, 10
Text 2: 1, 2, 4, 7, 8

4

1. Suposo que van anar a viure junts.
   M'imagino que van anar a viure junts.
   És possible que anessin a viure junts.
   És probable que anessin a viure junts.
   Dubto que anessin a viure junts.
   Probablement van anar a viure junts.

2. Devien muntar una empresa.
   M'imagino que van muntar una empresa.
   És possible que muntessin una empresa.
   És probable que muntessin una empresa.
   Dubto que muntessin una empresa.
   Probablement van muntar una empresa.

3. Devien anar-se'n a l'estranger.
   Suposo que se'n van anar a l'estranger.
   És possible que se n'anessin a l'estranger.
   És probable que se n'anessin a l'estranger.
   Dubto que se n'anessin a l'estranger.
   Probablement se'n van anar a l'estranger.

4. Es devien separar perquè es van discutir per problemes econòmics.
   M'imagino que es van separar perquè es van discutir per problemes econòmics.
   És possible que se separessin perquè es van discutir per problemes econòmics.

És probable que se separessin perquè es van discutir per problemes econòmics.
   Dubto que se separessin perquè es van discutir per problemes econòmics.
   Suposo que es van separar perquè es van discutir per problemes econòmics.

5. Cadascú se'n devia anar a viure sol.
   M'imagino que cadascú se'n va anar a viure sol.
   És probable que cadascú se n'anés a viure sol.
   Dubto que cadascú se n'anés a viure sol.
   Probablement cadascú se'n va anar a viure sol.

6. Devien distanciar-se i perdre el contacte.
   M'imagino que es van distanciar i que van perdre el contacte.
   És possible que es distanciessin i que perdessin el contacte.
   Dubto que es distanciessin i que perdessin el contacte.
   Probablement es van distanciar i van perdre el contacte.

7. Es devien separar.
   M'imagino que es van separar.
   És possible que se separessin.
   És probable que se separessin.
   Probablement es van separar.

8. M'imagino que es van adonar que estaven fets l'un per a l'altre.
   És possible que s'adonessin que estaven fets l'un per a l'altre.
   És probable que s'adonessin que estaven fets l'un per a l'altre.
   Dubto que s'adonessin que estaven fets l'un per a l'altre.
   Probablement es van adonar que estaven fets l'un per a l'altre.

5

1. a; 2. e; 3. b; 4. d; 5. c

6

1. a; 2. c; 3. a; 4. b; 5. a; 6. c; 7. c; 8. b

7

la gelosia, gelosa, gelosos, geloses
la sinceritat, sincer, sincers, sinceres
odiós, odiosa, odiosos, odioses
respectuós, respectuosa, respectuosos, respectuoses
l'afecte, afectuós, afectuosa, afectuoses
apassionat, apassionada, apassionats, apassionades
la ràbia, rabiós, rabiosa, rabiosos
feliç, feliç, feliços, felices

8

1. gelosa; 2. desengany; 3. sincera, sinceritat; 4. odi; 5. passió, apassionada; 6. retrets; 7. afecte

9

1. va conèixer; 2. enamorant-se; 3. sortir; 4. acariciava / abraçada: 5. abraçava / acariciava; 6. feia; 7. (es) discutien / es barallaven / s'enfadaven; 8. es barallaven / (es) discutien / s'enfadaven; 9. Se sentien; 10. reien; 11. s'enfadava; 12. es van estimar; 13. notar; 14. reien; 15. (es) discutien / es barallaven / s'enfadaven; 16. apagant; 17. van renyir; 18. va entendre; 19. s'havien enamorat / s'estimaven; 20. va plorar; 21. Odiava / Va odiar; 22. va perdonar

10

1. la papallona; 2. el lleó; 3. l'elefant; 4. el gos; 5. l'ocell; 6. el cavall; 7. la vaca; 8. el tigre; 9. l'ós; 10. el tauró; 11. l'aranya; 12. el gat; 13. el conill; 14. l'abella; 15. la formiga; 16. l'ovella

11

1. afectuosos; 2. bufons; 3. dormilega; 4. esvelts; 5. forta; 6. fastigoses; 7. fidel, traïdors, esquerps; 8. poruc

12

1. b; 2. a; 3. c; 4. c; 5. b; 6.a; 7. b

13

1. Sr. Pont, truqui...
   Nois, truqueu...
   Senyors, truquin...
2. Magda, fes...
   Sra. Casamitjana, faci...
   Senyors, facin...
3. Laura, envia...
   Pere i Joan, envieu...
   Senyores, envïïn...
4. Carme, vés...
   Sra. Tous, vagi...
   Senyors, vagin...
5. Lola, escriu...
   Sr. Pou, escrigui...
   Senyors, escriguin...

14

1. que escrigui la carta al senyor Roca
2. que vagi a la cafeteria i que li porti un cafè
3. que pugi a la sisena planta i que li porti els documents signats
4. que fem el projecte i que l'hi deixem sobre la taula
5. que li envïï el missatge al més aviat possible
6. que li envïïs els documents
7. que truquis a l'empresa de neteja
8. que anul·li la reunió amb l'agència de comunicació

5

9. que escriguis la carta d'acomia-dament i que la donis a l'Eva
10. que enviïn els pressupostos al senyor Pujol
11. que faci les fotocòpies i que les doni al Pau

15

1. Arriba / Arribi més d'hora a l'oficina.
2. Fes / Faci un curs d'informàtica abans de començar a treballar.
3. Puja / Pugi a la sisena planta.
4. Vés / Vagi a correus i envia / enviï els documents.
5. Truqueu / Truquin a l'empresa de manteniment.
6. Vés / Vagi a esmorzar perquè el Toni t'espera / l'espera a la cafeteria.
7. Fes / Faci el projecte i deixa-me'l / deixi-me'l sobre la taula.
8. Envia'm / Enviï'm els missatges tan aviat com puguis / pugui.
9. Escriu / Escrigui la carta al senyor Roca.
10. Vés / Vagi a la cafeteria i porta'm / porti'm un tallat.
11. Fes-me / Faci'm les fotocòpies i dóna-me-les / doni-me-les.

16

1. que truqués al senyor Tous i que li demanés els pressupostos
2. que anéssim a comprar els pa-quets de fulls de paper per a la impressora
3. que recollissis els documents i que els desessis al primer calaix de la taula de l'estudi.
4. que preparessin les factures i que les enviessin a l'oficina
5. que engeguéssiu l'ordinador i que contestéssiu el correu
6. que fessis el projecte i que el portessis a la directora
7. que escoltéssiu els missatges i que els contestéssiu
8. que pagués les factures i que les desés a l'arxivador
9. que quan arribés al despatx donés les cartes al gerent
10. que avisessin els socis de l'em-presa i que els convoquessin a la reunió
11. que anés a l'empresa A2Promo-cions i que recollís els docu-ments.

17

1. que deixaria les factures a la gerent de l'empresa
2. que prepararíem el projecte i que el donaríem al cap de la secció
3. que acabaries la carta i que l'enviaries a la Dolors.
4. que llegiríeu els missatges i que els contestaríeu

5. que prepararia un cafè i que el portaria a la Carme

18

1. que anéssim a comprar els cartutxos de tinta per a les im-pressores i que els canviéssim
2. que acabaríem el projecte i que l'enviaríem al director de l'empresa
3. que escrigui la carta de presen-tació i que l'enviï a la Rosa
4. que demà tindríem la reunió amb els francesos i que després aniríem a dinar al Bull
5. que fessis les tasques del direc-tor
6. que vagi al departament de ges-tió i que faci el que em manin

19

1. Li prepares un cafè i l'hi portes, sisplau?
2. Li dónes la documentació del Carles i l'hi / la hi signes?
3. Li escrius un correu electrònic o li escrius una carta?
4. Li envies el rebut de la comanda ara o l'hi portes més tard?
5. Li vas dir que li miraries el pro-jecte i l'hi corregiries.

20

1. 1. li; 2. li; 3. llegís; 4. els corregís; 5. me'ls enviés; 6. li; 7. els llegeixi; 8. els corregeixi; 9. me'ls enviï; 10. els; 11. vindria; 12. el

2. 1. li; 2. me'ls; 3. Li; 4. m'enviï; 5. li; 6. la; 7. la; 8. me n'enviï

21

1. li, l'hi; 2. l', l', -l'hi; 3. L'hi, l', l'hi; 4. -l'hi, el, li, -li, l'hi; 5. li, el; 6. 'l, L'hi; 7. Els, Els / Me'ls; 8. N'; 9. els, els, n'; 10. Me n'

22

1. b; 2. a; 3. c; 4. c; 5. b; 6. a; 7. a; 8. c

23

1. el restauressin; 2. n'hi hagués; 3. n'hi hagués; 4. la traguessin, la traslladessin; 5. hi plantessin

24

1. acabin / s'acabin /hagin acabat / s'hagin acabat; 2. es faci / s'hagi fet; 3. hi hagués, n'hi hagués; 4. comencin / hagin començat, les comencessin; 5. siguin, els netegi; 6. hagi tirat, l'hagi volgut; 7. facin / hagin fet, s'oblidin / s'hagin obli-dat; 8. plogui; 9. hi posin / hi hagin posat, fos; 10. assisteixi, hi assistís

25

1. cal que; 2. Per començar; 3. aca-barien; 4. No estic segura; 5. Em fa por; 6. Tenen raó; 7. m'indigna;

8. resumint; 9. El que vull dir; 10. per culpa; 11. m'entristeix; 12. Hi hauria d'haver; 13. En qualsevol cas; 14. cadascun de nosaltres; 15. greu; 16. per cert; 17. s'hau-rien de; 18. té l'obligació; 19. hi estic d'acord; 20. En cap cas; 21. Confio; 22. finalment, 23. Hauríem de; 24. hi; 25. les arreglés; 26. Em preocupa; 27. posem per cas; 28. De tota manera; 29. No hi ha dret; 30. Caldria; 31. ara que hi penso; 32. queda prohibit

26

1. s'embussa /s'ha embussat; 2. s'ha encallat / s'ha espatllat, es trenqui / la trenqui; 3. s'espatllen, arreglen; 4. es fonen, s'ha fos; 5. t'has tacat; 6. se sent, es veu, arre-glar; 7. funciona, s'encalla; 8. s'ha trencat, arreglar

27

1. L'; 2. els, Ho; 3. l'; 4. ho; 5. ho, L'; 6. Els, ho

28

1. Et fa res, b; 2. Li fa res, a; 3. Us fa res, a; 4. Et faria res, b; 5. Els fa res, b

29

1. podeu / us fa res; 2. pot / li fa res; 3. poden / els fa res; 4. Podeu / Us fa res; 5. puc

30

Demanar un favor: 1, 5, 8, 9; De-manar permís: 2, 3, 6, 10; Oferir-se a fer una cosa: 4, 7

31

1. faig, faci; 2. abaixar, abaixem; 3. llegeixo, llegeixi; 4. envio, enviï; 5. apago, apagui

32

1. Et fa res / Li fa res / Pots / Pot; 2. Et fa res; 3. Vols que t'ajudi / Et puc ajudar; 4. Et fa res si; 5. Us fa res / Podeu; 6. Vols que apagui / desconnecti; 7. li fa res / pot; 8. Us fa res que; 9. Vols que l'arregli; 10. Li fa res si

33

A, 2, desacord; B, 1, desacord; C, 4, acord; D, 2, desacord; E, 1, des-acord; F, 3, acord; G, 4, desacord; H, 3, desacord

34

1. 1. reclamar; 2. m'he queixat; 3. he exigit / he reclamat; 4. m'in-demnitzaran
2. 1. em refio; 2. Em va prendre; 3. reclamar; 4. M'havia refiat / Em vaig refiar

Unitat 6

EL MÓN D'AVUI... I EL DE DEMÀ

EL MÓN D'AVUI... I EL DE DEMÀ

1 **Tria l'opció adequada al context.**

1 democràcia

a. Al nostre país hi ha una _____, votem cada quatre anys el govern que volem.

b. Nosaltres tenim una _____, sempre mana la mateixa persona.

c. Nosaltres tenim una _____. Mana un rei i no votem mai.

2 dictadura

a. Al meu país hi governa una coalició. Les lleis de la _____ ho permeten.

b. Nosaltres tenim un govern democratacristià. És una _____ de dretes.

c. Al nostre país hi va haver un cop militar. Ara tenim una _____ i mana un general.

3 estat

a. A Espanya, el cap d'_____ i el cap de govern no són la mateixa persona.

b. L'_____ ha elaborat un decret llei, per raons d'urgència.

c. Els ministres de l'_____ han aprovat la llei d'educació.

4 govern

a. Hi ha hagut una reunió del _____ espanyol. Hi han assistit tots els consellers.

b. Hi ha hagut una reunió del _____ espanyol. Hi han assistit tots els ministres.

c. Hi ha hagut una reunió del _____ espanyol. Hi han assistit tots els regidors.

5 monarquia

a. A tots els països on hi ha _____, tenen democràcia.

b. En una _____ absoluta no es vota.

c. Si en un país hi ha una dictadura, no hi pot haver _____.

6 nació

a. Tots els països tenen una _____.

b. Els països estan governats per una _____.

c. En un país hi pot haver més d'una _____.

7 parlament

a. L'elecció del _____ de Catalunya no depèn del govern d'Espanya.

b. Els regidors del _____ han aprovat la llei que s'estava votant.

c. El _____ Europeu governa els països de la Comunitat Europea.

8 república

a. En una _____ el cap d'estat i el de govern sempre és la mateixa persona.

b. En un país on hi ha una _____, no hi pot haver monarquia.

c. El president de la _____ és un càrrec hereditari.

9 alcalde

a. L'_____ el tria el president del govern.

b. L'_____ governa un país.

c. L'_____ forma govern amb els regidors.

10 conseller

a. A Catalunya, un _____ forma part del govern de la Generalitat.

b. A Catalunya, un _____ forma part del govern de la ciutat de Barcelona.

c. A Catalunya, un _____ forma part del govern de les ciutats.

11 ambaixador

    a. L'_____ és el representant, en un país estranger, d'un estat.

    b. L'_____ és el representant, en un país estranger, d'una comunitat autonòmica.

    c. L'_____ és el representant, en un país estranger, d'un ajuntament.

12 ministres

    a A Espanya, els _____ els nomena el rei.

    b. A Espanya, els _____ els nomena el president del govern.

    c. A Espanya, els _____ els nomena el parlament.

13 monarca

    a. En una dictadura no pot governar un _____.

    b. En una república el cap del govern és el _____.

    c. En un estat democràtic pot governar un _____.

14 constitució

    a. Una _____ només pot ser la norma jurídica d'un govern.

    b. Una _____ pot ser la norma jurídica d'un conjunt de països.

    c. La _____ només pot ser la norma jurídica d'un conjunt de països.

15 consolats

    a. Els _____ poden ser a ciutats, encara que no siguin la capital del país.

    b. Els _____ han de ser a les capitals dels països.

    c. Els _____ han de ser a totes les ciutats dels països.

2   **Completa les frases amb els verbs del quadre. Conjuga'ls, quan calgui.**

1   Amb aquestes ordres tan poc raonables, creieu que us _____?

2   El govern d'un país és l'encarregat _____ les lleis.

3   Els ciutadans no _____ que hi hagi lleis absurdes.

4   Els governs han d'_____ als ciutadans que compleixin les lleis.

5   Era un monarca absolut i _____ sense cap oposició.

6   En una dictadura es _____ moltes llibertats individuals.

7   La setmana que ve _____ els implicats de l'intent de revolució.

8   Li han fet un judici i l'_____ a fer feines per a la col·lectivitat.

condemnar
executar
exigir
jutjar
obeir
prohibir
tolerar
regnar

3 Llegeix el text i digues quina és l'opció correcta.

Es trobava a la regió dels asteroides. El primer estava habitat per un rei.

—Ah! Vet aquí un súbdit.

I el petit príncep es va demanar: —Com em pot reconèixer, si no m'ha vist mai?

No sabia que, per als reis, el món és molt simplificat. Tots els homes són súbdits.

—Acosta't que et vegi bé, li va dir el rei que estava orgullós de ser a la fi rei d'algú.

El petit príncep es va quedar dret i com que estava cansat va badallar.

—És contrari al protocol badallar en presència d'un rei. T'ho prohibeixo.

—No ho puc impedir. He fet un viatge molt llarg i no he dormit...

—Així, t'ordeno que badallis. És una ordre.

El rei exigia essencialment que la seva autoritat fos respectada. Era un monarca absolut. Però com que era molt bo donava ordres raonables.

—Puc seure?

—T'ordeno que seguis.

—Majestat, us puc fer una pregunta?

—T'ordeno que em preguntis.

—Sobre què regneu?

—Sobre tot.

—Sobre tot?

El rei va fer un gest discret i va assenyalar el seu planeta, els altres planetes i les estrelles. No era només un monarca absolut, era un monarca universal.

I les estrelles us obeeixen?

—Certament. A l'instant. No tolero la indisciplina.

Aquell gran poder va meravellar el petit príncep. Si ell l'hagués tingut hauria pogut veure tantes postes de sol...

—Feu-me feliç... ordeneu al sol que es pongui.

—Si digués a un general que volés de flor en flor, com una papallona, o que escrivís una tragèdia, o que es transformés en una au marina i el general no executés l'ordre, qui, ell o jo, estaria equivocat?

—Vós.

—Exacte. Cal exigir a cadascú el que cadascú pot fer. L'autoritat es basa sobretot en la raó. Si ordenes al teu poble que es tiri al mar, farà una revolució. Tinc dret a exigir obediència perquè les meves ordres són raonables.

—I la meva posta de sol?

—La tindràs. Ho exigiré. Però esperaré que les condicions siguin favorables.

—Quan seran favorables?

—Hem! Hem! Serà al vespre, cap a les set i quaranta minuts. I veuràs com seré puntualment obeït.

Com que no tinc res a fer aquí, me'n vaig.

—No te'n vagis, et faig ministre!

—Ministre, de què?

—De... de justícia!

—Però si no hi ha ningú a qui jutjar!

—Pots condemnar a mort una rata vella que hi ha al planeta. Ara la condemnes, ara la indultes...

—Això no m'agrada. I em sembla que me'n vaig.

—No!

—Si la vostra majestat vol donar una ordre raonable, podeu ordenar que marxi abans d'un minut? Em sembla que les condicions són favorables.

—Et nomeno el meu ambaixador!

Les persones grans són ben estranyes, es deia el petit príncep, durant el viatge.

A. de Saint-Exupéry, *El petit príncep* (text adaptat)

1 **a.** Primer, el rei va prohibir al petit príncep que badallés.
b. Primer, el rei va ordenar al petit príncep que badallés.
c. Primer, el rei va exigir al petit príncep que badallés.

2 **a.** El rei era elegit pels seus súbdits.
b. El rei no era elegit.
c. El rei tenia la majoria de vots dels súbdits.

3 **a.** El rei, com que era bo, donava ordres i no es preocupava si es complien.
b. El rei era un monarca absolut i exigia que les seves lleis, raonables o no, es complissin.
c. El rei volia que els seus súbdits l'obeïssin, per això dictava ordres que es poguessin complir.

4 **a.** El rei regnava sobre tot l'univers.
b. El rei manava només al seu planeta.
c. Els rei manava només les estrelles.

5 **a.** El rei tolerava la indisciplina.
b. El rei no acceptava la indisciplina.
c. El rei permetia la indisciplina.

6 **a.** El rei va manar al sol que es pongués.
b. El rei va dir que les estrelles sempre l'obeïen.
c. El rei no podia donar ordres a les estrelles.

7 **a.** Els generals executaven sempre les ordres que dictava el rei.
b. Els generals executaven les ordres que dictava el rei, quan eren raonables.
c. Els generals no executaven les ordres que dictava el rei, perquè no eren raonables.

8 **a.** Segons el rei, la seva autoritat es basa en la revolució.
b. Segons el rei, per tenir autoritat s'ha de fer una revolució.
c. Segons el rei, la seva autoritat es basa en la raó, no en la revolució.

9 **a.** Per retenir el petit príncep, el rei el nomena regidor.
b. Per retenir el petit príncep, el rei el nomena conseller.
c. Per retenir el petit príncep, el rei el nomena ministre.

10 **a.** Quan el petit príncep decideix marxar, el rei el nomena el seu cònsol.
b. Quan el petit príncep decideix marxar, el rei el nomena el seu ministre.
c. Quan el petit príncep decideix marxar, el rei el nomena el seu ambaixador.

4 **Completa el text amb les paraules del quadre. Es poden repetir. Conjuga els verbs, i posa els noms amb articles i preposicions, quan calgui.**

1 _____ legislatiu és el responsable de crear _____ i de canviar o d'anul·lar les existents. A més, té _____ per incrementar els impostos, aprovar el pressupost _____, així com altres propostes monetàries.

2 _____ executiu és el responsable d'assegurar-se que _____ s'executin. Té com a objectiu _____ que s'administri el benestar públic i que es treballi en els assumptes diaris _____ .

3 _____ judicial és el responsable de sostenir l'ordre públic i, per tant, d'aplicar _____, és a dir, ha d'absoldre o de _____. És a dir, ha de _____ els casos de disputes legals i d'assumir la responsabilitat de donar la interpretació oficial _____ o de la constitució.

autoritat
condemnar
estat
exigir
jutjar
llei
nació
poder

5 **Completa les frases amb els verbs del quadre, conjugats adequadament. No es poden repetir.**

1 Crec que a les properes eleccions els ciutadans _____ el mateix partit.

2 Tant de bo que a les pròximes eleccions _____ el partit de l'oposició.

3 Espero que en aquest cas el jurat _____ justícia.

4 No m'estranyaria que el motiu de la pròxima guerra civil _____ un conflicte ètnic.

5 Estic segura que en el futur, a tot arreu _____ llibertat d'expressió.

6 No m'estranyaria que els ciutadans _____ que volen la independència del país.

7 No crec que els militars _____ el govern, perquè no tenen suport popular.

8 Tant de bo que aquest govern _____ raonables i justes.

9 Estic segur que el partit _____, com a president, un candidat nou.

10 Espero que el jutge _____ la constitució del tribunal i que es pugui començar el judici.

11 No crec que _____ l'acusat, perquè té un bon advocat defensor.

> decidir
> donar ordres
> enderrocar
> fer
> governar
> haver-hi
> nomenar
> ordenar
> condemnar
> ser
> votar

6 **En parelles. Escolta el text i digues si les frases són veritables o falses. Després torna a escoltar el text i pren-ne notes. Contrasta-les amb les de la teva parella i fes un resum del text.**

		V	F
1	El poble *kuna* depèn del govern de Panamà.		
2	Les comunitats de *Kuna Yala* tenen una població numèricament molt desigual.		
3	Al *Congreso General Kuna* es prenen les decisions d'aspecte local.		
4	Normalment el *Congreso General Kuna* es reuneix dos cops a l'any.		
5	Els representants i portaveus del poble kuna poden prendre decisions sense l'aprovació del *Congreso General*.		
6	Els *congresos locales* són els que regulen la vida religiosa, cultural, política i administrativa de cada lloc.		
7	Els membres de les comunitats es reuneixen cada dia.		
8	Les reunions celebrades a les comunitats serveixen només per resoldre problemes de tipus col·lectiu.		
9	Les normes de comportament col·lectiu són iguals per a totes les comunitats.		
10	En algunes illes es pot beure alcohol i en altres, no.		

7 **Completa els diàlegs amb les paraules dels quadres. Hi ha més paraules que espais buits. Posa-hi els articles i les preposicions, quan calgui, i conjuga els verbs.**

1 Què és una ONG?

No ho saps?

Sí, però vull dir, què fan exactament?

Fan _____.

Però això, no ho fan _____?

No és el mateix. Les ONG no acostumen a dependre de cap _____.

Doncs, què fan exactament?

Moltes coses, per exemple, combatre _____.

> acció humanitària
> analfabetisme
> consciència
> missioner
> moral
> religió

2 Els nens _____ intervenen _____ bèl·lics?

Oh, i tant!

I porten _____?

És clar: metralletes, pistoles...

I els seus pares ho consenten?

S'ho prenen _____. Això, és clar, els nens que tenen pares.

> arma
> conflicte
> resignació
> soldat
> solidaritat
> violent

3 Saps què? M'he fet _____ d'una ONG.

Quina?

Una que es diu ACNUR.

Es dediquen a fer _____?

No exactament. Treballen _____.

I quina _____ hi fan?

Moltíssimes! _____ que hi ha, de feina no els en falta.

> actitud
> camp de refugiats
> caritat
> consciència
> cooperant
> misèria
> tasca

4 _____ té organitzacions humanitàries?

Sí, és clar!

I què fan?

Depèn dels llocs. Aquí, per exemple intenten combatre _____...

I a fora?

També depèn. A vegades resolen problemes _____ entre comunitats...

I, a canvi, no demanen que la gent tingui _____?

Això, ja no crec que es faci. Ara es mouen més per qüestions _____ que de religió.

> creient
> església
> ètica
> fe
> pobresa
> projecte
> violència

5 Què fan els cooperants?

_____ programes específics que _____ algunes regions pobres.

Com què?

Com _____ petits productors de productes autòctons.

Per què?

Perquè a vegades els grans productors no els _____ a vendre, per qüestions de competència.

I què fan?

Intenten que aquests grans productors _____ a respectar unes normes bàsiques.

> afectar
> alfabetitzar
> autoritzar
> comprometre's
> creure
> desenvolupar
> protegir

8   **Marca l'opció en què l'expressió donada s'adequa a la frase.**

1 Confio que no

  a. No tenim notícies exactes del conflicte. _____ hagi passat cap desgràcia.

  b. No tenim notícies exactes del conflicte. _____ hi ha hagut una altra desgràcia.

  c. No tenim notícies exactes del conflicte. _____ hi ha cap desgràcia.

2 Tant de bo

  a. _____ que els rumors sobre la revolució eren només això... rumors.

  b. _____ que els rumors sobre la revolució són només això... rumors.

  c. _____ que els rumors sobre la revolució siguin només això... rumors.

3 Vaja!

a. _____ Ara les forces armades hagin tancat el pas. Només faltava això!

b. _____ Ara les forces armades hauran tancat el pas. Només faltava això!

c. _____ Ara les forces armades han tancat el pas. Només faltava això!

4 No en dubto gens

a. Els refugiats seran alliberats aquesta setmana. _____.

b. _____ els refugiats seran alliberats aquesta setmana.

c. Els refugiats seran alliberats. _____ aquesta setmana.

5 Qui ho havia de dir!

a. _____ Han firmat un tractat de pau, perquè la guerra ja s'havia acabat.

b. Semblava que la guerra no s'acabaria mai, però finalment han firmat un tractat de pau.

_____.

c. _____ que han firmat un tractat de pau, perquè no semblava que la guerra s'acabaria.

6 se'n penedeix

a. Va decidir que no es faria cooperant i ara _____.

b. Ara _____ i no es va fer cooperant.

c. Va decidir que es faria cooperant i després _____.

7 no m'acaba de fer el pes

a. No hi coopero, encara que aquesta tasca _____.

b. No hi coopero, perquè aquesta tasca _____.

c. No hi coopero, però aquesta tasca _____.

8 No hi ha res a fer

a. _____ que es pari la violència, per resoldre el conflicte.

b. Es resoldrà el conflicte, si es para la violència. _____.

c. Si no es para la violència, el conflicte no es pot resoldre. _____.

9 Sort que

a. _____ la gent és molt solidària, perquè hi ha desastres naturals.

b. _____, quan hi ha desastres naturals, la gent és molt solidària.

c. La gent és molt solidària quan hi ha desastres naturals. _____.

10 Em fa por que

a. _____ l'acció humanitària no sigui suficient en aquest desastre.

b. _____ l'acció humanitària sigui suficient en aquest desastre.

c. _____ l'acció humanitària serà suficient en aquest desastre.

11 Vejam si

a. És molt difícil convèncer les autoritats perquè ens deixin actuar. _____ tenim sort!

b. _____ vols convèncer les autoritats perquè ens deixin actuar, per difícil que sigui?

c. No cal fer res. És impossible convèncer les autoritats perquè ens deixin actuar. _____ tenim sort!

12 Au, vinga!

a. Aniré a fer una missió a l'Àfrica. _____.

b. Vindrà amb mi a fer una missió a l'Àfrica. _____.

b. Vine amb mi a fer una missió a l'Àfrica. _____.

13 Així ho espero

a. Si tu véns, tindrem problemes, encara que ho tinguem tot a punt. _____.

b. Ho tenim tot a punt. Crec que no tindrem cap problema. _____.

c. Ho tenim tot a punt, no hi ha cap problema. Només hi faltes tu. _____.

9 **Completa les frases amb caldrà o s'haurà i les paraules del quadre, en el nombre adequat.**

1 Per no gastar tant _____, _____ utilitzar mitjans de transport públics.

2 Per no contaminar l'ambient, _____ anar a peu o amb _____.

3 En el futur _____ de fabricar cotxes que no funcionin amb derivats del _____.

4 Per obtenir aigua, _____ de construir més _____.

5 Per reciclar l'aigua _____ de fer potable l'aigua de les _____.

6 Com que el petroli s'acabarà, _____ utilitzar altres _____ com la solar, l'eòlica...

7 Hi ha qui creu que _____ de produir més energia _____.

8 _____ fer complir els acords mundials sobre el _____.

9 Per conservar algunes _____, _____ obligar els governs a mantenir les reserves naturals.

10 Per mantenir la riquesa forestal, _____ de prohibir la tala d'arbres dels _____.

| bicicleta |
| bosc |
| combustible |
| depuradora |
| dessalinitzadora |
| energia |
| espècie |
| medi ambient |
| nuclear |
| petroli |

10 **Transforma les frases de l'exercici anterior canviant caldrà o s'haurà de + infinitiu, per caldrà que + present de subjuntiu.**

11 **Tria l'opció correcta d'entre les dates que hi ha en negreta.**

1 El 2050 els catalans cultivaran el pa amb tomàquet.
Què dius! Si el **2020 / 2070** ja l'hauran cultivat.

2 El 2050 al riu Ebre van aparèixer cocodrils.
El **2020 / 2070** ja n'havien aparegut.

3 El **2020 / 2070** els catalans no pagaran res, els ho regalaran tot.
El 2050 ja els ho hauran regalat.

4 El 2050 trobaran petroli al cor de Catalunya.
Segur que el **2020 / 2070** ja n'hi hauran trobat.

5 El **2020 / 2070** arribaran els marcians a Catalunya.
Què dius? El 2050 ja hi hauran arribat.

6 El **2020 / 2070** els catalans es desplaçaran amb la força de la ment.
El 2050 ja s'hi havien desplaçat.

7 El 2050 als catalans els van sortir ales.
El **2020** / **2070** ja els n'havien sortit.

8 El 2050 els catalans caminaran sobre dels mars.
Doncs jo crec que el **2020** / **2070** ja hi hauran caminat.

9 El **2020** / **2070** els catalans van fer xalets a la Lluna.
El 2050 ja n'havien fet.

10 El 2050 els catalans van dominar el Mediterrani.
El **2020** / **2070** ja l'havien dominat.

12 **Completa les frases amb els verbs que hi ha entre parèntesis en futur, futur compost, passat perifràstic o plusquamperfet d'indicatiu. Escriu totes les opcions possibles. Posa-hi els pronoms, quan calgui.**

1 (desaparèixer) El 2000 _____ moltes espècies animals, però abans ja _____ unes quantes.

2 (acabar) Diuen que el 2050 _____ el petroli, però qui sap si _____ abans.

3 (fabricar) A partir d'ara _____ cotxes que no necessitin gasolina, però al segle XX ja _____.

4 (signar) El desembre de 1997 trenta-set països industrialitzats _____ el Protocol de Kyoto, de protecció del medi ambient, però anteriorment ja _____ altres acords.

5 (conscienciar) Potser, en el futur, la humanitat _____ que s'ha de conservar el planeta. Però potser _____ massa tard.

6 (pescar) L'any passat els pescadors _____ molt poques sardines, però l'any anterior tampoc no _____ gaires.

7 (collir) D'aquí a uns quants anys no _____ cap tomàquet madur, potser aquest any _____ els últims tomàquets.

8 (guardar) En les èpoques passades de crisi alguns productors _____ cereals per, després, vendre'ls més cars. Això, però, també va passar anteriorment amb el petroli, que _____ per vendre'l caríssim.

9 (industrialitzar) Els països de l'Àfrica tard o d'hora _____. Abans, però, _____ els de l'Àsia.

10 (restringir) Diuen que l'any passat l'Administració _____ l'ús de l'aigua en algunes ciutats importants, però jo crec que abans ja _____ a algunes comarques més seques.

13 **Completa les frases amb totes les formes possibles dels verbs que hi ha entre parèntesis.**

1 Hi haurà sequera fins que no _____ (arribar) la primavera.

2 Vindran els mosquits quan _____ (començar) les pluges.

3 Tindrem un canvi climàtic quan el planeta ho _____ (decidir).

4 La selecció d'escombraries es farà de veritat quan _____ (multar) els infractors.

5 No es reciclarà tot el paper fins que no _____ (abaratir-se) el cost de producció.

14 Completa les frases amb els verbs del quadre, en la forma adequada. No es poden repetir.

1 Si _____ més, descansaríem i estalviaríem molta energia.

2 Si tu em _____ el menjar cada dia, gastaríem menys que si el _____ jo.

3 Si la Júlia no _____ tan neta, no gastaríem tants detergents.

4 No tindríem tants problemes de salut, si _____ més joves.

5 Si _____ més quiets, no consumiríeu tanta energia.

6 Si _____ aigua amb detergent, els carrers serien ben nets.

7 Si _____ més bicicletes, no caldria el carril bus.

8 Jan, si _____ bé les portes, no passaria tant aire i estalviaríem calefacció.

9 Nois, si _____ bé les finestres, no caldria posar l'aire condicionat.

10 Si els savis _____ sobre el medi ambient, podríem respirar tranquils.

> dormir
> estar
> fer
> haver-hi
> investigar
> morir-se
> obrir
> ploure
> ser
> tancar

15 Completa el text amb totes les formes possibles dels verbs que hi ha entre parèntesis.

–Ai, quina set... Passa'm l'ampolla!

–L'ampolla? L'ampolla és mig buida.

–Bé, doncs, passa'm la mig plena!

–No te l'acabis. Pensa en la sequera!

–Saps què et dic, que jo això que hi hagi sequera no m'ho crec.

–Com que no t'ho creus? Diuen que l'aigua està a punt d'acabar-se. Ja et dic jo que d'aquí a dos dies _____ (1) (acabar-se) del tot. _____ (2) (haver-hi) restriccions i caldrà que en _____ (3) (portar) de fora...

–No, home no! Això són coses polítiques. Si d'aigua se'n llença cada dia... un munt de litres!

–Això sí que és veritat: si les instal·lacions _____ (4) (estar) bé, no _____ (5) (perdre's) tanta aigua, però amb tot fan igual. Recorda't què va passar amb el llum, van actuar quan _____ (6) (ser) massa tard, i què? Doncs que ja _____ (7) (acabar-se) els recursos, i tot l'estiu sense llum. Oh! I ara passarà el mateix: no _____ (8) (fer) res fins que no _____ (9) (quedar) ni una gota d'aigua.

–Mira què et dic: abans d'una setmana _____ (10) (ploure) o _____ (11) (desglaçar-se) les muntanyes o _____ (12) (haver-hi) un miracle... Veuràs com no caldrà fer res, _____ (13) (acabar-se) el problema.

–Acabat! El que _____ (14) (acabar-se) és l'ampolla.

–Cambrer, una altra ampolla de vi, sisplau! Hem d'estalviar l'aigua...

16 Completa les frases per fer prediccions de futur i hipòtesis, amb: **està / estan a punt, caldrà, quan** i els verbs que hi ha entre parèntesis, en la forma adequada.

1 Diuen que el petroli _____ d'acabar-se.

2 Diuen que el petroli _____ (acabar) d'aquí a pocs anys. Ja no n'hi haurà més.

3 En el futur _____ que _____ (inventar) algun tipus de combustible que no contamini.

4 Jo crec que els governs no _____ (fer) res fins que no _____ (haver-hi) ni una gota de carburant.

5 Van decidir aturar l'abocament de residus _____ el riu ja _____ (estar) contaminat.

6 Si la gent _____ (utilitzar) els mitjans de transport públics, a les grans ciutats no hi hauria tanta contaminació.

7 Si _____ (anar) a peu, _____ (fer) més exercici físic i no contaminaríem tant l'ambient.

8 En el futur, en els països que hi ha mar, _____ construir més dessalinitzadores.

9 Hi ha països que _____ de fer desaparèixer les centrals nuclears. És una mesura prioritària.

10 No és que d'aquí a deu anys desapareixeran moltes espècies, és que abans ja _____ (desaparèixer).

11 Van donar l'ordre de prohibir tallar els arbres quan ja els _____ (tallar).

12 Estan contaminant el planeta i no pararan fins que no l'_____ (contaminar) tot.

13 _____ d'extingir-se algunes espècies de mamífers. Diuen que molt aviat ja _____ (desaparèixer).

14 Si volem una millor qualitat de vida, _____ que les indústries _____ (ser) més respectuoses amb el medi ambient.

15 No es _____ (fer) complir els acords mundials sobre el medi ambient fins que els productes bàsics _____ (extingir).

17 **Llegeix el text i marca si les frases són veritables o falses.**

ESPÈCIES AMENAÇADES D'EXTINCIÓ

La desaparició d'espècies s'ha accelerat. El fenomen és més greu del que preveien anys enrere els experts. Els últims 500 anys l'activitat humana ha causat l'extinció de 816 espècies. Només des del segle XVIII han desaparegut 103 espècies, una xifra cinquanta vegades superior al seu ritme natural d'extinció. Segons la Unió Mundial per a la Naturalesa (UICN), un de cada deu ocells i el 25% dels mamífers figuren a la Llista Vermella d'Espècies Amenaçades de Desaparició, mentre que dos terços d'altres espècies també hi consten sota l'epígraf de "en perill".

Cada dos anys la UICN edita la Llista Vermella d'Espècies Amenaçades, una de les eines principals per a determinar l'estat de la diversitat biològica de la Terra. Els experts han identificat més de 12.000 espècies animals i vegetals en perill, inclosos més de 1.000 mamífers. Les categories principals en què s'agrupen les espècies en la Llista Vermella de la UICN són: extingit (per exemple, el polit esquimal), extingit en estat silvestre (el cactus Mammillaria glochidiata), en perill crític (l'àguila monera de les Filipines), en perill (el xiprer daurat) i vulnerable (cactus de carxofa).

Els factors que han contribuït a l'extinció de les espècies, com el creixement de la població humana, els assentaments humans en regions salvatges, l'impacte de la indústria, el mal ús dels recursos naturals, els canvis associats al medi ambient, etc. continuen operant amb una "intensitat creixent", asseguren els experts. No obstant això, molts dels problemes podrien millorar si els governs adoptessin els tractats i les convencions aprovats en la Convenció de Rio de 1992.

		V	F
1	Els experts es van equivocar en la seva previsió pel que fa a la desaparició de les espècies.		
2	En el segle XVIII el ritme natural de desaparició dels animals era cinquanta vegades més gran que cinc-cents anys enrere.		
3	A la Llista Vermella d'Espècies Amenaçades de Desaparició hi ha ocells, mamífers, però també altres espècies.		
4	La Llista Vermella d'Espècies Amenaçades de Desaparició és una eina que determina exclusivament els animals que estan en perill.		
5	La Llista Vermella d'Espècies Amenaçades de Desaparició cataloga les espècies segons el perill que tenen d'extingir-se.		
6	Els experts creuen que els governs que no han adoptat els acords de la Convenció de Rio de 1992 són responsables de l'extinció de les espècies.		
7	Els experts són relativament optimistes en la solució de molts problemes.		

18 Marca l'opció en què l'expressió donada s'adequa a la frase.

1 I així

a. _____, quan hem de fer exercici físic?

b. Vostè no està acostumat a fer exercici. _____ no s'ha de cansar excessivament.

2 Així doncs

a. Faci exercici cada dia. _____, el seu cos estarà ben preparat, sense fer esforços.

b. Està cansat? _____ faci exercici.

3 Així que

a. _____ nedis, acostuma a mantenir el ritme de la respiració.

b. _____ vostè recomana caminar?

4 de manera que

a. Fica el cap dins de l'aigua, _____ et tapi les orelles.

b. Manté el mateix ritme _____ puguis.

5 Per això

a. No respires bé. _____ et canses.

b. Et canses massa? _____ fes els exercicis més a poc a poc.

6 sempre que

a. Comença fent l'exercici cinc vegades _____ t'hi vagis acostumant.

b. Puja les escales a peu _____ et sigui possible.

7 perquè

a. Fica't a la piscina a poc a poc _____ no t'agafi un tall de digestió.

b. No sap _____ li ha agafat un tall de digestió.

8 per tal de

a. Mira intensament el jugador contrari _____ posar-lo nerviós.

b. Es posa nerviós _____ començar el partit.

9 Aleshores

a. La Rita ja fica el cap dins de l'aigua? _____ és que ja no li fa por nedar.

b. No t'agrada mirar el futbol? _____ dels àpats, a mi tampoc.

10 per tant

a. S'entrena molt _____ d'arribar a ser un bon jugador.

b. És molt baixet, _____ més val que no es dediqui al bàsquet.

11 Només que

a. _____ guanyi el proper joc, haurà guanyat el set.

b. _____ guanyi el proper joc, haurà perdut el set.

12 en cas que

a. S'haurà de jugar una pròrroga, _____ empatin el partit.

b. Ha fet un gol _____ començar la pròrroga.

19 Completa els textos amb un dels dos verbs que hi ha entre parèntesis, conjugats adequadament.

Text 1

...Cesc l'agafa, l'_____(1) (estirar / empènyer) per la samarreta... li pren la pilota, però el Pep l'empeny, el fa _____(2) (picar / caure)... Falta, això és falta! El Cesc _____(3) (llançar-se / aixecar-se)... L'àrbitre marca la falta, assenyala la distància. El porter _____(4) (estar quiet / ficar), se'l mira. El Cesc _____(5) (recolzar-se / bellugar-se) cap a un costat i l'altre. Es tira una mica enrere, _____(6) (córrer / descansar), s'atura, xuta i... Oh! Ha fallat. _____(7) (treure / llançar) amb força, però el porter _____(8) (saltar / caure) i ha atrapat la pilota.

Text 2

La parella número dos és a la pista. Sona la música i comença l'actuació. Han de passar les figures obligatòries de la prova. Ara tots dos, _____(1) (agafar-se / bellugar-se) per la cintura, s'agenollen, _____(2) (doblegar / jeure) una cama i _____(3) (seure / estirar) l'altra cap enrere, i fan una volta a la pista. _____(4) (ficar-se / alçar-se) i inicien la prova de les rotacions. Ell _____(5) (girar / doblegar) cap a l'esquerra i ella cap a la dreta. Magnífic! _____(6) (tirar-se / acostar-se), s'agafen de les mans. Ell l'aguanta, mentre ella _____(7) (bellugar-se / ajeure's) panxa enlaire. I tot això, rodant i _____(8) (repenjar-se / agenollar-se) únicament amb els patins. Ell _____(9) (ajupir-se / aturar-se) i en aquesta posició fan la volta a la pista. Prova superada!

Text 3

Tercer set. Se'n va caminant a la pista. _____(1) (girar / ficar) la mà a la butxaca i en _____(2) (treure / llançar) la pilota. Es disposa a servir. _____(3) (treure / picar) fort amb la raqueta i... cau! No sabem què passa. Sembla que s'ha fet mal. Es queixa, _____(4) (arronsar-se / asseure's) a terra i no _____(5) (moure's / aturar-se). Sembla que s'ha fet mal al turmell. _____(6) (ajupir-se / tombar-se) cap al seu entrenador, que surt a la pista, va al seu costat i li diu que descansi. Se'n va cap al jutge. No sabem què li diu, però el Jan s'aixeca, _____(7) (recolzar-se / estirar-se) sobre el seu entrenador i _____(8) (córrer / sortir) de la pista. Quina llàstima!

20 Completa les instruccions amb els verbs del quadre, en segona persona del singular.

1 No cal que nedis, només _____ els braços i les cames, ja veuràs com no t'ofegues.

2 Respira, _____ el pit enfora.

3 Ara _____ i queda't ben dret.

4 No botis més la pilota, _____-la a la cistella.

5 Per nedar amb estil braça, _____ les cames per donar-te impuls.

6 Primer posa't de panxa enlaire i després _____, de panxa a terra.

7 _____, que ets molt lluny.

acostar-se
aixecar-se
bellugar
empènyer
llançar
tombar-se
treure

21 Torna a escriure les frases anteriors, en segona persona del plural.

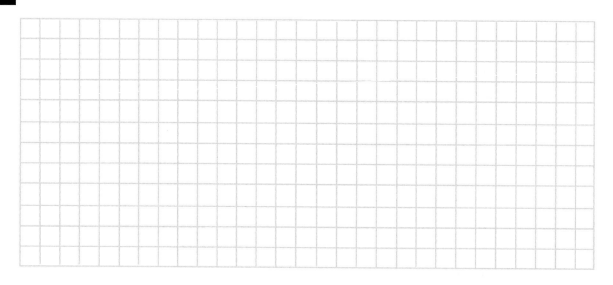

22 Completa les instruccions amb els verbs del quadre, en tercera persona del singular.

1 Primer _____ les cames, com si volgués seure a terra, i després, al contrari, _____-les.

2 _____ la cintura endavant fins que amb els dits de les mans es toqui les puntes dels peus.

3 _____ el cap, primer cap a la dreta i després cap a l'esquerra.

4 Per conduir bé, _____ bé al seient del cotxe.

5 _____ per passar per sota de la tanca.

6 Per fer aquest exercici, _____ les mans a la paret.

7 _____ a terra i recolzi el cul sobre les cames.

> agenollar-se
> ajupir-se
> arronsar
> asseure's
> doblegar
> estirar
> girar
> repenjar

23 Torna a escriure les frases anteriors, en tercera persona del plural.

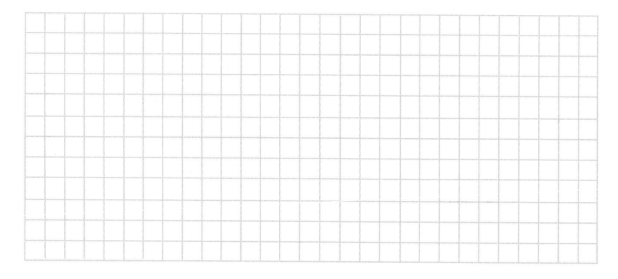

24 **Escriu les ordres contràries.**

Agenolla't!
No t'agenollis.

1   Moveu el cap!

2   No corris!

3   No estiguis quiet!

4   Cau cap endavant!

5   Seieu als vostres llocs!

6   No t'ajupis!

7   No us estireu!

8   No s'aixequin!

9   Mou-te d'aquí!

10   No s'acosti a la paret!

25 **Relaciona les paraules del quadre amb les definicions.**

1   Només rep medalles d'or.

2   S'hi juga amb les mans i es poden fer punts que valen per dos o tres.

3   S'hi pot jugar sobre patins, sobre herba i sobre gel.

4   Podríem dir que és un joc de pilotes, perquè en un partit se'n gasten moltes.

5   Per jugar-hi no només has de saber nedar, encara que saber-ne és indispensable.

6   Acostuma a ser l'home més odiat a tots els camps.

7   Necessites uns peus molt més llargs, encara que calcis un cinquanta.

8   Conjunt de persones que se solen barallar amb un altre per una pilota.

9   A les rodes de premsa acostuma a donar la cara.

10   Per practicar-lo no necessites combustible i només toques de peus a terra quan t'atures.

> àrbitre
> bàsquet
> campió
> ciclisme
> entrenador
> equip
> esquí
> hoquei
> tennis
> waterpolo

26 En aquest text les paraules en negreta s'han canviat de lloc. Posa-les al lloc que els correspon.

A la ciutat de les arts tothom crea, investiga, imagina... Mireu quin repertori: els actors i les actrius estan preparant una **òpera**[1], a l'escenari de **l'orquestra**[2]. És l'obra d'un escriptor contemporani poc conegut en el món del teatre, però molt famós per novel·les, contes i **dibuixos**[3].

Els ballarins, en una altra sala del teatre, assagen unes **càmeres**[4] contemporànies, acompanyats d'un guitarra i un bateria. I a la sala del costat, la gran cantant (gran en molts sentits) interpreta una ària d'una **comèdia**[5] clàssica, dirigida per un director nou, que se n'ha enamorat, només de sentir-la. Quina veu! L'acompanyen els músics del **circ**[6] amb tots els instruments: violins, piano... que han compost, només per a ella, una versió exclusiva d'aquesta meravellosa cançó.

A l'altra banda del carrer hi ha els artistes plàstics. Els fotògrafs, que amb aquestes **poesies**[7] tan modernes, no paren de fotografiar tot el que veuen i fins i tot el que no veuen: Crac, crac... Aquest sorollet m'encanta. A la casa del davant hi ha els pintors, dibuixants, escultors...Fan escultures, quadres i **danses**[8] de tants estils com vulgueu: n'hi ha que fan art abstracte, d'altres figuratiu... Això sí, tots van ben bruts. Ara presentaran una exposició col·lectiva al **teatre**[9] de la ciutat. Espero que es rentin i es mudin bé per assistir-hi.

Els del cine, no els veig gaire, perquè tot el dia van amunt i avall, fent exteriors i tot això... I jo visc amb els meus companys del **museu**[10], trapezistes, domadors, fonàmbuls... Ah! Jo sóc el pallasso, el més artista de tots, i si no us ho creieu, pregunteu-ho als nens. Ells no diuen mai mentides, oi?

27 Escolteu les crítiques d'un llibre, d'un reportatge, d'un concert i d'una exposició, i marqueu l'opció correcta.

1	La Lupèrcia i el Basili	**a.** s'estimen molt.
		b. no se suporten.
		c. viuen junts.
2	La Lupèrcia i el Basili	**a.** dinen a casa en habitacions separades.
		b. dinen junts cada dia.
		c. els diumenges dinen en un restaurant.
3	La Lupèrcia i el Basili	**a.** fan l'amor amb ninots.
		b. fan l'amor al sofà.
		c. no fan l'amor.
4	El documental mostra que	**a.** el cafè cada vegada és més car.
		b. els cultivadors de cafè cobren menys diners que abans.
		c. paguem molt poc per una tassa de cafè.
5	El protagonista del documental	**a.** treballa en una cooperativa a Etiòpia.
		b. paga un preu just pel cafè.
		c. busca escola per als seus fills.
6	Sonny Davis ha fet un concert	**a.** i mostra la seva cara en el cartell.
		b. amb cançons dels seus ídols.
		c. on connecta amb els seus referents musicals.
7	En l'últim concert Sonny Davis	**a.** fa efectes de veu.
		b. canta acompanyat de la guitarra.
		c. no toca la guitarra tan bé com abans.

8 Actualment Sonny Davis

   a. necessita vendre discos.

   b. és un músic reconegut.

   c. treballa de venedor.

9 L'exposició *Flors i fruits*

   a. ha representat un treball intens.

   b. ha estat molt senzilla per a l'artista.

   c. és molt espontània.

10 En l'exposició *Flors i fruits*, l'artista

   a. fa el mateix quan pinta les flors i els fruits.

   b. s'inspira en el simbolisme.

   c. reflecteix la seva personalitat.

28 Completa les frases amb: **està / estan a punt de, d'aquí a poc temps, no m'estranyaria que, és possible que, si hi hagués, si no hi hagués.**

1 _____ a partir d'ara la gent consumeixi més esdeveniments culturals.

2 _____ començar el festival de cine eròtic de Barcelona.

3 _____ la cultura fos la salvació del món mecanitzat.

4 _____ llibres en paper, estic segura que s'inventarien.

5 _____ facin els mòbils més grans per poder-hi veure pel·lícules.

6 _____ més informació sobre les exposicions, la gent hi aniria més.

7 _____ no existiran els llibres en paper.

8 _____ més subvencions per al teatre, es farien més representacions.

9 _____ tancar l'últim cinema que quedava al poble.

10 _____ tants programes de televisió de baixa qualitat, el negoci de les televisions privades no funcionaria.

11 _____ obriran tots els museus a la nit.

12 _____ tornessin els discos antics, de vinil.

29 Marca l'opció en què el connector s'adequa a la frase.

1 doncs

   a. El meu pare i la meva mare es van separar. _____, jo tenia dues cases.

   b. El meu pare i la meva tieta es van casar i van tenir una altra nena. La meva germana és, _____, la meva cosina?

2 aleshores

   a. En principi l'home va perdre el poder econòmic, _____ no el patriarcal.

   b. Si l'home perdia el poder econòmic de la família, _____ també perdia el poder patriarcal.

3 per això

   a. Les dones es van posar a treballar, _____ el seu poder a la família va augmentar.

   b. Les dones es van posar a treballar, _____ el seu poder dins de la família augmentés.

4 ja que

   a. Les dones estaven sotmeses als marits _____ no tenien capacitat econòmica.

   b. Les dones estaven sotmeses als marits. _____ no tinguin capacitat econòmica.

5 per tant

a. _____ les dones guanyaven diners no eren una càrrega econòmica per als seus marits.

b. Les dones ja guanyaven diners, _____ no eren una càrrega econòmica per als seus marits.

6 en cas que

a. _____ els pares es divorciïn, qui pren la pàtria potestat dels fills?

b. _____ els pares es divorcien, qui pren la pàtria potestat dels fills?

7 sempre que

a. _____ decidiré anar a viure a un altre país, si hi trobo feina.

b. Decidiré anar a viure a un altre país _____ hi pugui trobar una bona feina.

8 encara que

a. No adoptarem una nena de l'Àfrica, _____ és molt difícil.

b. Adoptarem una nena de l'Àfrica, _____ sigui molt difícil.

9 sinó que

a. Per tenir un fill, no buscaré un marit, _____ buscaré un espermatozou.

b. Per tenir un fill, _____ busco un marit, buscaré un espermatozou.

10 tot i que

a. He viscut a molts llocs, _____ no he hagut de canviar mai de feina.

b. Em van oferir una bona feina a l'estranger, _____ vaig marxar.

11 com que

a. Volia progressar econòmicament, _____ vaig emigrar amb la meva família.

b. _____ volia progressar econòmicament, vaig emigrar amb la meva família.

---

30 **Completa els diàlegs amb les formes adequades dels verbs que hi ha entre parèntesis.**

1 Jo crec que d'aquí a poc temps la immigració _____ (créixer).

Vols dir? A mi no m'estranyaria que, a causa de la crisi, no _____ (venir) tants immigrants.

2 Si no _____ (haver-hi) una llei que _____ (regular) el nombre de dones que han de tenir càrrecs polítics, als parlaments hi hauria molts més homes.

Jo crec que aquesta llei és molt antiquada i està a punt de _____ (desaparèixer).

3 D'aquí a poc temps la gent _____ (anar) de lloguer perquè els pisos de compra _____ (ser) massa cars.

Sí, és possible que només _____ (poder) comprar pisos els més rics i els altres _____ (haver) de llogar un piset i, encara, no gaire gran.

4 Hi ha estudis que diuen que si els homes i les dones no es casessin per amor _____ (haver-hi) el mateix nombre de divorcis.

Sí, és possible que això _____ (ser) veritat. De fet, d'aquí a poc temps ja _____ (veure) qui _____ (casar-se), amb o sense amor!

5 Si _____ (desaparèixer) completament la família tradicional, creus que la societat canviaria?

Jo crec que aquest tipus de família té els dies comptats. D'aquí a molt poc _____ (desaparèixer) completament.

El que jo et pregunto és si, per aquest fet, és possible que la societat _____ (canviar).

És clar que sí!

1

1. a; 2. c; 3. a; 4. b; 5. b; 6. c; 7. a;
8. b; 9. c; 10. a; 11. a; 12. b; 13. c;
14. b; 15. a

2

1. obeiran
2. executar
3. toleren
4. exigir
5. regnava
6. prohibeixen
7. jutjaran
8. han condemnat

3

1. a; 2. b; 3. c; 4. a; 5. b; 6. b; 7.
a; 8. c; 9. c; 10. c

4

1. El poder, les lleis, l'autoritat /
   autoritat / poder / el poder, de
   la nació
2. El poder, les lleis, exigir, de
   l'estat
3. El poder, les lleis, condemnar,
   jutjar, de les lleis

5

1. votaran
2. governi
3. faci / farà
4. fos
5. hi haurà
6. decidissin
7. enderroquin
8. doni ordres
9. nomenarà
10. ordeni
11. condemnin

6

1. F; 2. V; 3. F; 4. V; 5. F; 6. V; 7. V;
8. F; 9. F; 10. F

7

1. accions humanitàries, els missio-
   ners, religió, l'analfabetisme
2. soldats, en els / als conflictes,
   armes, amb resignació
3. cooperant, caritat, als camps
   de refugiats / en un camp de
   refugiats / a camps de refugiats,
   tasca, Amb la misèria / Als co-
   operants
4. L'església, la pobresa, de vio-
   lència, fe, d'ètica / ètiques
5. Desenvolupen, afecten, protegir,
   autoritzen, es comprometin

8

1. a; 2. c; 3. c; 4. a; 5. b; 6. a; 7.
b; 8. c; 9. b; 10. a; 11. a; 12. c;
13. b

9

1. combustible, caldrà
2. caldrà, bicicleta
3. s'haurà, petroli

4. s'haurà, dessalinitzadores
5. s'haurà, depuradores
6. caldrà, energies
7. s'haurà, nuclear
8. Caldrà, medi ambient
9. espècies, caldrà
10. s'haurà, boscos

10

1. ...caldrà que s'utilitzin
2. ...caldrà que es vagi
3. ...caldrà que es fabriquin
4. ...caldrà que es construeixin
5. ...caldrà que es faci
6. ...caldrà que s'utilitzin
7. ...caldrà que es produeixi
8. Caldrà que es facin
9. ...caldrà que s'obliguin
10. ...caldrà que es prohibeixi

11

1. 2020
2. 2020
3. 2070
4. 2020
5. 2070
6. 2070
7. 2020
8. 2020
9. 2070
10. 2020

12

1. van desaparèixer, n'havien des-
   aparegut / en van desaparèixer
2. s'acabarà / s'haurà acabat,
   s'haurà acabat / s'acabarà
3. es fabricaran, se n'havien fabri-
   cat / se'n van fabricar
4. van signar, s'havien signat / es
   van signar / havien signat / van
   signar
5. es conscienciarà / s'haurà cons-
   cienciat, se n'haurà conscienciat
   / se'n conscienciarà
6. van pescar, n'havien pescat / en
   van pescar
7. es collirà, s'hauran collit / es
   colliran
8. (es) van guardar, l'havien guar-
   dat / se l'havien guardat / el van
   guardar / se'l van guardar
9. s'industrialitzaran, s'hauran in-
   dustrialitzat / s'industrialitzaran
10. va restringir, l'havia restringit

13

1. arribi / hagi arribat / arribarà /
   haurà arribat
2. comencin / hagin començat / co-
   mençaran / hauran començat
3. decideixi / hagi decidit / decidi-
   rà / haurà decidit
4. multin / hagin multat / multa-
   ran / hauran multat
5. s'abarateixi / s'hagi abaratit /
   s'abaratirà / s'haurà abaratit

14

1. dormíssim
2. fessis, fes
3. fos
4. ens moríssim
5. estiguéssiu
6. plogués
7. hi hagués
8. tanquessis
9. obríssiu
10. investiguessin

15

1. s'haurà acabat / s'acabarà
2. Hi haurà / Hi haurà hagut
3. portin / portem
4. estiguessin
5. es perdria
6. era / va ser
7. s'havien acabat
8. faran
9. quedi
10. plourà / haurà plogut
11. s'hauran desglaçat / es des-
    glaçaran
12. hi haurà / hi haurà hagut
13. s'haurà acabat / s'acabarà
14. s'ha acabat

16

1. està a punt
2. s'acabarà / s'haurà acabat
3. caldrà, inventin / s'inventi
4. faran, hi hagi / hi haurà
5. quan, estava / havia estat
6. utilitzés
7. anéssim, faríem
8. caldrà
9. estan a punt
10. hauran desaparegut
11. havien tallat
12. hagin contaminat
13. Estan a punt, hauran desapa-
    regut
14. caldrà, siguin
15. faran, s'extingeixin / s'hagin
    extingit

17

1. V
2. F
3. V
4. F
5. V
6. F
7. V

18

1. a; 2. a; 3. b; 4. a; 5. a; 6. b; 7. a;
8. a; 9. a; 10. b; 11. a; 12. a

19

Text 1
1. estira
2. caure
3. s'aixeca
4. està quiet

5. es belluga
6. corre
7. Ha llançat
8. ha saltat

Text 2
1. s'agafen
2. dobleguen
3. estiren
4. S'alcen
5. gira
6. S'acosten
7. s'ajeu
8. repenjant-se
9. s'ajup

Text 3
1. Fica
2. treu
3. Pica
4. s'asseu
5. es mou
6. Es tomba
7. es recolza
8. surt

20

1. belluga
2. treu
3. aixeca't
4. llança
5. empeny
6. tomba't
7. Acosta't

21

1. No cal que nedeu, només be-
   llugueu els braços i les cames,
   ja veureu com no us ofegueu.
2. Respireu, traieu el pit enfora.
3. Ara aixequeu-vos i quedeu-vos
   ben drets.
4. No boteu més la pilota, llanceu-
   la a la cistella.
5. Per nedar amb estil braça, em-
   penyeu les cames per donar-vos
   impuls.
6. Primer poseu-vos de panxa
   enlaire i després tombeu-vos,
   de panxa a terra.
7. Acosteu-vos, que sou molt
   lluny.

22

1. arronsi, estiri
2. Doblegui
3. Giri
4. assegui's
5. Ajupi's
6. repengi
7. agenolli's

23

1. Primer arronsin les cames, com
   si volguessin seure a terra, i
   després, al contrari, estirin-les.
2. Dobleguin la cintura endavant
   fins que amb els dits de les

mans es toquin les puntes dels
peus.
3. Girin el cap, primer cap a la dre-
   ta i després cap a l'esquerra.
4. Per conduir bé, asseguin-se bé
   al seient del cotxe.
5. Ajupin-se per passar per sota
   de la tanca.
6. Per fer aquest exercici, repengin
   les mans a la paret.
7. Agenollin-se a terra i recolzin
   el cul sobre les cames.

24

1. No mogueu el cap!
2. Corre!
3. Estigues quiet!
4. No caiguis cap endavant!
5. No segueu als vostres llocs!
6. Ajup-te!
7. Estireu-vos!
8. Aixequin-se!
9. No et moguis d'aquí!
10. Acosti's a la paret!

25

1. campió
2. bàsquet
3. hoquei
4. tennis
5. waterpolo
6. àrbitre
7. esquí
8. equip
9. entrenador
10. ciclisme

26

1. comèdia
2. del teatre
3. poesies
4. danses
5. òpera
6. de l'orquestra
7. càmeres
8. dibuixos
9. museu
10. circ

27

1. c
2. c
3. a
4. b
5. a
6. c
7. b
8. b
9. a
10. a

28

1. És possible que
2. Està a punt de
3. No m'estranyaria que
4. Si no hi hagués
5. És possible que
6. Si hi hagués

7. D'aquí a poc temps
8. Si hi hagués
9. Estan a punt de
10. Si no hi hagués
11. D'aquí a poc temps
12. No m'estranyaria que

29

1. b
2. b
3. a
4. a
5. b
6. a
7. b
8. b
9. a
10. a
11. b

30

1. creixerà, vinguessin
2. hi hagués, regulés, desapa-
   rèixer
3. anirà, seran, puguin, hagin
4. hi hauria, sigui, veurem, es
   casarà / es casa
5. desaparegués, desapareixerà /
   haurà desaparegut, canviï

Gramàtica

1 VEURE MÓN

Anar amb / en / a

▨ Per expressar amb quin mitjà de transport ens desplacem fem servir la preposició **amb** o **en** + nom del mitjà de transport. Fem servir, però, la preposició **a** en l'expressió **anar a peu.**

anar	**amb / en**	avió, tren, cotxe, vaixell...
	a	peu

Ús de creure, pensar i voler dir

▨ Per demanar i donar l'opinió podem utilitzar l'estructura **creure / pensar + que** + oració subordinada. En oracions declaratives afirmatives introduïdes pels verbs **creure** i **pensar** la frase subordinada va en indicatiu. En canvi, quan neguem aquests verbs, la frase subordinada va en subjuntiu.

▨ Generalment quan opinem negativament expressem una creença i no tant una opinió, i per això acostumem a utilitzar amb més freqüència **creure** que **pensar.**

> *Crec / Penso* que les vacances **són** molt curtes.
> *No crec* que les vacances **siguin** curtes.

▨ Podem fer servir l'estructura **voler dir + que** + oració subordinada per aclarir o matisar un enunciat. Si la forma **voler dir** és afirmativa, l'oració subordinada va en indicatiu i, si és negativa, en subjuntiu.

> (...) *Vull dir* que les vacances **passen** molt de pressa.
> (...) *No vull dir* que les vacances **siguin** curtes.

Pronoms relatius que i on

▨ Quan expliquem com són les coses donem detalls per diferenciar-les de les altres o per afegir-hi alguna explicació. Una manera de fer-ho és utilitzant una oració de relatiu introduïda pels pronoms relatius **que** o **on**, els quals substitueixen un element que ja ha aparegut abans.

▨ Quan donem una característica de lloc, podem utilitzar el pronom relatiu **que** + oració subordinada, on el relatiu **que,** que substitueix el nom, fa de subjecte o objecte directe de l'oració subordinada, la qual fa la mateixa funció que un adjectiu.

> *Per una banda hi ha la **costa, que** està banyada per l'oceà Atlàntic.* (que = la costa, subjecte)
> *Podreu contemplar els **boscos que** nosaltres vam veure l'any passat.* (que = els boscos, objecte directe)

▨ Quan fem una especificació o una explicació sobre un lloc, podem utilitzar el pronom relatiu **on** + oració subordinada, on el relatiu **on,** que substitueix el lloc, fa de complement de lloc de l'oració subordinada.

> *...una zona **on** viuen milions d'espècies d'insectes.* (on = a la zona, complement de lloc)
> *...l'illa, **on** hi ha moltes platges verges,...* (on = a l'illa, complement de lloc)

> *És la platja que~~ què~~ va tothom.*

▨ Aquestes oracions de relatiu, introduïdes pels pronoms **que** i **on,** poden ser especificatives; determinen l'antecedent, o explicatives; afegeixen una informació a l'antecedent, no necessària, ni determinant. Les explicatives sempre van entre comes.

> *Els hotels de l'illa **que tenen dues estrelles** estan complets.*
> (Especificativa: només els hotels de l'illa que tenen dues estrelles.)
>
> *Els hotels de l'illa, **que tenen dues estrelles,** estan complets.*
> (Explicativa: tots els hotels de l'illa tenen dues estrelles.)
>
> *Hem anat a les illes de la Polinèsia **on hi ha reserves naturals**.*
> (Especificativa: només hem anat a les illes que tenen reserves naturals.)
>
> *Hem anat a les illes de la Polinèsia, **on hi ha reserves naturals**.*
> (Explicatives: a totes les illes hi ha reserves naturals.)

▨ L'existència dels pronoms **que** i **on** anul·la l'existència d'altres pronoms que facin la mateixa funció.

> *És una platja que ~~la~~ vam visitar l'any passat.*
> *És un país on ~~hi~~ pots trobar infinitat de paisatges.*

Forma i ús dels verbs endur-se i emportar-se

Present d'indicatiu	
EMPORTAR-SE	ENDUR-SE
m'emporto	m'enduc
t'emportes	t'endús (t'enduus)
s'emporta	s'endú (s'enduu)
ens emportem	ens enduem
us emporteu	us endueu
s'emporten	s'enduen

Condicional	
EMPORTAR-SE	ENDUR-SE
m'emportaria	m'enduria
t'emportaries	t'enduries
s'emportaria	s'enduria
ens emportaríem	ens enduríem
us emportaríeu	us enduríeu
s'emportarien	s'endurien

▨ Fem servir els verbs **endur-se** i **emportar-se** quan desplacem una cosa amb nosaltres, traient-la d'un lloc, sense especificar-ne necessàriament la destinació. Aquests verbs sempre es conjuguen amb pronom.

▨ Fem servir els verbs **dur** i **portar,** per expressar desplaçament, quan traslladem una cosa d'un lloc a un altre, especificant-ne la destinació. Aquests verbs no es conjuguen amb pronom.

> Si ara **t'endús / t'emportes** (d'aquí, amb tu) els bitllets, els hauràs d'abonar.
> Si **duus / portes** el passaport a l'agència, et faran el visat.

> Li regalem el catàleg de viatges. Si vol, el pot ~~dur / portar.~~

> Agafi el catàleg. ~~Se'l pot dur / portar.~~

▨ En alguns casos, la distinció d'ús dels verbs **dur / portar** i **endur-se / emportar-se** és molt subtil. La diferència rau que si fem servir **endur-se / emportar-se** volem significar que agafem una cosa per portar-la amb nosaltres. En canvi, quan diem **dur / portar** expliquem que agafem una cosa per traslladar-la a un lloc.

> Si vas a l'Índia, jo no **m'enduria / m'emportaria** gaire equipatge. (No agafaria gaire equipatge amb mi.)
> Si vas a l'Índia, jo no **duria / portaria** gaire equipatge. (No traslladaria gaire equipatge a l'Índia.)

▨ Els verbs **dur** i **portar** poden tenir altres significats que el de desplaçament i per tant no es poden confondre mai amb **endur-se** i **emportar-se.**

> Què **dus / portes** a la bossa, que pesa tant? (col·locació, existència...)
> Hi **porto / duc** el portamonedes, les ulleres... i un parell de llibres.

Estructures per aconsellar

▨ Per donar consells o recomanar alguna cosa, podem fer servir les formes impersonal dels verbs **recomanar, aconsellar** i **caldre,** i les estructures **pot ser útil, és important, és recomanable** i **val la pena,** en present d'indicatiu, seguides d'infinitiu o bé seguides de la conjunció **que** + oració subordinada en present de subjuntiu.

es recomana **s'aconsella** **és important / recomanable** **cal** **pot ser útil** **val la pena**	infinitiu
	que + present de subjuntiu

> Es recomana anar al metge abans del viatge.
> S'aconsella portar poc equipatge.
> Cal que et vacunis.
> Pot ser útil canviar moneda a l'aeroport.
> Val la pena que visitis el centre històric.

▦ També podem utilitzar les formes personals dels verbs **aconsellar** i **recomanar**, en present d'indicatiu, seguides de la conjunció **que** + oració subordinada en present de subjuntiu.

et recomano, us recomanem... **t'aconsello, li aconsello...**	que + present de subjuntiu	*Et recomano que visitis l'amfiteatre.* *Us aconsello que us vacuneu.*

Forma del present de subjuntiu

▦ El present de subjuntiu dels verbs regulars de la primera i segona conjugació es forma substituint les terminacions de l'infinitiu de la primera i segona conjugació per **–i, –is, –i, –em, –eu, –in,** i **–i, –is, –i, –im, –iu, –in,** per als verbs de la tercera conjugació.

▦ Els verbs de la tercera conjugació que tenen l'increment **–eix–** al present d'indicatiu també el tenen al present de subjuntiu: *cobr**eix**o / cobr**eix**is...*

▦ Si la primera persona del present d'indicatiu acaba en **–c**, el present de subjuntiu agafa la forma **–gu–** abans de la terminació: *pren**c** / pren**gu**i, vin**c** / vin**gu**eu...*

Present de subjuntiu							
VACUNAR	ANAR	FER	CONÈIXER	ESTAR	TENIR	COBRIR	DORMIR
vacun**i**	vagi	faci	conegui	estigui	tingui	cobreixi	dormi
vacun**is**	vagis	facis	coneguis	estiguis	tinguis	cobreixis	dormis
vacun**i**	vagi	faci	conegui	estigui	tingui	cobreixi	dormi
vacun**em**	anem	fem	coneguem	estiguem	tinguem	cobrim	dormim
vacun**eu**	aneu	feu	conegueu	estigueu	tingueu	cobriu	dormiu
vacun**in**	vagin	facin	coneguin	estiguin	tinguin	cobreixin	dormin

Ús dels verbs recordar(-se), descuidar-se i oblidar(-se)

▦ Quan volem fer memòria a algú d'una cosa o de fer una cosa, podem fer servir els verbs **recordar-se / recordar** i la forma negativa dels verbs **descuidar-se, oblidar-se / oblidar.**

recordar-se	de + nom	*Recorda't **del meu aniversari.***	de + infinitiu	*Recordeu-vos **d'agafar** el paraigua.*	que + frase	*Recordeu-vos **que** l'avió surt d'aquí a dues hores.*
no oblidar-se		*No t'oblidis **de les ulleres de sol.***		*No us oblideu **d'anar** a l'agència.*		*No us oblideu **que** dilluns els museus tanquen.*
no descuidar-se	Ø + nom	*No us descuideu **els passaports.***	(de) + infinitiu	*No et descuidis **d'anar** al consolat.*		*No et descuidis **que** has d'anar al consolat.*
recordar		*Recorda **el meu aniversari.***		*Recorda (de) **telefonar** a l'agència.*		*Recorda **que** tens hora al metge.*
no oblidar		*No oblideu **els passaports.***		*No oblideu (de) **portar** les botes de muntanya.*		*No oblideu **que** us heu de vacunar.*

▦ Per fer memòria és més freqüent utilitzar el verb **recordar (-se)** que la forma negativa dels verbs **oblidar(-se)** o **descuidar-se.** Quan volem fer memòria a algú d'alguna cosa també solem utilitzar la forma negativa del verb **deixar-se.**

*Agafa els bitllets, no **te'ls deixis.***

▨ Davant de la conjunció **que** no s'hi posa la preposició **de.**

> *Recorda / Recorda't d̶e̶ que l'avió surt a les sis.*
>
> *No et descuidis d̶e̶ que demà has d'anar a l'aeroport.*
>
> *No t'oblidis / No oblidis d̶e̶ que has de passar per l'agència.*

Pronoms en, ho, el, la, els, les amb els verbs recordar(-se), descuidar-se i oblidar(-se)

▨ **En** és el pronom que substitueix el complement dels verbs **recordar-se, descuidar-se** i **oblidar-se** introduïts per la preposició **de** (complement de règim). Cal recordar que quan el complement és una frase, introduïda per **que,** el pronom és **en** encara que la preposició **de** desaparegui.

> *Recordeu-vos **dels vostres codis.** = Recordeu-vos-**en.***
>
> *Recordeu-vos **d'agafar els bitllets.** = Recordeu-vos-**en.***
>
> *Recorda't **que l'avió surt a les sis.** = Recorda-te'**n.***
>
> *No us descuideu **d'emportar-vos una farmaciola.** = No us **en** descuideu.*
>
> *No et descuidis **que demà has d'anar a l'aeroport.** = No te'**n** descuidis.*
>
> *No us oblideu **de vacunar-vos.** = No us **n'**oblideu.*
>
> *No t'oblidis **que has de passar per l'agència.** = No te **n'**oblidis.*

▨ **Ho** és el pronom que substitueix l'objecte directe dels verbs **recordar** i **oblidar** (no pronominals), quan aquest és un infinitiu o una frase.

> *Recorda **agafar els bitllets.** = Recorda-**ho.***
> *Recordeu **que heu d'agafar els bitllets.** = Recordeu-**ho.***
>
> *No oblidis **passar per l'agència.** = No **ho** oblidis.*
> *No oblideu **que demà sortim a les sis del matí.** = No **ho** oblideu.*

▨ **El, la, els** i **les** són els pronoms que substitueixen l'objecte directe determinat dels verbs **descuidar-se, recordar** i **oblidar**, quan aquest és un substantiu determinat.

> *No et descuidis **els bitllets.** = No te'**ls** descuidis.*
> *No oblideu **el passaport.** = No **l'**oblideu.*

Ús del pronom hi com a complement de lloc

▨ Normalment el pronom **hi** substitueix el lloc, però, sovint, per fer èmfasi, diem primer el lloc i després el pronom **hi.** Es pot posar coma o no posar-la, darrere del lloc. El pronom **hi** s'uneix amb el pronom **es,** en frases impersonals: **s'hi.**

> *Com puc anar **a Tarragona?***
> ***Hi** pots anar amb tren.*
> ***A Tarragona hi** pots anar amb tren.*

> *Amb què **es** pot anar **a Puigcerdà?***
> ***A Puigcerdà** com **s'hi** va?*
> ***S'hi** pot anar amb cotxe.*

▨ No podem repetir el pronom **hi,** si a la mateixa frase ja apareix el pronom **on.**

> *On s'h̶i̶ pot dormir?*

Estructures per indicar duració

▦ Per dir la quantitat de temps invertida per acomplir un procés, podem utilitzar **estar-s'hi, tardar / trigar** i **durar.**

▦ **Estar-s'hi, tardar / trigar** es poden utilitzar en forma personal i impersonal; el subjecte pot ser animat o inanimat, i no té implícit un període, amb començament i final.

> *Quant **s'hi està / es triga / es tarda** del Japó a París amb avió? (forma impersonal)*
> *Quant **triga / tarda** el tren de València a Alacant? (subjecte: el tren)*
> *De Barcelona a Mallorca **s'hi està** mitja hora. (forma impersonal)*
> *Quant **t'hi estàs** de casa a l'aeroport? (subjecte: tu)*
> *Normalment per arribar a l'estació **trigo / tardo** mitja hora. (subjecte: jo)*

▦ **Durar** s'utilitza en forma personal, en tercera persona; el subjecte és inanimat i té implícit un període, amb començament i final: el viatge, el vol, el trajecte...

> *Quant **dura** el viatge?*
>
> *Has de comprar la medicació per cobrir el període de temps que **duri** el trajecte.*
>
> *El vol **dura** dues hores.*
>
> *Els trajectes per la ciutat no **duren** gaire.*

> *Quant ~~dura~~ del Japó a París amb avió?*
>
> *Quant ~~triga~~ el viatge?*
>
> *De Barcelona a Lleida ~~dura~~ una hora i mitja.*

▦ Els verbs **trigar** i **tardar** s'usen de manera més freqüent amb el significat d'acomplir un fet més tard del que s'espera.

> *Encara no ha arribat l'avió? Sí que **triga / tarda**!*
> *El tren **triga / tarda** molt.*
> *No m'esperis, perquè encara **trigaré / tardaré** tres hores a arribar.*

Expressions locatives

▦ **Amunt** i **avall** indiquen una direcció. **Amunt** indica direcció ascendent. **Avall** indica direcció descendent. No indiquen un punt concret. Darrere de **més, molt, massa, una mica més, no gaire, no tan, cap**... fem servir **amunt** i **avall** en lloc de **dalt** o **baix.**

> *Continua cap **amunt,** fins que trobis la plaça.*   *Continua cap ~~a dalt,~~ fins que trobis la plaça.*

▦ **Al capdamunt** i **al capdavall** indiquen on és un lloc a partir d'un punt de referència, i són equivalents a **a dalt de tot** i **a baix de tot.**

> *Puja aquest carrer fins **al capdamunt / a dalt de tot.***
> *Baixa aquest carrer fins **al capdavall / a baix de tot.***

▦ **Cap a** i **fins a** són preposicions que marquen direcció davant d'un element locatiu. Encara que **cap** i **fins** no són necessàries, reforcen la preposició **a.**

▦ **Cap a** + locatiu indica la direcció d'un moviment en el moment d'arrencada.

▦ **Fins a** + locatiu indica la direcció d'un moviment en el moment d'arribada.

> *Vés **fins a**l capdamunt d'aquest carrer, i llavors gira **cap a** l'esquerra.*
> *Vés **a**l capdamunt d'aquest carrer, i llavors gira **a** l'esquerra.*

Ús dels connectors quan i un cop

▦ **Quan** i **un cop** introdueixen una oració que fa la funció de complement temporal. Serveixen per presentar un fet com a contemporani d'un altre, fent èmfasi en el moment en què comença l'acció. Si ens referim a accions futures, el verb de l'oració introduïda per **quan** o **un cop** va en present de subjuntiu o en futur.

> *Quan / Un cop arribis / arribaràs a la plaça, gira a l'esquerra.*

2 EXPLICA-M'HO!

Forma i ús del plusquamperfet d'indicatiu

El plusquamperfet d'indicatiu expressa accions passades i acabades en un moment anterior a un altre moment en el passat. Per això el seu ús està en funció del context. Utilitzem el plusquamperfet d'indicatiu sempre que dins del discurs es faci evident que estem parlant d'una acció passada, anterior a una altra acció passada esmentada. Sovint el seu ús s'alterna amb el passat perifràstic d'indicatiu perquè no és evident que l'acció depengui d'una altra anterior.

Plusquamperfet d'indicatiu	
havia	
havies	
havia	
havíem	participi
havíeu	
havien	

Quan el **van detenir** ja **havia comès** molts delictes.
Acció passada: van detenir
Acció anterior a l'acció passada: havia comès molts delictes

Quan el van detenir ja ~~va cometre~~ molts delictes.

Aquesta setmana la policia ha descobert qui **va cometre** / **havia comès** l'assassinat.

Forma del participi

Forma regular dels participis

infinitiu acabat en:	participi acabat en:	
–ar	**–at**	dinar – dinat
–er / –re	**–ut**	perdre – perdut, saber – sabut
–ir	**–it**	sortir – sortit

Alguns participis irregulars

Infinitiu	Participi
admetre	admès
cometre	comès
suspendre	suspès
trametre	tramès

Infinitiu	Participi
agrair	agraït
conduir	conduït
derruir	derruït
produir	produït
morir	mort
veure	vist

Infinitiu	Participi
desaparèixer	desaparegut
aparèixer	aparegut
asseure	assegut
caure	caigut
conèixer	conegut
creure	cregut
detenir	detingut
poder	pogut
venir	vingut

Els participis que acompanyen l'auxiliar **haver** no concorden ni en gènere ni en nombre amb el subjecte.

Ella havia ~~anada~~ a París.

Estil directe i estil indirecte

▪ Quan ens referim a allò que algú ha dit o que hem dit nosaltres mateixos podem fer servir l'estil directe, repetint exactament les mateixes paraules: *M'ha dit: «No vindré.»*, o l'estil indirecte, transmetent el sentit de les paraules: *M'ha dit que no vindrà / vindria.*

▪ Quan transmetem el contingut del missatge en estil indirecte, és important tenir en compte la nova situació de comunicació, per adequar expressions i estructures al nou context. Això afecta diversos elements discursius: temps i persones verbals, possessius (el meu, el seu...), demostratius (aquest, aquell...), pronoms personals (em, et, mi...), paraules relacionades amb el temps i l'espai (aquí, allà, demà, anar...)...

> *M'ha contestat: «Jo no **la vaig segrestar.**»*
> *Em va contestar que no **la va segrestar** / **l'havia segrestat.***
>
> *M'ha dit: «**Jo vaig** presenciar l'escena del crim.»*
> *M'ha dit que **ell va** presenciar l'escena del crim.*
>
> *M'ha assegurat: «**La meva** dona m'enganya.»*
> *M'ha assegurat que **la seva** dona l'enganyava.*
>
> *Em van comunicar: «**Aquest** testimoni ha declarat **avui.**»*
> *Em van comunicar que **aquell** testimoni havia declarat **ahir** / **aquell dia...***

Correlació temporal entre l'estil directe i l'estil indirecte

estil directe	estil indirecte
present	present / imperfet
futur	futur / condicional
perfet d'indicatiu	perfet d'indicatiu / passat perifràstic d'indicatiu / plusquamperfet d'indicatiu
passat perifràstic d'indicatiu	passat perifràstic d'indicatiu / plusquamperfet d'indicatiu

estil directe		estil indirecte	
Em diu:		Em diu	que es casa.
M'ha dit:	«Em caso.»	M'ha dit	que es casa / es casava.
Em va dir:		Em va dir	que es casava.
M'havia dit:		M'havia dit	que es casava.

estil directe		estil indirecte	
Em diu:		Em diu	que es casarà.
M'ha dit:	«Em casaré.»	M'ha dit	que es casarà / es casaria.
Em va dir:		Em va dir	que es casaria.
M'havia dit:		M'havia dit	que es casaria.

estil directe		estil indirecte	
Em diu:		Em diu	que s'ha casat.
M'ha dit:	«M'he casat.»	M'ha dit	que s'ha casat / es va casar / s'havia casat.
Em va dir:		Em va dir	que es va casar / s'havia casat.
M'havia dit:		M'havia dit	que es va casar / s'havia casat.

estil directe		estil indirecte	
Em diu:		Em diu	que es va casar.
M'ha dit:	«Em vaig casar.»	M'ha dit	que es va casar / s'havia casat.
Em va dir:		Em va dir	que es va casar / s'havia casat.
M'havia dit:		M'havia dit	que es va casar / s'havia casat.

Connectors en l'estil indirecte

▨ Quan expliquem en estil indirecte utilitzem una primera oració amb el verb **dir** o altres més o menys sinònims com: **assegurar, comunicar, confessar, contestar, demanar, explicar, preguntar** o **respondre** i una oració subordinada que transmet el missatge.

▨ Si el missatge transmès no és una pregunta, entre la primera frase i la segona apareix el connector **que.**

> Estil directe: «*Em van atracar.*»
> Estil indirecte: *Em va explicar* **que** *el van atracar / l'havien atracat.*

▨ Si el missatge transmès és una pregunta sense un connector inicial, entre la primera frase i la segona apareix el connector **si.**

> Estil directe: «*Et van atracar?*»
> Estil indirecte: *Em va preguntar* **si** *em van atracar / m'havien atracat.*

▨ Si el missatge transmès és una pregunta amb un interrogatiu (què, quan, com...), entre la primera frase i la segona apareix el mateix interrogatiu de la pregunta, com a connector.

> Estil directe: «***Quan*** *et van atracar?*»
> Estil indirecte: *Em va preguntar* **quan** *em van atracar / m'havien atracat.*

Objecte directe i objecte indirecte

▨ Els objectes directes, generalment, no van introduïts per cap preposició. En canvi, els objectes indirectes, generalment, van introduïts per la preposició **a.**

▨ Hi ha verbs com: **acusar, delatar, amenaçar, detenir, escorcollar, segrestar, interrogar, investigar, jutjar, perseguir, apallissar, assaltar, atracar, matar, atacar, defensar, enverinar, estrangular, seguir...** que normalment van seguits d'un objecte directe i, per tant, entre verb i objecte no hi va preposició.

> *Va acusar* **el seu veí.**
> *Ha delatat* **la seva amiga.**
> *Amenacen* **la directora.**
> *Detindran* **els acusats.**
> *Han atracat* **el banc / la meva germana.**

> *Han apallissat* ⓧ *la segrestadora.*
>
> *Van matar* ⓧ *el lladre.*

▨ Altres verbs com: **confessar, revelar, assegurar, comunicar, contestar, demanar, dir, explicar, preguntar, respondre, clavar...** admeten tots dos objectes i, per tant, portaran la preposició **a** davant de l'objecte indirecte i no la portaran davant de l'objecte directe.

> *Va confessar* **la veritat a la policia.**
> (objecte directe = la veritat; objecte indirecte: a la policia)
>
> *Ha assegurat* **a l'advocat que confessarà la veritat.**
> (objecte directe = que confessarà la veritat; objecte indirecte: a l'advocat)
>
> *Va clavar* **el ganivet a l'ostatge.**
> (objecte directe = el ganivet; objecte indirecte: a l'ostatge)
>
> *Van preguntar* **al marit on havia anat.**
> (objecte directe = on havia anat; objecte indirecte: al marit)

Pronoms d'objecte directe i d'objecte indirecte

▦ Pronoms d'objecte directe determinats, referits a terceres persones: **el, la, els, les**

▦ Pronom d'objecte directe neutre (que substitueix una frase o un infinitiu): **ho**

▦ Pronoms d'objecte indirecte de tercera persona: **li, els**

> *Va acusar **el seu veí**. = **El** va acusar.*
> *Van delatar **la seva amiga**. = **La** van delatar.*
> *Amenacen **les directores**. = **Les** amenacen.*
> *Detindran **els acusats**. = **Els** detindran.*
> *Han confessat **que havien atracat el banc**. = **Ho** han confessat.*

> *Va confessar **la veritat a la policia**. = **La** va confessar a la policia.*
> */ **Li** va confessar la veritat.*
>
> *Va revelar **el nom del còmplice als advocats**. = **El** va revelar als advocats. / **Els** va revelar el nom del còmplice.*
>
> *Va dir **on eren les joies a les segrestadores**. = **Ho** va dir a les segrestadores. / **Els** va dir on eren les joies.*

> *L̶i̶ va acusar.*
> *L̶e̶s̶ va dir on eren les joies.*

Combinació de pronoms d'objecte directe i d'objecte indirecte

▦ Normalment el pronom d'objecte indirecte va davant del pronom d'objecte directe, però en la combinació **li + el / la / els / les,** el pronom **li** es canvia per **hi** i es col·loca darrere dels pronoms d'objecte directe.

	el	la	els	les	ho	
em	me'l	me la	me'ls	me les	m'ho	
et	te'l	te la	te'ls	te les	t'ho	
li	l'hi	la hi (l'hi)	els hi	les hi	li ho (l'hi)	el verb comença per consonant
ens	ens el	ens la	ens els	ens les	ens ho	
us	us el	us la	us els	us les	us ho	
els	els el	els la	els els	els les	els ho	

▦ En la parla col·loquial i en alguns textos escrits, les formes **la hi, li ho** es transformen en **l'hi.** (També es pot sentir freqüentment **els hi** en lloc de **els el, els la, els els, els les.**)

	el	la	els	les	ho	
em	me l'	me l'	me'ls	me les	m'ho	
et	te l'	te l'	te'ls	te les	t'ho	
li	l'hi	la hi (l'hi)	els hi	les hi	li ho (l'hi)	el verb comença per vocal o **h**
ens	ens l'	ens l'	ens els	ens les	ens ho	
us	us l'	us l'	us els	us les	us ho	
els	els l'	els l'	els els	els les	els ho	

▦ Pronoms darrere del verb

		el	la	els	les	ho
	em	-me'l	-me-la	-me'ls	-me-les	-m'ho
	et	-te'l	-te-la	-te'ls	-te-les	-t'ho
el verb acaba en	**li**	-l'hi	-la-hi (-l'hi)	-los-hi	-les-hi	-li-ho (-l'hi)
consonant o **–u**	**ens**	-nos-el	-nos-la	-nos-els	-nos-les	-nos-ho
	us	-vos-el	-vos-la	-vos-els	-vos-les	-vos-ho
	els	-los-el	-los-la	-los-els	-los-les	-los-ho

		el	la	els	les	ho
el verb acaba en vocal, excepte –**u**	**em**	-me'l	-me-la	-me'ls	-me-les	-m'ho
	et	-te'l	-te-la	-te'ls	-te-les	-t'ho
	li	-l'hi	-la-hi (-l'hi)	'ls-hi	'ls-hi	-li-ho (-l'hi)
	ens	'ns-el	'ns-la	'ns-els	'ns-les	'ns-ho
	us	-us-el	-us-la	-us-els	-us-les	-us-ho
	els	'ls-el	'ls-la	'ls-els	'ls-les	'ls-ho

Connectors discursius

per expressar oposició	**però** **en canvi** **tot i que** **encara que**	*Van entrar a robar a casa,* **però** *no es van endur res.* *Els lladres es van endur les joies;* **en canvi,** *van deixar els diners.* *Van robar al banc,* **tot i que** *hi ha dispositius de seguretat.* **Encara que** *l'amenacin, no els denunciarà.*
per expressar causa	**perquè** **com que** **ja que** **per culpa de**	*Va deixar la dona* **perquè** *tenia un amant.* **Com que** *va fer una estafa, el van detenir.* *El van interrogar* **ja que** *semblava sospitós.* *Es van barallar* **per culpa dels** *diners.*
per expressar conseqüència	**per tant** **així (doncs)** **doncs** **per això**	*Sospitava del marit.* **Per tant,** *va contractar un detectiu perquè el seguís.* **Així (doncs),** *es va assabentar de tots els seus moviments.* *Estic segur que ell és l'assassí.* **Doncs** *denuncia'l.* *Estava segur que l'estafava.* **Per això** *el va denunciar.*
per expressar inclusió / exclusió	**a més** **també** **tampoc (no)** **sinó (que)** **excepte** **tret de**	*Ens van robar i,* **a més,** *ens van apallissar.* *Em van robar les maletes i* **també** *el passaport.* *No portava el carnet d'identitat i* **tampoc,** *el carnet de conduir.* *No va fugir del país,* **sinó que** *es va amagar.* *Van denunciar tots els treballadors,* **excepte** *la secretària.* *Van detenir tots els lladres,* **tret del** *cap de la banda.*

Forma i ús de l'imperfet d'indicatiu del verb deure

▨ Per fer una suposició en passat podem utilitzar l'estructura **deure** (en imperfet d'indicatiu) + infinitiu / infinitiu perfet. L'infinitiu perfet fa referència a una acció acabada anteriorment a una altra.

Imperfet d'indicatiu
DEURE
devia
devies
devia
devíem
devíeu
devien

> *A quina hora va arribar?*
> **Devien ser** *les nou.*

> *Per què el van detenir?*
> *Perquè la policia* **devia haver trobat** *l'arma del crim a casa seva.*

> *Devien ~~de~~ ser les nou.*
> ~~*Deurien ser*~~ *les nou.*
> ~~*Serien*~~ *les nou.*

Estructures per fer hipòtesis i suposicions

Per expressar hipòtesis o fer suposicions de fets del passat, es pot fer servir:

deure (imperfet d'indicatiu)	+ infinitiu / infinitiu perfet	***Devia quedar*** amb alguns alumnes. ***Devia haver anat*** al cine, perquè no hi era.
potser	+ indicatiu (passat)	***Potser*** el van enverinar.
segons sembla		***Segons sembla*** l'han enverinat.
em fa l'efecte	+ que + indicatiu (passat)	***Em fa l'efecte que*** el van matar ahir.
tinc la impressió		***Tinc la impressió que*** l'han matat avui.
crec / penso		***Crec que*** tenia algun embolic.
vés a saber	+ si + indicatiu (passat)	***Vés a saber si*** s'ha suïcidat.
i	+ si + indicatiu (passat) ?	***I si*** es va suïcidar?
a veure		***A veure si*** tenia algun embolic?

UNITAT

3   COM A CASA

Ús dels verbs donar, fer, quedar i tocar

Per descriure habitatges podem fer servir els verbs **donar, fer, quedar** i **tocar** amb un significat especial.

donar	Estar orientat a un lloc.	Els balcons **donen** a una avinguda amb molt de trànsit.
fer	Mesurar la longitud o la superfície.	Les parets **fan** tres metres d'alçada. El pis **fa** uns 100 m².
quedar	Estar situat en un lloc.	L'estudi **queda** al costat de l'habitació de convidats.
tocar	Afectar el sol directament a un lloc.	Al pati hi **toca** el sol a la tarda.

Ús dels verbs haver-hi i ser

haver-hi	Per demanar i dir l'existència d'una cosa utilitzem el verb **haver-hi.**	A casa meva **hi ha** dos banys. Què **hi ha** al costat de la cuina? D'ascensor, n'**hi ha**? Sí que n'**hi ha.** Al costat de la cuina h̶i̶ és el menjador. Al meu pis t̶é dos banys.
ser	Per demanar i dir la situació d'alguna cosa utilitzem el verb **ser.** No necessita el pronom **hi,** si no es vol substituir el lloc.	La cuina **és** al costat del menjador. On **és** el bany? **És** al fons del passadís, a l'esquerra. La cuina h̶i̶ és al costat de l'estudi.

Ús del pronom en per fer èmfasi

Quan volem ressaltar un element de la frase normalment el posem davant. Si aquest element és un objecte directe indeterminat, l'hem d'introduir per la preposició **de** i després hem de repetir-lo en forma pronominal, amb el pronom **en.** Aquest element avançat se sol separar amb una coma.

D'ascensor, n'hi ha a casa teva? = Hi ha **ascensor** a casa teva?

Estructures, en present d'indicatiu i en condicional, per expressar una petició

Per expressar una petició, una preferència, un desig... real d'una cosa acostumem a fer la frase en present d'indicatiu (vull, preferim, s'estima més...) i quan la petició, preferència o desig són més hipotètics fem la frase en condicional (voldria, preferíem, s'estimaria més...).

Per expressar una petició, una preferència, un desig... d'una cosa podem determinar-la o no determinar-la. Això fa que puguem utilitzar unes estructures o unes altres.

| Estructura amb l'element no determinat | verb per expressar petició... + objecte directe indeterminat + oració subordinada de relatiu, en subjuntiu. | *Vull **un** pis que tingui terrassa.* *Preferim **un** pis que doni al carrer principal.* *S'estimaria més **una** casa que fos assolellada.* |
| Estructura amb l'element determinat | verb per expressar petició... + que + oració subordinada substantiva, en subjuntiu. | *Vull que **el** pis tingui terrassa.* *Preferiríem que **l'**habitació donés a la part del darrere.* *S'estima més que **la** cuina sigui assolellada.* |

▨ Tant en un cas com en l'altre els verbs de les oracions subordinades van en subjuntiu. La correlació temporal és:

oració principal	oració subordinada
present d'indicatiu	present de subjuntiu
condicional	imperfet de subjuntiu

***Vull** un pis que **tingui** terrassa.*
***Preferim** que l'habitació **doni** al carrer principal.*
***S'estima més** una casa que **sigui** assolellada.*

***Voldria** un pis que **tingués** terrassa.*
***Preferiríem** que l'habitació **donés** al carrer principal.*
***S'estimaria més** una casa que **fos** assolellada.*

▨ Quan volem expressar una tria entre diversos objectes, per tant determinats, el verb de l'oració adjectiva va en present d'indicatiu.

*Quin pis **vols**, el que **té** terrassa o el que **té** balcons?*

***Preferiria el** pis que **té** terrassa.*

Forma del present de subjuntiu dels verbs ser, tenir, tocar, poder, viure i haver-hi

Present de subjuntiu

SER	TENIR	TOCAR	PODER	VIURE	HAVER-HI
sigui	tingui	toqui	pugui	visqui	
siguis	tinguis	toquis	puguis	visquis	
sigui	tingui	toqui	pugui	visqui	hi hagi
siguem	tinguem	toquem	puguem	visquem	
sigueu	tingueu	toqueu	pugueu	visqueu	
siguin	tinguin	toquin	puguin	visquin	

Ús dels verbs ser i estar

▨ Per indicar qualitats físiques permanents o definitòries d'una cosa acostumem a fer servir el verb **ser** + adjectiu. Si en comptes d'un adjectiu és un participi, s'acostuma a fer servir el verb **estar,** tot i que hi ha alguns participis que admeten també el verb **ser.**

*L'habitació dels nens **és** assolellada?*
*Sí, **és** molt lluminosa.*

***És** nou el vostre pis?*
*No, **és** vell, però **és** / **està** reformat.*

▨ Per indicar qualitats amb l'estructura **ben / mal** + participi, fem servir el verb **estar** i no, el verb **ser.**

■ També fem servir el verb **estar** seguit dels adverbis **bé** i **malament** i en l'estructura **estar per** + infinitiu, per expressar que una acció encara no s'ha fet.

> *El pis **està** bé?*
> *Sí, sí. No **està** malament. I a més **està** ben comunicat. L'únic problema és que **està** mal distribuït.*
> *Però **està per** reformar, oi?*
> *Sí, sí. Canviaré la distribució que hi ha ara.*

Connectors discursius

■ Els connectors **encara que, mentre (que)** i **per molt que** serveixen per introduir una dificultat, a pesar de la qual, l'acció expressada pel verb principal es realitza.

■ Si el verb de l'oració principal va en present d'indicatiu o en futur, el verb de la subordinada, introduïda per aquests connectors, va en present de subjuntiu.

oració principal	oració subordinada
present d'indicatiu / futur	present de subjuntiu

> **Encara que construeixin** més pisos de protecció oficial, no n'**hi haurà** prou per a tots el joves.
> Els joves no **podran** llogar mai cap pis, **mentre (que) es demani** un aval de sis mesos.
> **Per molt que** els polítics **parlin** del problema de l'habitatge, no **fan** res per resoldre'l.

Estructures per opinar sobre esdeveniments presents o futurs

■ **Semblar bé** i **fer por** es conjuguen amb els pronoms d'objecte indirecte, que indiquen qui és la persona a qui sembla bé o fa por la informació que es dóna en l'oració subordinada, i en tercera persona del singular, ja que el subjecte dels verbs **semblar** i **fer** és l'oració subordinada.

a mi	em		
a tu	et		
a ell, a ella, a vostè	li	**sembla bé**	
a nosaltres	ens	**fa por**	que + oració subordinada (en funció de subjecte)
a vosaltres	us		
a ells, a elles, a vostès	els		

> **No em sembla bé que** els joves es queixin dels preus dels lloguers.
> **Ens fa por que** el propietari ens apugi el preu del lloguer.

■ **És estrany, està bé / malament, és una llàstima** i **no és veritat** es conjuguen en tercera persona del singular, ja que el subjecte és l'oració subordinada.

és estrany **està bé / malament** **és una llàstima** **no és veritat**	que + oració subordinada (en funció de subjecte)

> **No és estrany que** els joves no puguin anar-se'n de casa dels pares.
>
> **Està bé / malament que** els propietaris demanin un aval bancari.
>
> **És una llàstima que** el govern no resolgui el problema de l'habitatge.
>
> **No és veritat que** el joves no vulguin emancipar-se.

Estar content, no estar segur, no imaginar-se i **no acabar-se de creure** es conjuguen en la persona verbal que fa de subjecte.

estar content **no estar segur** **no imaginar-se** **no acabar-se de creure**	que + oració subordinada

> **Estem contents que** el propietari no ens apugi el lloguer.
> **No estic segur que** el Pere llogui el pis.
> **No m'imagino que** el govern faci pisos de protecció oficial.
> **No ens acabem de creure que** la Lídia se'n vagi de casa.

En totes aquestes estructures, si el verb de l'oració principal va en present d'indicatiu, el verb de l'oració subordinada va en present de subjuntiu.

oració principal	oració subordinada
present d'indicatiu	present de subjuntiu

> Ens **fa** por que el propietari ens **apugi** el preu del lloguer.
> **És** una llàstima que el govern no **resolgui** el problema de l'habitatge.
> No **estic** segura que el Pere **llogui** el pis.

En alguns casos, però, també s'utilitza el futur a l'oració subordinada: *Ens fa por que el propietari ens apujarà el lloguer.*

Ús de l'infinitiu en oracions subordinades

En algunes oracions en què el subjecte de l'oració subordinada coincideix amb el subjecte o amb algun complement de l'oració principal, el verb de l'oració subordinada pot anar en infinitiu o es pot alternar amb una oració subordinada. Quan el verb de l'oració principal és de volició com **voler, esperar, desitjar...** el verb de l'oració subordinada obligatòriament va en infinitiu.

> *Em sembla bé* **compartir** *pis.* (**Em** fa referència a "jo" i qui comparteix pis, subjecte, també és "jo".)
> *Vull* **comprar** *un pis.* ("Jo" vull i "jo" compro.)

> ~~Esperem que paguem un lloguer baix.~~

> *Ens fa por* **que no puguem** *pagar el lloguer.* = *Ens fa por* **no poder** *pagar el lloguer.* (**Ens** fa referència a "nosaltres" i qui no pot pagar el lloguer, subjecte, també és "nosaltres".)

Expressions locatives

Per indicar la posició d'un lloc respecte d'altres podem utilitzar les expressions locatives següents.

entrant (a) ≠ sortint (de)	al costat (de)
al fons (de) / al final (de)	arrambat (a)
entre... i...	tocant a
(a / al) davant (de) ≠ (a / al) darrere (de)	enlloc ≠ a tot arreu
davant per davant (de)	a mà dreta ≠ a mà esquerra
(al) damunt (de) / (a) sobre (de) ≠ (a) sota (de)	a la dreta (de) ≠ a l'esquerra (de)
(a) dalt (de) ≠ (a) baix (de)	(a) dins (de) / (a) dintre (de) ≠ (a) fora (de)
al voltant (de)	a banda i banda (de) / a cada banda (de)
al racó	de punta a punta (de)
al mig (de) / enmig (de)	

Adverbis endavant, endarrere, enllà, endins i enfora

Endavant, endarrere, enllà, endins i **enfora** indiquen direcció cap a **davant, darrere, allà, dins** i **fora.** Després de quantificadors com: **més, molt, una mica més, no gaire, no tan...** fem servir **endavant, endarrere, enllà, endins** i **enfora** en lloc de **davant, darrere, allà, dins** o **fora.**

> El menjador és **davant** del bany?
> No, és una mica més **endavant.**

> Posa l'armari més ~~dins~~, que no surti tant.

Fer que + present de subjuntiu

Per expressar que una cosa sembla diferent del que és o que ens provoca una sensació de canvi, podem utilitzar l'estructura **fer que** + oració subordinada en subjuntiu. Si el verb **fer** va en present d'indicatiu, l'oració subordinada va en present de subjuntiu.

> El terra de fusta **fa que** el menjador **sigui** més confortable.
> Els colors clars **fan que** l'espai **sembli** més acollidor.

Forma i ús del condicional

El condicional dels verbs regulars de totes les conjugacions es forma afegint les terminacions **–ia, –ies, –ia, –íem, –íeu, –ien** a partir de l'última **–r** de l'infinitiu. Només s'accentuen les formes corresponents a nosaltres i vosaltres.

Condicional

PINTAR	VEURE	PRENDRE	OBRIR
pint**ria**	veu**ria**	prend**ria**	obri**ria**
pint**ries**	veu**ries**	prend**ries**	obri**ries**
pint**ria**	veu**ria**	prend**ria**	obri**ria**
pint**ríem**	veu**ríem**	prend**ríem**	obri**ríem**
pint**ríeu**	veu**ríeu**	prend**ríeu**	obri**ríeu**
pint**rien**	veu**rien**	prend**rien**	obri**rien**

Formes que presenten algunes alteracions (coincideixen amb el futur).

ANAR	TREURE	FER	VENIR	TENIR	VOLER	PODER	HAVER-HI
aniria	trauria	faria	vindria	tindria	voldria	podria	
aniries	trauries	faries	vindries	tindries	voldries	podries	
aniria	trauria	faria	vindria	tindria	voldria	podria	hi hauria
aniríem	trauríem	faríem	vindríem	tindríem	voldríem	podríem	
aniríeu	trauríeu	faríeu	vindríeu	tindríeu	voldríeu	podríeu	
anirien	traurien	farien	vindrien	tindrien	voldrien	podrien	

Acostumem a utilitzar el condicional, quan volem fer referència a un present o a un futur, com a realitat hipotètica.

> **Pintaria** el pis, però no tinc els diners per fer-ho.
> Jo, de tu, **tiraria** a terra aquest envà.
> Si tingués temps, **reformaria** casa meva.

Forma de l'imperfet de subjuntiu

L'imperfet de subjuntiu dels verbs regulars de la primera i segona conjugació es forma substituint les terminacions de l'infinitiu de la primera i segona conjugació per **–és, –essis, –és, –éssim, –éssiu, –essin,** i **–ís, –issis, –ís, –íssim, –íssiu, –issin,** per als de la tercera conjugació.

DONAR	PERDRE	CABER	OBRIR
don**és**	perd**és**	cab**és**	obr**ís**
don**essis**	perd**essis**	cab**essis**	obr**íssis**
don**és**	perd**és**	cab**és**	obr**ís**
don**éssim**	perd**éssim**	cab**éssim**	obr**íssim**
don**éssieu**	perd**éssiu**	cab**éssiu**	obr**íssiu**
don**essin**	perd**essin**	cab**essin**	obr**íssin**

◻ Si la primera persona del present d'indicatiu acaba en **–c,** l'imperfet de subjuntiu agafa la forma **–gu–** abans de la terminació: *esti**c** / esti**gu**és, tin**c** / tin**gu**és...*

◻ Verbs que presenten altres alteracions.

ESTAR	PODER	TENIR
estigués	pogués	tingués
estiguessis	poguessis	tinguessis
estigués	pogués	tingués
estiguéssim	poguéssim	tinguéssim
estiguéssiu	poguéssiu	tinguéssiu
estiguessin	poguessin	tinguessin

SER	FER
fos	fes
fossis	fessis
fos	fes
fóssim	féssim
fóssiu	féssiu
fossin	fessin

Ús del connector si per fer hipòtesis

◻ El connector **si** serveix per introduir una condició o fer una hipòtesi en el present projectada cap al futur.

◻ Si creiem que la condició és possible que es realitzi, el verb de l'oració condicional introduïda per **si** va en present d'indicatiu i el de l'oració principal, en futur o en present.

> *Si llogo el pis, hi **faré** reformes.*

◻ Si creiem que la condició no és gaire possible o és impossible que es realitzi, el verb de l'oració condicional introduïda per **si** va en imperfet de subjuntiu i el de l'oració principal, en condicional.

> *Si llogués el pis, hi **faria** reformes.*

> *Si lloguí un pis, hi faré reformes.*
> *Si llogaré un pis, hi faré reformes.*
> *Si llogaria un pis, hi faria reformes.*

Ús dels connectors per i perquè

◻ Les estructures **per** + infinitiu i **perquè** + oració subordinada en subjuntiu poden servir per introduir la finalitat d'una acció.

...**per** + infinitiu	Expressa una finalitat, de manera impersonal.
	*Vull una terrassa gran **per prendre**-hi el sol.*
...**perquè** + subjuntiu	Expressa una finalitat, de manera personal.
	*M'agradaria que tingués balcons **perquè** hi **entrés** molta llum.* *Vull que tingui balcons **perquè** hi **entri** molta llum.*

Forma i ús del futur perfet

■ Es forma amb un auxiliar (futur del verb **haver**) i el participi del verb que expressa l'acció o el fet.

■ Fem servir el futur perfet per expressar esdeveniments futurs anteriors a un altre moment futur. D'aquesta manera ens situem en un punt de referència concret en el futur i expressem un fet que ha passat abans i, per tant, acabat.

Futur perfet	
HAVER	
hauré	
hauràs	
haurà	participi
haurem	
haureu	
hauran	

Forma i ús del perfet de subjuntiu

■ Es forma amb un auxiliar (present de subjuntiu del verb **haver**) i el participi del verb que expressa l'acció o el fet.

■ En oracions subordinades, el perfet de subjuntiu expressa accions anteriors i ja acabades, tant passades com futures, respecte al verb de l'oració principal. Per a les passades, cal precisar que es tracta d'accions ocorregudes en un passat recent o que encara sentim com a present.

Perfet de subjuntiu	
HAVER	
hagi	
hagis	
hagi	participi
hàgim / haguem	
hàgiu / hagueu	
hagin	

> **Han fet** edificis molt moderns.
> És possible que **hagin fet** edificis molt moderns.
>
> **Hauran construït** ciutats a la Lluna.
> És possible que **hagin construït** ciutats a la Lluna.

Estructures per expressar probabilitat o possibilitat

■ Per expressar que una cosa és probable o possible, en el futur, podem fer servir les estructures següents.

potser qui sap si segurament vés a saber si	verb en futur / futur perfet	**Potser** la gent **anirà** a viure a la Lluna. **Potser hauran construït** ciutats a la Lluna. **Qui sap si viurem** en pisos de 30 m². **Qui sap si hauran dissenyat** ciutats sota l'aigua. **Segurament viurem** en cases comunitàries. **Segurament hauran inventat** materials més econòmics. **Vés a saber si hi haurà** espais comuns a cada edifici. **Vés a saber si hauran trobat** una solució al problema de l'habitatge.

és possible / probable que potser que	verb en present de subjuntiu / perfet de subjuntiu	**És possible / probable** que els pisos **siguin** molt petits. **És possible / probable que hagin dissenyat** cases domòtiques. **Pot ser que** els habitatges **tinguin** moltes funcions: oficina, llar... **Pot ser que hagin construït** ciutats a la Lluna.

■ Per expressar que una cosa és conseqüència d'una altra, en el futur, podem fer servir l'estructura següent: **sembla / és lògic que** + oració subordinada en present de subjuntiu. De tota manera aquesta estructura pot expressar present o futur. Per expressar futur necessitarà un context apropiat.

> **Sembla lògic que,** a partir d'ara, els espais de les cases **es redueixin.**

4 LLEPAR-SE'N ELS DITS

Verbs amb pronom i sense pronom

▨ Hi ha verbs que es poden conjugar amb els pronoms: **em, et, es, ens, us, es** o sense i que utilitzem per dir el mateix: *menjar / menjar-se, beure / beure's, fregir / fregir-se...* La forma dels verbs conjugada amb pronom és molt més freqüent d'ús que la conjugada sense pronom, el qual emfasitza el subjecte.

> ***Menjo*** *la carn més aviat crua.* = ***Em menjo*** *la carn més aviat crua.*

Forma i ús de la combinació de pronoms em, et, es, ens, us, es + el, la, els, les

▨ Quan les formes dels pronom **em, et, es, ens, us, es** es combinen amb els pronoms d'objecte directe **el, la, els, les** prenen formes diferents, segons si el verb comença per consonant, o per vocal o **h.** En qualsevol cas, els pronoms **em, et, es, ens, us, es** es col·loquen davant dels pronoms d'objecte directe.

	el		la		els	les
em	me'l	me l'	me la	me l'	me'ls	me les
et	te'l	te l'	te la	te l'	te'ls	te les
es	se'l	se l'	se la	se l'	se'ls	se les
ens	ens el	ens l'	ens la	ens l'	ens els	ens les
us	us el	us l'	us la	us l'	us els	us les
es	se'l	se l'	se la	se l'	se'ls	se les

▨ Quan el segon pronom es pot apostrofar amb el verb, s'hi apostrofa i no s'apostrofa amb el pronom anterior. Quan dos pronoms s'apostrofen entre si, l'apòstrof va al màxim a la dreta.

> *Com **te'l** menges el peix?*   *Com t'el menges el peix?*
> *Avui **me l'**he menjat fregit.*   *Avui me'l he menjat fregit.*

Ús de ben i bon, bona, bons, bones

▨ L'adverbi **bé** es transforma en **ben,** davant d'un participi o d'un adverbi.

> *Prefereixo la carn **ben** cuita.*

▨ L'adjectiu **bo** es transforma en **bon, bona, bons, bones** davant d'un nom. En aquest cas, a més de fer la concordança amb el nom en gènere i nombre, l'adjectiu s'acostuma a determinar amb l'article indefinit.

> *M'estimo més **un bon** bistec de vedella.*

Ús del verb ser

▨ Per indicar qualitats físiques tant permanents com transitòries d'un menjar acostumem a fer servir el verb **ser** + adjectiu, perquè és com si ens referíssim al subjecte pensant només en tal com és en aquell moment, sense tenir en compte si es tracta d'un estat transitori o no.

> *El peix **és** fred.*
> *L'escudella **és** molt bona.*

Ús de la preposició a

▧ Generalment acostumem a utilitzar la preposició **a** per introduir la manera com està fet un menjar, ja sigui per l'utensili amb què es cou, ja sigui pel nom de la recepta: *carn **a** la brasa, musclos **a** la marinera...*

Ús dels connectors per i perquè

▧ Les estructures **per** + infinitiu i **perquè** + oració subordinada en subjuntiu poden servir per introduir la finalitat d'una acció.

▧ En l'estructura **per** + infinitiu el subjecte pot anar davant o darrere.

> ***Les patates, per ser*** *bones, s'han de coure a poc a poc.*
> ***Per ser*** *bones, **les patates** s'han de coure a poc a poc.*

▧ L'estructura **perquè** + oració subordinada en subjuntiu permet que el subjecte vagi després del **perquè** o després del verb.

> ***Perquè les patates*** *quedin bones, les coc a poc a poc.*
> *Perquè **quedin** bones **les patates,** les coc a poc a poc.*

Estructures per donar instruccions

▧ Per donar instruccions podem utilitzar les estructures següents.

cal + infinitiu	***Cal fregir*** *la ceba a poc a poc.*
cal que + present de subjuntiu	***Cal que*** *l'oli **sigui** ben calent.*
imperatiu	***Posa*** *la sal a l'olla.*
no + subjuntiu	***No posis*** *més sal a l'olla.*
haver de + infinitiu	*Per arrebossar la carn, **has de passar**-la per ou i pa ratllat.*
deixar (present d'indicatiu / imperatiu) que + subjuntiu	***Deixa / Deixes que es begui*** *el suc.*
present d'indicatiu	***Agafes*** *l'enciam i el **rentes** bé.*
present d'indicatiu (impersonal)	***S'agafa*** *l'enciam i **es renta** bé. **S'ha** d'agafar l'enciam i **s'ha** de rentar bé.*

▧ Per donar instruccions no es pot fer servir l'infinitiu.   ~~Fregir~~ *la ceba abans de tirar el tomàquet.*

Tractaments per donar instruccions

▧ Quan tenim en compte el destinatari d'una instrucció utilitzem el tractament formal o informal, depenent de la situació. Cal mantenir sempre la mateixa persona verbal que fa referència al destinatari.

tractament informal	**tu** (2a persona singular)	*cal que tallis, amaneix, no salis, has de bullir, deixa reposar, talles...*
	vosaltres (2a persona plural)	*cal que talleu, escaldeu, no afegiu, heu de tallar, deixeu refredar, coleu...*
tractament formal	**vostè** (3a persona singular)	*cal que talli, amaneixi, no escalfi, ha d'afegir, deixi escalfar, fregeix...*
	vostès (3a persona plural)	*cal que posin, escaldin, no rosteixin, han d'escaldar, deixin refredar, fregeixen...*

▪ Si volem no fer referència explícita al destinatari utilitzem la forma impersonal amb el pronom **es / s'** i el verb en tercera persona del present d'indicatiu, o **cal** + infinitiu.

> *Per preparar aquest plat, **es tallen** les patates a rodanxes, **s'escalden** els tomàquets...*
> ***Cal rentar** bé el peix abans de fregir-lo.*

Ús dels pronoms hi i en

▪ El complement de lloc gairebé sempre se substitueix pel pronom **hi**. Quan expliquem receptes cal no confondre aquest complement per l'objecte indirecte **li / els.**

*A l'olla, posa-**hi** un raig d'oli.*	*A l'olla, posa-li un raig d'oli.*
*Als bistecs no cal que **hi** posis sal.*	
*Posa la paella al foc i posa-**hi** oli.*	*Als bistecs no cal que els posis sal.*
*Quan la ceba sigui cuita, afegeix-**hi** els alls i el tomàquet.*	

▪ Quan volem ressaltar un element de la frase normalment el posem davant. Si aquest element és un objecte directe indeterminat, l'hem d'introduir per la preposició **de** i després hem de repetir-lo en forma pronominal, amb el pronom **en.** Aquest element avançat se sol separar amb una coma.

> ***De peix,** no **en** menjo gaire.*

▪ Els pronoms **en** i **hi** es combinen i prenen les formes: **n'hi,** davant del verb, i **–n'hi,** darrere del verb.

*De sal, **n'hi** poso o no **n'hi** poso?*	*A la sopa, poso sal?*
*Posa-**n'hi** una mica.*	*Posa una mica.*

Forma del present d'indicatiu, del present de subjuntiu i de l'imperatiu dels verbs coure, treure i fregir

Present d'indicatiu

COURE	TREURE	FREGIR
coc	trec	fregeixo
cous	treus	fregeixes
cou	treu	fregeix
coem	traiem	fregim
coeu	traieu	fregiu
couen	treuen	fregeixen

Present de subjuntiu

COURE	TREURE	FREGIR
cogui	tregui	fregeixi
coguis	treguis	fregeixis
cogui	tregui	fregeixi
coguem	traguem	fregim
cogueu	tragueu	fregiu
coguin	treguin	fregeixin

Imperatiu

COURE	TREURE	FREGIR
cou	treu	fregeix
cogui	tregui	fregeixi
coguem	traguem	fregim
coeu	traieu	fregiu
coguin	treguin	fregeixin

Ús de verbs que indiquen canvis físics

◼ **Fer-se** i **tornar-se:** aquests dos verbs marquen un canvi físic, de condició... Acostumen a poder anar amb qualsevol adjectiu per descriure canvis d'estats dels menjars: agre, dur, àcid, madur... L'adverbi **malbé** només accepta el verb **fer-se.**

◼ Hi ha altres verbs que indiquen canvis en el menjar com ara: **endurir-se, estovar-se, cremar-se, ressecar-se, agafar-se, enganxar-se...**

> El peix **s'ha fet malbé.**
>
> Si deixes la llet fora de la nevera **es tornarà agra.**
>
> Posa oli a la sopa, perquè no **s'agafi.**

Connectors tan bon punt, quan, fins que, abans que, encara que

◼ **Tan bon punt, quan, fins que, abans que, encara que** introdueixen una oració que fa la funció de complement temporal. En les instruccions, serveixen per presentar un fet com a contemporani d'un altre o immediatament anterior o posterior. (**Encara que,** tot i ser un connector concessiu, pot utilitzar-se en sentit temporal.)

◼ **Tan bon punt, quan, fins que** introdueixen una oració que pot anar en present o en perfet d'indicatiu o de subjuntiu. Usem l'indicatiu quan ens referim a un present habitual o al passat, i el subjuntiu quan ens referim a un moment futur.

	INDICATIU		SUBJUNTIU
	Present habitual	Passat	Futur
tan bon punt	**Tan bon punt** els llagostins **canvien** de color, es treuen de l'aigua.	**Tan bon punt** els llagostins **han canviat** de color, es treuen de l'aigua.	**Tan bon punt** els llagostins **canviïn / hagin canviat** de color, es treuen de l'aigua.
quan	**Quan** el brou **bull**, s'apaga el foc.	**Quan** el brou **ha bullit**, apaga el foc.	**Quan** el brou **bulli / hagi bullit**, apaga el foc.
fins que	**Fins que** el puré no **queda** ben fi, no es pot deixar de batre.	**Fins que** el puré no **ha quedat** ben fi, no es pot deixar de batre.	**Fins que** el puré **no quedi / hagi quedat** ben fi, no es pot deixar de batre.

◼ Fixa't en quin moment es realitza l'acció de l'oració temporal.

> Quan el brou **bull,** s'apaga el foc. (Present habitual: en el moment en què el brou comença a bullir.)
>
> Quan el brou **ha bullit** (una hora), apaga el foc. (Passat: el brou fa una hora que bull.)
>
> Quan el brou **bulli,** apaga el foc. (Futur: el brou encara no ha començat a bullir.)
>
> Quan el brou **hagi bullit,** apaga el foc. (Futur: el brou encara no ha acabat de bullir.)

◼ **Abans que, encara que** introdueixen una oració que pot anar en present o en perfet de subjuntiu.

	Present de subjuntiu / Perfet de subjuntiu
abans que	**Abans que** els macarrons **es gratinin,** posa-hi formatge ratllat. **Talla el salmó abans que s'hagi descongelat.**
encara que	Pots posar la verdura al foc, **encara que** l'aigua **no bulli.** Rectifica el guisat de sal i pebre, **encara que** ja n'hi **hagis posat.**

Forma dels pronoms amb l'imperatiu

En l'imperatiu, els pronoms es col·loquen sempre darrere del verb i hi van lligats amb un apòstrof, si desapareix una vocal, o un guionet.

'l			-lo
-la			-la
'ls	verb acabat en vocal, excepte **–u**	verb acabat en consonant o **–u**	-los
-les			-les
'n			-ne
-ho			-ho
-hi			-hi

posa**'l**	afegeix-**lo**	poseu-**lo**
posa-**la**	afegeix-**la**	poseu-**la**
posa**'ls**	afegeix-**los**	poseu-**los**
posa-**les**	afegeix-**les**	poseu-**les**
posa**'n**	afegeix-**ne**	poseu-**ne**
posa-**ho**	afegeix-**ho**	poseu-**ho**
posa-**hi**	afegeix-**hi**	poseu-**hi**

Combinació dels pronoms el, la, els, les, en + hi

	hi		
el	l'hi	-l'hi	-l'hi
la	la hi (l'hi)	-la-hi (-l'hi)	-la-hi (-l'hi)
els	els hi	-los-hi	'ls-hi
les	les hi	-les-hi	-les-hi
en	n'hi	-n'hi	-n'hi

Poso el peix a la cassola?
*Posa-**l'hi** quan les patates ja siguin cuites.* (el peix = l', a la cassola = hi)

El pronom **ho** no es combina mai amb el pronom **hi.** Si es dóna el cas que els dos complements apareixen a la mateixa oració, només un dels dos es pot substituir pel pronom corresponent. És possible utilitzar la forma **l'hi,** com si el pronom neutre fos un pronom determinat.

Poso tot això a la cassola?
*Sí, posa-**hi** tot això. / Posa-**ho** tot a la cassola.*
*Sí, posa-**l'hi.***

Posa-~~ho-hi~~ tot.

5 JO, JO, JO... I ELS ALTRES

Estructures per opinar i fer suposicions

▦ Dins d'un context en el qual estem emetent opinions, a part de les estructures subjectives: **penso / crec / em sembla...,** podem fer servir: **és evident / està demostrat / és un fet / la veritat és / és veritat** + que + oració subordinada en indicatiu, per expressar la veracitat i l'objectivitat de l'opinió.

és evident		***És evident que*** *les relacions familiars al meu país* ***són*** *diferents de les d'aquí.*
està demostrat	que + indicatiu	***Està demostrat que*** *el percentatge de joves que viuen amb els pares* ***està creixent.***
és un fet		***És un fet que*** *els catalans* ***tenen*** *molt en compte la família.*
la veritat és / és veritat		***La veritat és que*** *al meu país les relacions familiars* ***són*** *com les d'aquí.*

▦ L'oració subordinada, que fa de subjecte, també pot anar davant del verb, quan volem anticipar l'opinió, sobretot en textos orals. En aquest cas no es perd la conjunció **que.**

> ***Que*** *el percentatge de joves que viuen amb els pares* ***està creixent, està demostrat.***

▦ Sovint aquestes estructures es fan servir després d'haver emès l'opinió, que és l'oració subordinada que fa de subjecte; llavors, l'oració o no es torna a repetir o se substitueix per algun altre element.

> *Les relacions familiars al meu país són diferents de les d'aquí.*
> ***(Això) és evident / està demostrat / és un fet / és veritat.*** *No obstant...*
>
> *Els catalans tenen molt en compte la família.*
> ***(El que dius / Aquest fenomen...) és evident / està demostrat / és un fet / és veritat.***
> *No obstant...*

▦ Quan opinem fent suposicions podem utilitzar verbs com **suposar, imaginar-se, dubtar...** seguits d'una oració subordinada que fa d'objecte directe.

▦ Si el verb de l'oració principal denota creença: **creure, pensar, suposar, tenir la impressió, estar segur, estar convençut, semblar, imaginar-se...,** el verb de l'oració subordinada va en indicatiu.

> *Crec que* ***es va divorciar.***
> *Suposo que* ***se'n va anar*** *a viure amb els seus pares.*
> *Em sembla que* ***s'han discutit.***
> *Estic segur que no* ***es van barallar.***

▦ No tots aquests verbs que denoten creença es poden negar. Si es neguen, el verb de l'oració subordinada acostuma a anar en subjuntiu. En els casos en què no podem negar el verb, el que podem fer és negar l'acció, mantenint el verb en indicatiu, tot i que el significat és diferent.

> ***No*** *crec / penso que* ***es divorciés / s'hagi divorciat.***
> ***No*** *estic segur que* ***se'n vagi*** *a viure amb els seus pares.*
> ***No*** *estem convençuts que* ***visquessin*** *junts.*
> ***No*** *m'imagino que* ***s'hagin barallat.***

Suposo que ***no es va casar.***	~~No suposo que es casés.~~
Tinc la impressió que ***no s'ha casat.***	~~No tinc la impressió que s'hagi casat~~
	~~No ens sembla que marxés de casa.~~

▫ Si el verb de l'oració principal denota dubte o desconeixença: **dubtar...,** possibilitat o probabilitat: **ser possible / probable, poder ser...,** impossibilitat o improbabilitat: **ser impossible / improbable, no poder ser...** el verb de l'oració subordinada va en subjuntiu.

> *Dubto que **es divorciessin.***
> *És possible que **hagin canviat** de casa.*
> *És impossible que **visquin** junts.*

▫ Quan fem suposicions de fets del passat, tot i que el verb de l'oració principal va en present, l'oració subordinada va en passat. Aquest passat pot ser perfet, imperfet o plusquamperfet, segons el moment en què s'hagi realitzat l'acció en el passat.

oració principal en present d'indicatiu	oració subordinada
suposar / imaginar-se...	que + indicatiu (passat)
no imaginar-se / no creure...	que + subjuntiu (passat)
dubtar	
és possible / probable...	

> *Saps què? M'han dit que l'Enric s'ha casat aquesta setmana.*
> *L'Enric? Dubto que **s'hagi casat.***
>
> *M'han dit que la Núria està separada.*
> *És possible que **se separés** l'any passat.*
>
> *Quan va deixar el seu marit ja s'havia enamorat del veí.*
> *Suposo que, quan **va deixar** el seu marit, ja **s'havia enamorat** del veí.*

Perífrasis anar + gerundi i començar a + infinitiu

anar + gerundi	Expressa una progressió de l'acció del verb que va en gerundi.	*De mica en mica **em vaig anar enamorant.***
començar a + infinitiu	Expressa l'inici de l'acció del verb que va en infinitiu.	***Vam començar a sortir** junts l'abril de l'any passat.*

Tractaments en la correspondència

▫ Quan ens adrecem a algú per escrit, ja sigui per carta o per correu electrònic, fem servir un tractament determinat segons el grau de coneixença, de respecte... que tinguem amb el destinatari.

▫ S'utilitzen tractaments molt formals o protocol·laris (Il·lustre, Excel·lentíssim...) quan ens adrecem a persones del món de la política, la cultura, la ciència... que ens mereixen un reconeixement pel càrrec que ocupen.

▫ A part d'aquests, acostumem a fer servir un tractament informal, quan ens adrecem a amics i coneguts, i un tractament formal, per a persones que coneixem poc, no coneixem o amb qui volem mantenir un tracte neutre.

▫ En tractaments informals l'emissor s'adreça al destinatari (tu o vosaltres) sense seguir cap fórmula ni en la salutació ni en el comiat. Per saludar, es pot escriure el nom del destinatari, una exclamació... i per acomiadar-se, es pot utilitzar qualsevol paraula afectiva, o de salutació...

salutació	comiat
Pep,	Apa, adéu!
Hola, Joan, / Hola, noies!	Un petó,
Ei! Com anem?...	Una abraçada,...

▦ En tractaments formals l'emissor s'adreça al destinatari (vostè o vostès) seguint unes fórmules convencionals, que poden variar segons el grau de formalitat que es vulgui mantenir.

salutació	comiat
Senyor,	*Atentament,*
Senyora,	*Ben atentament,*
Distingit senyor,	*El / La / Els / Les saludo atentament.*
Distingida senyora,	*Cordialment,*
Benvolguts socis,	*Ben cordialment,*
Benvolgudes senyores,...	*Una salutació cordial,*

▦ Quan utilitzem un determinat tractament: **tu, vosaltres, vostè, vostès** hem de ser coherents amb tots els elements lingüístics que hi fan referència: persones verbals, possessius, pronoms febles...

	verbs	possesius	pronoms d'objecte directe	pronoms d'objecte indirecte
tu	2a persona del singular	2a persona **el teu / els teus / la teva / les teves**	2a persona del singular **et / t' / -te / 't**	2a persona del singular **et / t' / -te / 't**
	Suposo que **has rebut** *la meva carta...*	*Avui he rebut* **els teus** *missatges...*	**Et** *saludo...*	**T'**escric aquest correu...
vosaltres	2a persona del plural	2a persona **el vostre / els vostres / la vostra / les vostres**	2a persona del plural **us / -vos / -us**	2a persona del plural **us / -vos / -us**
	Suposo que **heu rebut** *la meva carta...*	*Avui he rebut* **els vostres** *missatges...*	**Us** *saludo...*	**Us** *escric aquest correu...*
vostè	3a persona del singular	3a persona **el seu / els seus / la seva / les seves**	3a persona del singular **el / la / l' / -lo / la / 'l**	3a persona del singular **li / -li**
	Suposo que **ha rebut** *la meva carta...*	*Avui he rebut* **els seus** *missatges...*	**El** *saludo...*	**Li** *escric aquest correu...*
vostès	3a persona del plural	3a persona **el seu / els seus / la seva / les seves**	3a persona del plural **els / les / -los / -les / 'ls**	3a persona del plural **els / -los / 'ls**
	Suposo que **han rebut** *la meva carta...*	*Avui he rebut* **els seus** *missatges...*	**Els** *saludo...*	**Els** *escric aquest correu...*

Imperatiu dels verbs enviar, trucar, escriure, anar i fer

Imperatiu				
ENVIAR	TRUCAR	ESCRIURE	ANAR	FER
envia	truca	escriu	vés	fes
enviï	truqui	escrigui	vagi	faci
enviem	truquem	escriguem	anem	fem
envieu	truqueu	escriviu	aneu	feu
enviïn	truquin	escriguin	vagin	facin

Correlació temporal en l'estil indirecte

estil directe	estil indirecte
imperatiu	present de subjuntiu / imperfet de subjuntiu

estil directe		estil indirecte	
Em diu:		Em diu	*que li truqui.*
M'ha dit:	*«Truca'm.»*	M'ha dit	*que li truqui / truqués.*
Em va dir:		Em va dir	*que li truqués.*
M'havia dit:		M'havia dit	*que li truqués.*

Estructures per fer valoracions

▧ Per fer valoracions sobre fets o actuacions d'altres, podem utilitzar verbs que denoten estats emotius com: **molestar, preocupar, entristir, sorprendre, impressionar, indignar, saber greu, agrair, confiar, espantar, odiar, lamentar, fer por, fer pena, fer llàstima, estar content, no haver-hi dret...,** en present d'indicatiu, seguits d'una oració subordinada en subjuntiu.

▧ Si la valoració es refereix a un fet present o futur, el verb de l'oració subordinada va en present de subjuntiu. Si la valoració es refereix a un fet acabat en un passat recent, el verb de l'oració subordinada va en perfet de subjuntiu.

▧ La correlació temporal és la següent.

oració principal	oració subordinada	
	fet present o futur	fet passat
present d'indicatiu	present de subjuntiu	perfet de subjuntiu
	*Em preocupa que aquestes obres que estan fent **durin** tant.*	*Ara que veig com han acabat les obres, em sorprèn que **hagin fet** les voreres tan estretes.*

Ús del verb fer

▧ Quan volem fer referència a la realització d'una actuació, ja expressada anteriorment, podem utilitzar el verb que significa aquesta actuació o el verb **fer.** Per poder utilitzar el verb **fer,** però, els verbs han de representar accions que es puguin dur a terme.

▧ Si els verbs que expressen aquesta actuació requereixen un objecte directe, quan el substituïm, amb aquests verbs, ho fem amb els pronoms corresponents d'objecte directe. Si utilitzem el verb **fer,** el pronom que substitueix l'actuació és **ho.**

▧ Quan utilitzem aquests tipus d'oracions per demanar o confirmar la imminència d'una actuació, els verbs solen anar en perfet d'indicatiu i acompanyats dels adverbis **ja** i **encara no**.

> *Has clicat* la icona de l'altaveu?
> No, ara **la clico.** / No, ara **ho faig.**

> *Ja has desconnectat l'ordinador?*
> No, **encara** no l'he desconnectat. / **Encara** no ho he fet.

> *Ja **han acabat** les obres?*
> No, encara no **les han acabat.**

> Ja han acabat les obres?
> ~~No encara no ho han fet.~~

Estructures per demanar un favor, permís i per oferir-se a fer una cosa

Per demanar un favor i respondre-hi

▨ Per demanar un favor podem utilitzar les formes del verb **poder,** en present o en condicional + infinitiu. La utilització del condicional matisa la petició i la fa més indirecta o cortesa.

▨ Les respostes a la petició són afirmatives o negatives, segons que la voluntat de l'interlocutor sigui de fer o no fer el favor. Quan responem afirmativament, no solem utilitzar el verb **poder.** Quan neguem, acostumem a acompanyar la negació amb el verb **poder** i alguna frase de disculpa, o amb alguna excusa.

Podeu ajudar-me?
Sí, home, ja t'ajudem.

Podries arreglar l'ordinador?
*Ho sento, ara **no puc.** És que tinc molta pressa.*

▨ També podem utilitzar l'estructura **fa / faria res** + infinitiu. **Fa / faria** sempre va en tercera persona del singular, perquè el subjecte és un infinitiu.

▨ Si la voluntat de l'interlocutor és de fer el favor, la resposta amb la forma **fa / faria res** és negativa. Si la voluntat de l'interlocutor és de no fer el favor, no fem servir la forma **fa / faria res,** sinó que responem de la mateixa manera que ho fem amb el verb **poder.**

em	
et	
li	fa / faria res + infinitiu
ens	
us	
els	

Us fa res ajudar-me?
No, no ens fa res.

Li faria res apujar el volum?
No, no... Ara l'apujo.

~~Sí que ens fa res.~~

Et faria res arreglar l'ordinador?
*Ho sento, ara **no puc.** És que ara tinc feina.*

Per demanar permís i respondre-hi

▨ Per demanar permís podem utilitzar les formes del verb **poder,** en present o en condicional + infinitiu. La utilització del condicional matisa la sol·licitud i la fa més indirecta o cortesa.

▨ En les respostes, tant si són afirmatives com si són negatives, no s'utilitza el verb **poder.** Les respostes negatives solen anar acompanyades d'una frase de disculpa o d'alguna excusa.

Podem apagar els llums?
Sí, és clar!

~~Sí que podeu.~~

Podria fer servir el teu ordinador?
Perdona, però és que ara el necessito.

▨ També podem utilitzar les estructures següents.

em		
et		
li	fa res	que + present de subjuntiu
ens		
us		si + present d'indicatiu
els		

▨ Si la voluntat de l'interlocutor és de concedir el permís, la resposta amb la forma **fa res** és negativa. Si la voluntat de l'interlocutor és de no fer el favor, no fem servir la forma **fa res,** sinó que responem amb alguna disculpa o excusa.

Et fa res que utilitzi el teu ordinador?
No, no em fa res.

~~Sí que em fa res.~~

Et fa res si utilitzo el teu ordinador?
Home! És que ara el faig servir jo i...

5

Per oferir-se a fer una cosa i respondre-hi

■ Per oferir-se a fer una cosa podem utilitzar les formes del verb **voler,** en present d'indicatiu, + que + oració subordinada en present de subjuntiu.

■ En les respostes, afirmatives o negatives, no se sol utilitzar el verb **voler.** Se solen acompanyar amb algunes expressions d'agraïment. En les respostes negatives, la negació s'acostuma a acompanyar amb la forma **no cal.**

> *Vols que t'ajudi?*
> Ai, *sí,* gràcies!
>
> *Voleu que apagui els llums?*
> No, *no cal.* Gràcies.

Estructures per expressar condicions

■ En fulls d'informacions, de reclamacions, de denúncies..., que demanen un cert grau de formalitat, s'hi acostumen a detallar condicions, que es fan en un llenguatge neutre, formal i sovint impersonal. A més del connector **si,** poden anar introduïdes pels connectors **en cas de / que** i **sempre que.**

en cas	de + infinitiu	*En cas de perdre* el DNI, podeu demanar-ne un duplicat.
	que + present de subjuntiu	*En cas que* el propietari no *tingui* fulls de reclamació, empleneu el model que us adjuntem.

sempre	que + present de subjuntiu	*Sempre que sigui* víctima d'una possible estafa, ha de fer la denúncia pertinent.

EL MÓN D'AVUI... I EL DE DEMÀ

Estructures per donar opinions i fer valoracions

▓ Sovint quan donem opinions, des del present, fent valoracions respecte del futur, utilitzem verbs com: **creure, pensar, suposar, tenir la impressió, estar segur, estar convençut, semblar, imaginar- se...** + que + oració subordinada en futur, que pot ser afirmativa o negativa.

> *Suposo que el ministre **dimitirà**.*
> *Crec que no **firmaran** el tractat de pau.*
> *Tinc la impressió que l'ambaixador **firmarà** els documents.*

▓ Aquests verbs, que denoten creença, es poden negar; llavors el verb de l'oració subordinada acostuma a anar en subjuntiu. Hi ha, però, algun d'aquests verbs que no se solen negar. El que sempre podem fer és negar l'acció, mantenint el verb de l'oració subordinada en indicatiu, tot i que el significat és diferent.

> *No crec / penso que **firmin** el tractat de pau.* ≈ *Crec / penso que no **firmaran** el tractat de pau.*
> *No estic segura que el ministre **dimiteixi**.* ≈ *Estic segura que el ministre no **dimitirà**.*
> *No estem convençuts que el jutge els **condemni**.* ≈ *Estem convençuts que el jutge no els **condemnarà**.*
> *No m'imagino que **prohibeixin** els matrimonis homosexuals.* ≈ *M'imagino que no **prohibiran** els matrimonis homosexuals.*
>
> *Suposo que el ministre no **dimitirà**.*
> *Tinc la impressió que l'ambaixador no **firmarà** els documents.*

> ~~No suposo que el ministre dimiteixi.~~
>
> ~~No tinc la impressió que l'ambaixador firmarà els documents.~~
>
> ~~No ens sembla que la ministra aprovarà el pressupost.~~

▓ **Tant de bo** és una expressió que serveix per introduir un desig o una esperança. Quan la utilitzem en una oració de futur, el verb pot anar en present o en imperfet de subjuntiu, segons el grau de credibilitat que ens mereixi l'esdeveniment.

> *Tant de bo que s'acabi aquesta guerra.* (És possible que s'acabi la guerra.)
> *Tant de bo que s'acabessin totes les guerres del món.* (És gairebé impossible que s'acabin les guerres.)

▓ Podem utilitzar l'estructura **(no) m'estranyaria** + que + oració subordinada en imperfet de subjuntiu per referir-nos al grau de convicció que tenim que un fet s'esdevingui o no s'esdevingui en el futur.

> *M'estranyaria que s'acabés la fam al món.*
> *No m'estranyaria que desapareguessin moltes espècies d'animals.*

Hipòtesis des del present cap al futur

▓ Quan fem hipòtesis des del present cap al futur expressem una condició no existent en la realitat.

▓ Si creiem que la condició és possible que es realitzi, el verb de l'oració condicional, introduïda per **si,** va en present d'indicatiu i el de l'oració principal, en futur o en present.

> *Si el govern **dicta** ordres absurdes, ningú no l'**obeirà**.*
> *Si el monarca **dimiteix,** s'**hauran** de fer eleccions.*

▓ Si creiem que la condició no és gaire possible o és impossible que es realitzi, el verb de l'oració condicional, introduïda per **si,** va en imperfet de subjuntiu i el de l'oració principal, en condicional.

> *Si **hi hagués** més solidaritat, no **hi hauria** tantes diferències socials.*
> *Si **manessin** les dones, els homes **tindrien** menys feina.*

Perífrasi estar a punt de + infinitiu

▦ Per expressar que un fet passarà en un futur molt pròxim podem utilitzar **estar a punt de** + infinitiu.

*El petroli **està a punt d'acabar-se**.*

Perífrasis d'obligació en futur

▦ Per fer recomanacions, donar consells, expressar una obligació o necessitat..., en el futur, podem fer-ho amb **haver de** o **caldre,** en forma impersonal o personal.

impersonal	s'haurà	de + infinitiu	*Si no plou, **s'haurà d'estalviar** l'aigua.*
	caldrà	+ infinitiu	***Caldrà buscar** una solució al problema del medi ambient.*
personal	hauré, hauràs, haurà...	de + infinitiu	***Haurem d'anar** amb transport públic per no contaminar les ciutats.*
	caldrà	que + present subjuntiu	***Caldrà que** el govern **protegeixi** les reserves naturals.*

Connectors quan i fins que

▦ Quan a una oració en futur hi subordinem una acció futura amb els connectors **quan** i **fins que,** el verb de l'oració subordinada pot anar en present de subjuntiu o futur, i en perfet de subjuntiu o futur compost.

*No **faran** res **fins que** no **quedi** / **quedarà** una gota d'aigua.*
***Es preocuparan** del problema de l'aigua **quan** ja **s'hagi acabat** / **s'haurà acabat**.*

▦ Quan a una oració en passat hi subordinem una acció, no puntual, passada, amb el connector **quan,** el verb de l'oració subordinada pot anar en imperfet d'indicatiu o en plusquamperfet d'indicatiu.

***Van actuar** / **Han actuat quan era** massa tard i ja **s'havien acabat** els recursos.*

Connectors que indiquen conseqüència, condició i finalitat

conseqüència o efecte	així (doncs) així que aleshores de manera que doncs per això per tant	*Els nens no fan exercici, **per això** augmenta l'obesitat infantil.*
condició	en cas de / que sempre que només que	***En cas que** es cansi molt, deixi de fer l'exercici.*
finalitat	perquè a fi de / que per tal de / que amb l'objectiu de / que amb la finalitat de / que	*No s'ha de fer exercici **amb la finalitat** de ser un esportista d'elit.*

Imperatiu dels verbs estar, seure, moure, caure, jeure, empènyer, córrer, ajupir-se i acostar-se

Imperatiu

ESTAR	SEURE	MOURE	CAURE	JEURE	EMPÈNYER	CÒRRER	AJUPIR-SE
estigues	seu	mou	cau	jeu	empeny	corre	ajup-te
estigui	segui	mogui	caigui	jegui	empenyi	corri	ajupi's
estiguem	seguem	moguem	caiguem	jaguem	empenyem	correm / correguem	ajupim-nos
estigueu	seieu	moveu	caieu	jaieu	empenyeu	correu	ajupiu-vos
estiguin	seguin	moguin	caiguin	jeguin	empenyin	corrin	ajupin-se

▓ Quan donem ordres o instruccions en negatiu utilitzem el present de subjuntiu.

Present de subjuntiu dels verbs estar, seure, moure, caure, jeure, empènyer, córrer, ajupir-se i acostar-se

Present de subjuntiu

ESTAR	SEURE	MOURE	CAURE	JEURE	EMPÈNYER	CÓRRER
estigui	segui	mogui	caigui	jegui	empenyi	corri
estiguis	seguis	moguis	caiguis	jeguis	empenyis	corris
estigui	segui	mogui	caigui	jegui	empenyi	corri
estiguem	seguem	moguem	caiguem	jaguem	empenyem	correm / correguem
estigueu	segueu	mogueu	caigueu	jagueu	empenyeu	correu / corregueu
estiguin	seguin	moguin	caiguin	jeguin	empenyin	corrin

Present de subjuntiu

AJUPIR-SE
m'ajupi
t'ajupis
s'ajupi
ens ajupim
us ajupiu
s'ajupin

Estigues quiet i *no et moguis.*
No estiguis quiet, *mou-te.*

Seieu a terra.
No segueu a terra.

Moveu els braços.
No mogueu els braços.

Forma dels pronoms et, es, ens, us i es amb l'imperatiu

▓ En l'imperatiu, els pronoms es col·loquen sempre darrere del verb i hi van lligats amb un apòstrof, si desapareix una vocal, o un guionet.

't / -te	*acosta't, ajup-te*
's	*bellugui's, tombi's*
-nos	*agafem-nos, aixequem-nos*
-vos	*arronseu-vos, estireu-vos*
-se	*dobleguin-se, girin-se*

Quadres gramaticals

PRONOMS
Pronoms personals febles

▦ Els pronoms personals febles només poden anar darrere del verb si la forma verbal és infinitiu, gerundi o imperatiu. En les perífrasis d'infinitiu i de gerundi els pronoms poden anar davant o darrere.

> Me n'he enamorat només de mirar-**la.**
> Comparant-**les,** veuràs millor la diferència.
> Vés-**te'n!**
> **Ho** vaig veure clar de seguida. = Vaig veure-**ho** clar de seguida.
> **M'**estic esperant. = Estic esperant-**me.**

▦ Si en els contactes entre un verb i un pronom es perd una vocal (**e** o **a**) sempre és la del pronom i es representa per un apòstrof (').

▦ Els pronoms **em (m'), et (t'), es (s'), el (l'), la (l'), en (n')** perden la vocal davant d'un verb començat per vocal o **h.**

> **M'**ha donat la mà.
> **T'**estima.
> **L'**espero cada dia.

▦ Els pronoms **em ('m), et ('t), es ('s), ens ('ns), el ('l), els ('ls), en ('n)** perden la vocal darrere d'un verb acabat en vocal, excepte **–u.**

> Dóna**'m** la mà.
> Saluda**'l** de part meva.
> Va veure**'ns** al cine.

	davant del verb				darrere del verb			
	el verb comença per consonant		el verb comença per vocal o **h**		el verb acaba en consonant o **–u**		el verb acaba en vocal, excepte **–u**	
	singular	plural	singular	plural	singular	plural	singular	plural
1a persona	em	ens	m'	ens	–me	–nos	'm	'ns
2a persona	et	us	t'	us	–te	–vos	't	–us
3a persona	es		s'		–se		's	
	el	els	l'	els	–lo	–los	'l	'ls
	la	les	l'	les	–la	–les	–la	–les
	en		n'		–ne		'n	
	ho		ho		–ho		–ho	
	li	els	li	els	–li	–los	–li	'ls
	hi		hi		–hi		–hi	

Combinació de pronoms

▦ Quan hi ha dos pronoms en una forma verbal composta sempre van junts.

> **Me'n** vaig anar. = Vaig anar-**me'n.**
> No **se la** pot comprar. = No pot comprar-**se-la.**

> ~~En vaig anar-me.~~
> ~~No es pot comprar-la.~~

▦ Quan dos pronoms s'apostrofen entre ells, el que perd la vocal és el segon.

> **Me'l** portes?   ~~M'el portes?~~

- Davant del verb, entre verb i pronom, no hi va mai guionet. Darrere del verb, si el pronom no s'hi apostrofa, hi va sempre unit per un guionet (-).

La vaig comprar. *Vaig* **comprar-la**	~~*La vaig comprar.*~~ ~~*Vaig comprar la.*~~

- Quan hi ha la combinació de dos pronoms darrere del verb units amb guionet, el segon pronom té la mateixa forma que quan va davant del verb, si aquest comença per consonant.

*Vaig comprar-vos-**el**.* *Dóna'ns-**en**.*	~~*Vaig comprar-vos-lo.*~~ ~~*Dóna'ns-ne.*~~

- Davant del verb, els pronoms **em, et, es** prenen la forma **me, te, se** quan es combinen amb un altre pronom, excepte amb els pronoms **hi** i **ho.**

Me la *va regalar.*	~~*Em la va regalar.*~~

- Les formes de les combinacions dels quadres que hi ha a continuació estan ordenades de la manera següent.

  1. El verb comença per consonant: ***me'l*** *compro,* ***ens el*** *compres...*
  2. El verb comença per vocal o **h:** *me l'omplen, me l'ha donat...*
  3. El verb acaba en consonant o **–u:** *va comprar-**te'l**, compreu-**nos-el**...*
  4. El verb acaba en vocal, excepte **–u:** *compra'**ns-el**, va prendre-**us-el**...*

	el	**la**	**els**	**les**	**en**	**ho**	**hi**
em	me'l me l' –me'l –me'l	me la me l' –me–la –me–la	me'ls me'ls –me'ls –me'ls	me les me les –me–les –me–les	me'n me n' –me'n –me'n	m'ho m'ho –m'ho –m'ho	m'hi m'hi –m'hi –m'hi
et	te'l te l' –te'l –te'l	te la te l' –te–la –te–la	te'ls te'ls –te'ls –te'ls	te les te les –te–les –te–les	te'n te n' –te'n –te'n	t'ho t'ho –t'ho –t'ho	t'hi t'hi –t'hi –t'hi
es	se'l se l' –se'l –se'l	se la se l' –se–la –se–la	se'ls se'ls –se'ls –se'ls	se les se les –se–les –se–les	se'n se n' –se'n –se'n	s'ho s'ho –s'ho –s'ho	s'hi s'hi –s'hi –s'hi
ens	ens el ens l' –nos–el 'ns–el	ens la ens l' –nos–la 'ns–la	ens els ens els –nos–els 'ns–els	ens les ens les –nos–les 'ns–les	ens en ens n' –nos–en 'ns–en	ens ho ens ho –nos–ho 'ns–ho	ens hi ens hi –nos–hi 'ns–hi
us	us el us l' –vos–el –us–el	us la us l' –vos–la –us–la	us els us els –vos–els –us–els	us les us les –vos–les –us–les	us en us n' –vos–en –us–en	us ho us ho –vos–ho –us–ho	us hi us hi –vos–hi –us–hi
li	l'hi l'hi –l'hi –l'hi	la hi (l'hi) la hi (l'hi) –la–hi (–l'hi) –la–hi (–l'hi)	els hi els hi –los–hi 'ls–hi	les hi les hi –les–hi –les–hi	li'n (n'hi) li'n (n'hi) –li'n (–n'hi) –li'n (–n'hi)	li ho (l'hi) li ho (l'hi) –li–ho (–l'hi) –li–ho (–l'hi)	li hi li hi –li–hi –li–hi
els	els el els l' –los–el 'ls–el	els la els l' –los–la 'ls–la	els els els els –los–els 'ls–els	els les els les –los–les 'ls–les	els en els n' –los–en 'ls–en	els ho els ho –los–ho 'ls–ho	els hi els hi –los–hi 'ls–hi

	el	**la**	**els**	**les**	**en**
hi	l'hi l'hi –l'hi –l'hi	la hi (l'hi) la hi (l'hi) –la–hi (–l'hi) –la–hi (–l'hi)	els hi els hi –los–hi 'ls–hi	les hi les hi –les–hi –les–hi	n'hi n'hi –n'hi –n'hi

VERBS

MODE INDICATIU

Present d'indicatiu

▦ Primera conjugació: **–ar**

▦ Models regulars

ESMORZAR	LLEVAR-SE
esmorzo	em llevo
esmorzes	et lleves
esmorza	es lleva
esmorzem	ens llevem
esmorzeu	us lleveu
esmorzen	es lleven

▦ Formes irregulars

ANAR	ANAR-SE'N	ESTAR	ESTAR-SE
vaig	me'n vaig	estic	m'estic
vas	te'n vas	estàs	t'estàs
va	se'n va	està	s'està
anem	ens en anem	estem	ens estem
aneu	us en aneu	esteu	us esteu
van	se'n van	estan	s'estan

▦ Segona conjugació: **–er** i **–re**

▦ Models regulars

PERDRE	TÉMER
perdo	temo
perds	tems
perd	tem
perdem	temem
perdeu	temeu
perden	temen

▦ Formes irregulars

Primera persona del present d'indicatiu acabat en **–c**

BEURE	CONÈIXER	COURE	DIR-SE	DUR	ENDUR-SE	ESCRIURE
bec	conec	coc	em dic	duc	m'enduc	escric
beus	coneixes	cous	et dius	dus (duus)	t'endús (t'enduus)	escrius
beu	coneix	cou	es diu	du (duu)	s'endú (s'enduu)	escriu
bevem	coneixem	coem	ens diem	duem	ens enduem	escrivim
beveu	coneixeu	coeu	us dieu	dueu	us endueu	escriviu
beuen	coneixen	couen	es diuen	duen	s'enduen	escriuen

PODER	PRENDRE	SER	SOLER	TREURE	VIURE
puc	prenc	sóc	solc	trec	visc
pots	prens	ets	sols	treus	vius
pot	pren	és	sol	treu	viu
podem	prenem	som	solem	traiem	vivim
podeu	preneu	sou	soleu	traieu	viviu
poden	prenen	són	solen	treuen	viuen

Irregularitats diverses

FER	HAVER-HI	SABER	VOLER
faig		sé	vull
fas		saps	vols
fa	hi ha	sap	vol
fem		sabem	volem
feu		sabeu	voleu
fan		saben	volen

▪ Tercera conjugació: **–ir**

▪ Models regulars

sense increment **–eix–**	amb increment **–eix–**
DORMIR	FREGIR
dormo	fregeixo
dorms	fregeixes
dorm	fregeix
dormim	fregim
dormiu	fregiu
dormen	fregeixen

▪ Formes acabades en **–air, –eir, –uir**

AGRAIR	OBEIR	TRADUIR
agraeixo	obeeixo	tradueixo
agraeixes	obeeixes	tradueixes
agraeix	obeeix	tradueix
agraïm	obeïm	traduïm
agraïu	obeïu	traduïu
agraeixen	obeeixen	tradueixen

▪ Formes irregulars

OBRIR	SORTIR	TENIR	VENIR
obro	surto	tinc	vinc
obres	surts	tens	véns
obre	surt	té	ve
obrim	sortim	tenim	venim
obriu	sortiu	teniu	veniu
obren	surten	tenen	vénen

Passat perifràstic d'indicatiu

▦ Models regulars

vaig	
vas	
va	infinitiu
vam	
vau	
van	

NÉIXER	CASAR-SE	ANAR-SE'N
vaig néixer	em vaig casar / vaig casar-me	me'n vaig anar / vaig anar-me'n
vas néixer	et vas casar / vas casar-te	te'n vas anar / vas anar-te'n
va néixer	es va casar / va casar-se	se'n va anar / va anar-se'n
vam néixer	ens vam casar / vam casar-nos	ens en vam anar / vam anar-nos-en
vau néixer	us vau casar / vau casar-vos	us en vau anar / vau anar-vos-en
van néixer	es van casar / van casar-se	se'n van anar / van anar-se'n

Imperfet d'indicatiu

▦ Models regulars

TREBALLAR	CONÈIXER	HAVER-HI	TENIR
treballava	coneixia		tenia
treballaves	coneixies		tenies
treballava	coneixia	hi havia	tenia
treballàvem	coneixíem		teníem
treballàveu	coneixíeu		teníeu
treballaven	coneixien		tenien

▦ Formes irregulars

Segona conjugació: formes que tenen la primera síl·laba tònica

Formes acabades en **–dre**

FER	DIR	DUR
feia	**de**ia	**du**ia
feies	**de**ies	**du**ies
feia	**de**ia	**du**ia
fèiem	**dè**iem	**dú**iem
fèieu	**dè**ieu	**dú**ieu
feien	**de**ien	**du**ien

SUSPENDRE
suspenia
suspenies
suspenia
suspeníem
suspeníeu
suspenien

Altres verbs: *riure, seure, treure, caure, veure, creure...*

Tercera conjugació: formes acabades en **–air, –eir, –uir**

AGRAIR	OBEIR	TRADUIR
agraïa	obeïa	traduïa
agraïes	obeïes	traduïes
agraïa	obeïa	traduïa
agraíem	obeíem	traduíem
agraíeu	obeíeu	traduíeu
agraïen	obeïen	traduïen

La primera i la segona persona del plural porten accent a la **i**, totes les altres hi porten dièresi.

Irregularitats diverses

DEURE	VIURE	SER
devia	vivia	era
devies	vivies	eres
devia	vivia	era
devíem	vivíem	érem
devíeu	vivíeu	éreu
devien	vivien	eren

Perfet d'indicatiu

Models regulars

		PARLAR	CASAR-SE
he		he parlat	m'he casat
has		has parlat	t'has casat
ha		ha parlat	s'ha casat
hem	participi	hem parlat	ens hem casat
heu		heu parlat	us heu casat
han		han parlat	s'han casat

Plusquamperfet d'indicatiu

Models regulars

		PARLAR	CASAR-SE
havia		havia parlat	m'havia casat
havies		havies parlat	t'havies casat
havia		havia parlat	s'havia casat
havíem	participi	havíem parlat	ens havíem casat
havíeu		havíeu parlat	us havíeu casat
havien		havien parlat	s'havien casat

Futur

▨ Models regulars

QUEDAR	CONÈIXER	PRENDRE	SORTIR
quedaré	coneixeré	prendré	sortiré
quedaràs	coneixeràs	prendràs	sortiràs
quedarà	coneixerà	prendrà	sortirà
quedarem	coneixerem	prendrem	sortirem
quedareu	coneixereu	prendreu	sortireu
quedaran	coneixeran	prendran	sortiran

▨ Formes irregulars

ANAR	FER	PODER	TENIR	TREURE	VENIR	VOLER	HAVER-HI
aniré	faré	podré	tindré	trauré	vindré	voldré	
aniràs	faràs	podràs	tindràs	trauràs	vindràs	voldràs	
anirà	farà	podrà	tindrà	traurà	vindrà	voldrà	hi haurà
anirem	farem	podrem	tindrem	traurem	vindrem	voldrem	
anireu	fareu	podreu	tindreu	traureu	vindreu	voldreu	
aniran	faran	podran	tindran	trauran	vindran	voldran	

Futur compost

▨ Models regulars

		PARLAR	CASAR-SE
hauré		hauré parlat	m'hauré casat
hauràs		hauràs parlat	t'hauràs casat
haurà	participi	haurà parlat	s'haurà casat
haurem		haurem parlat	ens haurem casat
haureu		haureu parlat	us haureu casat
hauran		hauran parlat	s'hauran casat

Condicional

▨ Models regulars

QUEDAR	CONÈIXER	PRENDRE	OBRIR
quedaria	coneixeria	prendria	obriria
quedaries	coneixeries	prendries	obriries
quedaria	coneixeria	prendria	obriria
quedaríem	coneixeríem	prendríem	obriríem
quedaríeu	coneixeríeu	prendríeu	obriríeu
quedarien	coneixerien	prendrien	obririen

Formes irregulars

ANAR	FER	PODER	TENIR	TREURE	VENIR	VOLER	HAVER-HI
aniria	faria	podria	tindria	trauria	vindria	voldria	
aniries	faries	podries	tindries	trauries	vindries	voldries	
aniria	faria	podria	tindria	trauria	vindria	voldria	
aniríem	faríem	podríem	tindríem	trauríem	vindríem	voldríem	hi hauria
aniríeu	faríeu	podríeu	tindríeu	trauríeu	vindríeu	voldríeu	
anirien	farien	podrien	tindrien	traurien	vindrien	voldrien	

MODE SUBJUNTIU
Present de subjuntiu

Models regulars

VACUNAR	PERDRE	TÉMER	DORMIR	FREGIR
vacuni	perdi	temi	dormi	fregeixi
vacunis	perdis	temis	dormis	fregeixis
vacuni	perdi	temi	dormi	fregeixi
vacunem	perdem	temem	dormim	fregim
vacuneu	perdeu	temeu	dormiu	fregiu
vacunin	perdin	temin	dormin	fregeixin

Formes acabades en **–air, –eir, –uir, –iar, –uar**

AGRAIR	OBEIR	TRADUIR	CANVIAR	CONTINUAR
agraeixi	obeeixi	tradueixi	canviï	continuï
agraeixis	obeeixis	tradueixis	canviïs	continuïs
agraeixi	obeeixi	tradueixi	canviï	continuï
agraïm	obeïm	traduïm	canviem	continuem
agraïu	obeïu	traduïu	canvieu	continueu
agraeixin	obeeixin	tradueixin	canviïn	continuïn

Formes irregulars

Primera persona del present d'indicatiu acabat en **–c**, present de subjuntiu en **–gu–**

CAURE	CONÈIXER	COURE	ESTAR	PODER	TENIR	TREURE	SER	VENIR
caigui	conegui	cogui	estigui	pugui	tingui	tregui	sigui	vingui
caiguis	coneguis	coguis	estiguis	puguis	tinguis	treguis	siguis	vinguis
caigui	conegui	cogui	estigui	pugui	tingui	tregui	sigui	vingui
caiguem	coneguem	coguem	estiguem	puguem	tinguem	traguem	siguem	vinguem
caigueu	conegueu	cogueu	estigueu	pugueu	tingueu	tragueu	sigueu	vingueu
caiguin	coneguin	coguin	estiguin	puguin	tinguin	treguin	siguin	vinguin

Irregularitats diverses

ANAR	CABRE	FER	SABER	SORTIR	VIURE	HAVER-HI
vagi	càpiga	faci	sàpiga	surti	visqui	
vagis	càpigues	facis	sàpigues	surtis	visquis	
vagi	càpiga	faci	sàpiga	surti	visqui	hi hagi
anem	capiguem	fem	sapiguem	sortim	visquem	
aneu	capigueu	feu	sapigueu	sortiu	visqueu	
vagin	càpiguen	facin	sàpiguen	surtin	visquin	

Imperfet de subjuntiu

Models regulars

DONAR	PERDRE	FER	SORTIR	FREGIR
donés	perdés	fes	sortís	fregís
donessis	perdessis	fessis	sortissis	fregissis
donés	perdés	fes	sortís	fregís
donéssim	perdéssim	féssim	sortíssim	fregíssim
donéssiu	perdéssiu	féssiu	sortíssiu	fregíssiu
donessin	perdessin	fessin	sortissin	fregissin

Formes irregulars

Primera persona del present d'indicatiu acabat en **–c**, imperfet de subjuntiu en **–gu–**

ESTAR	PODER	TENIR	VENIR	VOLER
estigués	pogués	tingués	vingués	volgués
estiguessis	poguessis	tinguessis	vinguessis	volguessis
estigués	pogués	tingués	vingués	volgués
estiguéssim	poguéssim	tinguéssim	vinguéssim	volguéssim
estiguéssiu	poguéssiu	tinguéssiu	vinguéssiu	volguéssiu
estiguessin	poguessin	tinguessin	vinguessin	volguessin

Irregularitats diverses

SER	HAVER-HI
fos	
fossis	
fos	hi hagués
fóssim	
fóssiu	
fossin	

Perfet de subjuntiu

▦ Models regulars

		PARLAR	CASAR-SE
hagi		hagi parlat	m'hagi casat
hagis		hagis parlat	t'hagis casat
hagi	participi	hagi parlat	s'hagi casat
hàgim / haguem		hàgim / haguem parlat	ens hàgim / haguem casat
hàgiu / hagueu		hàgiu / hagueu parlat	us hàgiu / hagueu casat
hagin		hagin parlat	s'hagin casat

MODE IMPERATIU

▦ Models regulars

	AGAFAR	EMPÈNYER	DORMIR	SEGUIR	ACOSTAR-SE	AJUPIR-SE
tu	agafa	empeny	dorm	segueix	acosta't	ajup-te
vostè	agafi	empenyi	dormi	segueixi	acosti's	ajupi's
nosaltres	agafem	empenyem	dormim	seguim	acostem-nos	ajupim-nos
vosaltres	agafeu	empenyeu	dormiu	seguiu	acosteu-vos	ajupiu-vos
vostès	agafin	empenyin	dormin	segueixin	acostin-se	ajupin-se

▦ Formes acabades en **–air, –eir, –uir, –iar, –uar**

	AGRAIR	OBEIR	TRADUIR	CANVIAR	CONTINUAR
tu	agraeix	obeeix	tradueix	canvia	continua
vostè	agraeixi	obeeixi	tradueixi	canviï	continuï
nosaltres	agraïm	obeïm	traduïm	canviem	continuem
vosaltres	agraïu	obeïu	traduïu	canvieu	continueu
vostès	agraeixin	obeeixin	tradueixin	canviïn	continuïn

▦ Formes irregulars

	ANAR	FER	SORTIR		ESTAR	DIR
tu	vés	fes	surt		estigues	digues
vostè	vagi	faci	surti		estigui	digui
nosaltres	anem	fem	sortim		estiguem	diguem
vosaltres	aneu	feu	sortiu		estigueu	digueu
vostès	vagin	facin	surtin		estiguin	diguin

	BEURE	CAURE	CÓRRER	COURE	ESCRIURE
tu	beu	cau	corre	cou	escriu
vostè	begui	caigui	corri	cogui	escrigui
nosaltres	beguem	caiguem	correm / correguem	coguem	escriguem
vosaltres	beveu	caieu	correu	coeu	escriviu
vostès	beguin	caiguin	corrin	coguin	escriguin

	JEURE	MOURE	SEURE	TENIR*	TREURE	VENIR
tu	jeu	mou	seu	té / tingues	treu	vine
vostè	jegui	mogui	segui	tingui	tregui	vingui
nosaltres	jaguem	moguem	seguem	tinguem	traguem	vinguem
vosaltres	jaieu	moveu	seieu	teniu / tingueu	traieu	veniu
vostès	jeguin	moguin	seguin	tinguin	treguin	vinguin

* **Té** i **teniu** es fan servir quan es dóna físicament una cosa: **Té,** et dono el llibre, agafa'l. **Tingues** i **tingueu: Tingueu** paciència!

Participi

▥ Formes regulars

Infinitiu acabat en:	Participi acabat en:
–ar	**–at**
–er, –re	**–ut**
–ir	**–it**

▥ Formes irregulars

infinitiu	participi
admetre	admès
agrair	agraït
aparèixer	aparegut
aprendre	après
asseure	assegut
beure	begut
caure	caigut
cometre	comès
complir	complert
conduir	conduït
conèixer	conegut
creure	cregut
desaparèixer	desaparegut
derruir	derruït
detenir	detingut
dir	dit
dur	dut
encendre	encès
entendre	entès
escriure	escrit
fer	fet

infinitiu	participi
haver	hagut
imprimir	imprès
mantenir	mantingut
morir	mort
moure	mogut
obrir	obert
poder	pogut
prendre	pres
produir	produït
prometre	promès
respondre	respost
saber	sabut
ser	sigut / estat
suspendre	suspès
trametre	tramès
tenir	tingut
treure	tret
venir	vingut
veure	vist
viure	viscut
voler	volgut

PRONUNCIACIÓ I ORTOGRAFIA

Vocals. Síl·laba tònica i síl·laba àtona. Tipus d'accents

- En català hi ha cinc vocals, que representen vuit sons vocàlics. Hi ha algunes zones on no fan tots els sons.

- Normalment les paraules només tenen una síl·laba tònica, que es pronuncia amb més força; totes les altres són àtones.

- Les vocals **i** i **u** tenen sempre el mateix so [i], [u].

- Les vocals **a, e** i **o** tenen un so diferent si són en una síl·laba tònica o àtona.

- Les vocals **a** i **e** en síl·laba àtona tenen el mateix so: vocal neutra [ə] (so entre la **e** i la **a**).

- La vocal **o** en síl·laba àtona es pronuncia [u].

- Les vocals **e** i **o** en síl·laba tònica poden tenir dos sons: obert [ɛ] , [ɔ] (amb la boca més oberta) i tancat [e], [o] (amb la boca més tancada).

- Si les paraules porten accent gràfic, aquest sempre va sobre la vocal tònica.

- No totes les vocals de síl·labes tòniques porten accent gràfic.

- L'accent pot ser agut o tancat (´) i greu o obert (`).

- Si la vocal **a** porta accent, és obert: **à**

- Si les vocals **i** i **u** porten accent, és tancat: **í, ú**

- Les vocals **e** i **o** poden portar accent obert: **è, ò** (pronunciació més oberta) i accent tancat **é, ó** (pronunciació més tancada).

	a	e	i	o	u
síl·laba tònica	[a] **Anna**	[ɛ] **Teresa** [e] **Pere**	[i] **David**	[ɔ] **Pol** [o] **Isidor**	[u] **Júlia**
síl·laba àtona	[ə] **Maria, Gerard**		[i] **Daniel**	[u] **Joan, Paula**	

Accentuació gràfica

- Segons la síl·laba tònica diem que les paraules són:
  agudes, si la síl·laba tònica és l'última: ca-ta-**là**, a-le-**many**
  planes, si la síl·laba tònica és la penúltima: **à**-rab, xi-**le**-na
  esdrúixoles, si la síl·laba tònica és l'antepenúltima: **À**-fri-ca, **À**-si-a

- Les paraules agudes s'accentuen si acaben en:

a	català	as	Tom**às**	en	dep**èn**, ent**én**
e	eslov**è**, tamb**é**	es	camerun**ès**, despr**és**	in	Berl**ín**
i	marroqu**í**	is	pa**ís**		
o	per**ò**, let**ó**	os	arr**òs**, silenci**ós**		
u	urd**ú**	us	Jes**ús**		

- Les paraules planes s'accentuen si no acaben en les dotze terminacions anteriors: **à**rab, n**é**ixer, con**è**ixer, ten**í**em, psic**ò**leg, c**ó**rrer, **ú**nic... I no s'accentuen si acaben en alguna de les dotze terminacions anteriors: tenia...

- Les paraules esdrúixoles s'accentuen totes: **À**frica, Am**è**rica, esgl**é**sia, **Í**ndia, ap**ò**strof, f**ó**rmula, R**ú**ssia.

- Normalment les paraules que tenen una síl·laba no s'accentuen, però hi ha diverses excepcions: **sóc, és, són, té, què, sí, bé, nét, véns, més, sé...** perquè aquestes paraules també existeixen sense accent i tenen un significat diferent.

Els diftongs. La "i" i la "u" entre dues vocals. La dièresi (¨)

▪ Una paraula té, en general, tantes síl·labes com vocals, que es pronuncien: *prat, maig, ro-sa, pen-sa, lle-geix, Ma-ri-a, ca-fe-te-ra, far-mà-ci-a*

Diftong

▪ Un diftong és la unió de dues vocals en una mateixa síl·laba, de manera que totes dues es pronuncien. Hi ha dos tipus de diftongs: els creixents i els decreixents.

diftongs creixents	**–ua, –üe, –üi, –uo** darrere de les lletres **g–** i **q–**	q**ua**-tre, q**üe**s-ti-ó, pin-g**üí**, q**uo**-ti-di-à
diftongs decreixents	**ai, ei, oi, ui** **au, eu, iu, ou, uu**	**ai**-gua, f**ei**-na, b**oi**-ra, c**ui**-na pa-l**au**, p**eu**, c**iu**-tat, m**ou**-re, d**uu**

La i i la u entre dues vocals

▪ Normalment, quan les lletres **i** i **u** es troben entre dues vocals, actuen com si fossin la consonant de la segona vocal: *de-ia, mo-uen.*

Dièresi (¨)

Les dièresis s'utilitzen en tres casos.

▪ Si cal que la **u** després de **g–** o **q–** es pronuncïi, en els conjunts: **–qüe, –qüi, –güe, –güi**: *qüestió, aigües, pingüí.*

▪ Si la **i** dels diftongs decreixents cal que formi una síl·laba independent (i no es pot accentuar): *can-vi-ï, a-gra-ïm.* No porten dièresi, però, les **i** en les terminacions dels infinitius, futurs o condicionals: *a-gra-ir, con-du-i-ré, o-be-i-ri-a.*

▪ Si la **i** entre dues vocals cal que formi una síl·laba independent (i no es pot accentuar): *a-gra-ï-a, con-du-ï-es, o-be-ï-en.*

Alteracions ortogràfiques

▪ Per qüestions ortogràfiques o fonètiques alguns verbs, noms o adjectius es veuen obligats a canviar les consonants del radical.

–a / –o		–e– / –i–	
–ca / –co	*tan**c**a, tan**c**o, blan**c**a...*	**–que– / –qui–**	*tan**qu**en, blan**qu**es, to**qui**...*
–ça / –ço	*comen**ç**a, comen**ç**o, dol**ç**a...*	**–ce– / –ci–**	*comen**c**es, dol**c**es, ca**ci**...*
–ja / –jo	*men**j**o, men**j**a, lletj**a**...*	**–ge– / –gi–**	*men**g**eu, lletg**es**, men**gi**...*
–ga / –go	*ple**g**a, ple**g**o, ami**g**a...*	**–gue– / –gui–**	*ple**gu**es, ami**gu**es, ple**gui**...*

Apostrofació

▪ En català l'apòstrof significa l'absència d'una vocal: **a** o **e**. Només s'apostrofen els articles definits i personals en masculí i femení singular, la preposició **de** i alguns pronoms febles.

▪ **El** i **la** s'apostrofen (**l'**) davant de noms començats per vocal o per la lletra **h**. L'article femení, però, no s'apostrofa si el nom comença per una **i / hi** o una **u / hu** en posició àtona: **L'***Índia*, però, **la** *Isabel...*

▪ La preposició **de** s'apostrofa sempre davant d'un nom que comença per vocal o per **h**: **d'A***tenes*, **d'H***ongria...*

▪ Alguns pronoms s'apostrofen davant dels verbs començats per vocal o per la lletra **h**, o entre ells: **m'***agrada*, **me'n** *vaig*, **t'***arregles*, **te'n** *vas*, **n'**hi *ha...*

Contracció

Les preposicions **a**, **de** i **per** es contrauen amb l'article definit masculí, singular i plural.

	de	a	per
el	**del** **del** Japó	**al** **al** Japó	**pel** **pel** carrer
els	**dels** **dels** Estats Units	**als** **als** Estats Units	**pels** **pels** carrers

Les preposicions **a** i **de** no es contrauen si l'article definit és femení, singular i plural, o si l'article s'apostrofa amb el nom perquè comença per vocal o per **h.**

	de	a	per
la	**de la** Xina	**a la** Xina	**per la** plaça
les	**de les** Filipines	**a les** Filipines	**per les** places
l'	**de l'**Equador / **de l'**Argentina	**a l'**Equador / **a l'**Argentina	**per l'**avinguda

Transcripcions

CONTINGUT DELS CD

CD1

UNITAT 1
LLIBRE DE L'ALUMNE
PISTA 1:   Exercici 2
PISTA 2:   Exercici 8
PISTA 3:   Exercici 10
PISTA 4:   Exercici 11

LLIBRE D'EXERCICIS
PISTA 5:   Exercici 33
PISTA 6:   Exercici 34

UNITAT 2
LLIBRE DE L'ALUMNE
PISTA 7:   Exercici 3
PISTA 8:   Exercici 5
PISTA 9:   Exercici 6
PISTA 10:   Exercici 13
PISTA 11:   Exercici 15
PISTA 12:   Exercici 16

LLIBRE D'EXERCICIS
PISTA 13:   Exercici 2
PISTA 14:   Exercici 11
PISTA 15:   Exercici 12
PISTA 16:   Exercici 16
PISTA 17:   Exercici 25

UNITAT 3
LLIBRE DE L'ALUMNE
PISTA 18:   Exercici 3
PISTA 19:   Exercici 8
PISTA 20:   Exercici 11
PISTA 21:   Exercici 12

LLIBRE D'EXERCICIS
PISTA 22:   Exercici 8
PISTA 23:   Exercici 18

CD2

UNITAT 4
LLIBRE DE L'ALUMNE
PISTA 1:   Exercici 2
PISTA 2:   Exercici 5
PISTA 3:   Exercici 6
PISTA 4:   Exercici 15

LLIBRE D'EXERCICIS
PISTA 5:   Exercici 7
PISTA 6:   Exercici 18
PISTA 7:   Exercici 19
PISTA 8:   Exercici 32
PISTA 9:   Exercici 33

UNITAT 5
LLIBRE DE L'ALUMNE
PISTA 10:   Exercici 3
PISTA 11:   Exercici 6
PISTA 12:   Exercici 7
PISTA 13:   Exercici 9
PISTA 14:   Exercici 11
PISTA 15:   Exercici 13
PISTA 16:   Exercici 14
PISTA 17:   Exercici 15

LLIBRE D'EXERCICIS
PISTA 18:   Exercici 3
PISTA 19:   Exercici 5
PISTA 20:   Exercici 33

UNITAT 6
LLIBRE DE L'ALUMNE
PISTA 21:   Exercici 3
PISTA 22:   Exercici 6
PISTA 23:   Exercici 8
PISTA 24:   Exercici 9
PISTA 25:   Exercici 14

LLIBRE D'EXERCICIS
PISTA 26:   Exercici 6
PISTA 27:   Exercici 27

VEURE MÓN

LLIBRE DE L'ALUMNE

PISTA 1 **Exercici 2**

1. Les vacances són per a no fer res! Aprofito per quedar-me a casa i dormir molt. Si vull viatjar, miro els programes d'animals o d'aquests països tan llunyans que fan a la tele i és com si viatgés. M'estiro al sofà, amb una cerveseta ben fresca, i engego l'aire condicionat. No envejo gens els meus amics que se'n van a l'altra part del món! Agafen cinc avions, tenen desfasament horari, s'estan hores als aeroports, perden les maletes... Jo agafo el metro i vaig al cine! Això és viatjar també, oi? I a més, les meves vacances són ben baratetes.

2. Sempre fem les vacances a l'estiu. Lloguem un apartament a la costa i ens hi instal·lem tot un mes: la segona quinzena de juliol i la primera d'agost. Ja fa anys que anem al mateix lloc. Hi anem amb cotxe, i portem molt equipatge, perquè som quatre de colla. Coneixem els veïns, que també tenen fills de l'edat dels nostres. Anem junts a la platja, fem sopars, petem la xerrada..., coses que aquí a la ciutat no fem. Això sí, fem molta cua. Sempre trobem algun embús quan sortim de la ciutat i quan hi entrem. Ja ho diuen: l'operació sortida i l'operació tornada.

3. Al Jordi i a mi ens agrada molt la natura. Acostumem a anar a la muntanya. Si trobem una fonda o un hostal econòmic a algun poble, hi fem nit. Si no, ens instal·lem en un càmping. Sempre ens enduem la tenda de campanya, els sacs de dormir i les bicicletes. Fem excursions a peu o amb bicicleta. Normalment anem a llocs on no hi ha gaire gent, encara que sigui temporada alta. No ens agraden els llocs on hi ha molta gentada.

4. Aquestes vacances han estat les primeres sense els pares. He anat amb la Marta a l'illa de Formentera. Vam sortir l'1 de juliol. Vam anar amb vaixell fins a Eivissa i a Eivissa vam agafar un ferri fins a Formentera. Ens hi vam passar tres setmanes. Vam dormir a la platja, a l'aire lliure, sota les estrelles..., fins que vam conèixer uns italians i ens van convidar a la casa rural on vivien.

5. Les vacances? Ui, ja ni me'n recordo. Solc fer vacances a la primavera, al març o a l'abril, quan no hi ha gaire aglomeració de gent. A la temporada baixa, els preus dels bitllets són més barats i els dels hotels també. Trio un allotjament al centre de la ciutat, mitja pensió: esmorzar i sopar. M'agrada visitar ciutats europees: Venècia, Viena, París... Hi ha tanta cultura en aquestes ciutats...

6. Encara no hem fet vacances. Les farem el mes que ve. Farem un creuer pel Mediterrani! Em fa tanta il·lusió...! L'any passat vam anar a Egipte en un viatge organitzat. Érem un grup de quinze persones de tot arreu i ens vam avenir molt. Aquest any hem decidit tornar-nos i fer un creuer junts. És un creuer de luxe: hi haurà balls, festes... I tots els àpats els farem al vaixell. L'itinerari exacte encara no el sé, però sé que visitarem molts ports.

PISTA 2 **Exercici 8**

Ja ho tens decidit?

Sí, sí, me'n vaig a l'Índia.

Molt bé. Segur que t'agradarà. Recorda que necessites el visat per entrar al país.

Sí, sí. I què més?

Cal que tinguis el passaport amb una validesa mínima de sis mesos, eh?

M'aconselles que em vacuni?

Home... No és obligatòria cap vacuna, però jo et recomano que vagis al centre de vacunacions internacionals perquè t'informin. Crec que és recomanable la vacuna contra el tifus i el tètan i també alguna medicació especial contra el paludisme, la malària. Ah, i no t'oblidis de portar més d'una targeta de crèdit, per si en perds una. I no cal que canviïs els euros aquí. A l'aeroport els podràs canviar per rupies.

I algun consell més?

Doncs cal que sàpigues que l'Índia és un dels països més poblats del món i, desgraciadament, hi ha molta pobresa. La gent acostuma a ser molt amable i té molta curiositat per conèixer els turistes. T'aconsello que t'acostumis de seguida a estar voltat de molta gent que et demana mil coses, però no tinguis por que no et robaran res.

I m'hi podré comunicar?

I tant! Gairebé tothom parla anglès.

I per moure't per allà?

Millor que lloguis un cotxe amb conductor, que també et farà de guia.

I de roba, què m'enduc?

Roba còmoda. No t'oblidis que en aquesta època hi fa molta calor: pantalons llargs i amples, i camises de màniga llarga.

I no te'n recordes, de res més?

Si me'n recordo, et trucaré un altre cop.

Molt bé. I recorda't de deixar-me la guia.

Sí, sí, no me n'oblidaré pas. Adéu.

Adéu.

PISTA 3 **Exercici 10**

Encara no saps on aniràs aquest pont?

No, no em decideixo.

Jo t'aconsello que vagis a Tarragona. Oi que no hi has estat mai?

No, no la conec. Diuen que és una ciutat molt bonica, i a més, què m'has de dir tu, que ets tarragoní...

I n'estic molt orgullós, encara que fa molts anys que ja no hi visc. Tarragona és una ciutat preciosa i amb molta història. S'hi poden visitar molts llocs i s'hi poden fer moltes coses. No te l'acabes mai! Sempre hi ha coses per veure.

I com hi puc anar?

La ciutat està molt ben comunicada. S'hi pot anar amb cotxe, amb tren, amb autobús i fins i tot hi ha l'aeroport de Reus, que és a set quilòmetres de Tarragona.

Déu n'hi do! No tinc cap excusa per no anar-hi!

Doncs no. Jo t'aconsello que hi vagis amb el tren. El paisatge és esplèndid i l'estació és al centre de la ciutat. D'aquí a Tarragona amb tren s'hi està una hora, si el tren és puntual..., és clar.

I creus que hi trobaré algun lloc econòmic per dormir?

Segur que sí. Mira, uns amics meus hi van anar no fa gaire i van fer nit a un hostal del centre de Tarragona, que no era gaire car. No t'amoïnis, hi ha molta oferta: hotels, pensions, hostals... Pots buscar la informació a alguna pàgina web sobre turisme de Tarragona. Segur que allà hi haurà la llista d'allotjaments.

I què em recomanes que visiti?

Et recomano que el primer dia facis la ruta romana i la ruta medieval. L'endemà, si et ve de gust i tens temps, val la pena que facis l'itinerari de la Tarragona contemporània i moderna. Però és clar, tot depèn dels teus gustos. És millor que et compris una guia de la ciutat i d'aquesta manera podràs escollir què t'interessa. Hi ha visites guiades i el recorregut es fa en grup.

Bé, i a part del tema cultural... Què no em puc perdre? Aconsella'm algun racó de la ciutat.

És difícil, però val la pena que passegis pel barri de pescadors, que es diu El Serrallo, i que és un dels barris més típics de la ciutat. Hi ha molts restaurants que fan plats típics, sobretot de peix. No hi vagis gaire tard, perquè sempre hi ha molta gent cap al tard.

M'estàs convencent!

I si fa bo, pots endur-te el banyador i una tovallola i anar a la platja. Un dels atractius de la zona són les platges d'aigües molt netes i transparents, sorra fina i daurada... D'aquí ve el nom de la Costa Daurada. A tota aquella zona, a més, el clima és molt suau. Segur que t'hi podràs banyar o, si més no, passejar-hi.

M'aconselles alguna platgeta?

A mi m'agrada molt Cala Fonda. És una cala preciosa. Ah, i si t'oblides el banyador, no pateixis, perquè és una platja nudista.

I un racó especial?

Una passejada pel Call jueu o per la Rambla Nova. I és clar, fer una copa a qualsevol local de la vora de la catedral.

Quanta informació. Ara ja cal que em decideixi i que comenci a organitzar-me si vull anar-hi.

Ah! I no t'oblidis de tocar el ferro del Balcó del Mediterrani: diuen que dóna sort.

Ho faré. Moltes gràcies. I tu què faràs?

Mira, noi, després de parlar-ne tant, potser t'hi acompanyaré!

PISTA 4 **Exercici 11**

I com s'hi va? Doncs miri, ara som a l'estació. Surti de l'estació i pugi per aquest carrer fins que arribarà al capdavall de la Rambla Nova. A l'esquerra, li quedarà la Rambla Nova, doncs vostè continuï endavant. El mar el tindrà a la dreta, eh? Si segueix recte per aquest passeig arribarà a una plaça. Allà mateix, a la plaça on hi ha una estàtua, n'hi ha un.

I el Mercat... Doncs, deixi'm pensar quina és la millor manera d'arribar-hi. És que des d'aquí l'estació hi ha una drecera, però potser és una mica complicat si no coneix la ciutat. Miri, surti de l'estació i agafi aquest carrer, que fa una mica de pujada, i arribarà al capdavall de la Rambla Nova. Allà mateix enfili rambla amunt. Travessarà una plaça, però vostè continuï cap amunt, fins que arribi a una altra plaça, una mica més gran. Llavors tombi a l'esquerra. M'explico? Vull dir que a la plaça agafi el carrer que surt cap a l'esquerra. Segueixi endavant i a l'esquerra ja el veurà.

LLIBRE D'EXERCICIS

PISTA 5 **Exercici 33**

Mallorca

Palma és la capital de l'illa de Mallorca, on aproximadament es concentra la meitat de la seva població. Pràcticament totes les cultures i civilitzacions de la Mediterrània hi han deixat algun rastre. Però ha sigut l'arribada del turisme el que ha donat a l'illa la seva actual configuració i gran dinamisme econòmic.

Com s'hi arriba? L'aeroport internacional de Son Sant Joan, situat a 8 km de Palma, és la principal porta d'entrada a Mallorca. Gràcies a la popularitat de l'illa com a destinació turística, hi ha una gran oferta de vols directes, des de la majoria de ciutats europees, especialment d'Alemanya i del Regne Unit.

El transport marítim és l'altra alternativa d'arribar-hi, per als turistes que no volen volar, o bé que viatgen amb el seu propi cotxe. Hi ha enllaços diaris amb el port de Palma, des dels ports de Barcelona, València, Dénia, Eivissa, Ciutadella i Maó. El port de Palma també és per on arriben molts visitants, que fan escala durant els seus creuers per la Mediterrània.

Crida l'atenció la gran quantitat d'embarcacions que hi ha als diferents clubs nàutics, repartits pel litoral de la ciutat, la qual cosa reflecteix la importància del turisme i dels esports nàutics a Mallorca.

Com moure's per Mallorca? Des de tots els pobles i centres turístics, hi ha connexions diàries amb autobús cap a la plaça d'Espanya de Palma, on hi ha una extensa xarxa d'autobusos urbans, que connecten el centre amb l'aeroport, la Platja de Palma, s'Arenal, la Universitat i tots els barris de la ciutat. A més dels autobusos, també es poden utilitzar les línies de tren de rodalies.

Si bé és cert que, per accedir a la ciutat i evitar els problemes del trànsit, el més recomanable és la utilització del transport públic, per moure's per tots els racons de l'illa, la millor opció és el cotxe, o la bicicleta per a aquells més atrevits. Mallorca disposa d'una extensa xarxa de carreteres, amb una bona senyalització. A més, com que les distàncies són curtes, és fàcil moure's d'un lloc a l'altre.

Pel que fa a les platges, Mallorca és una illa plena de platges precioses de sorra fina i blanca. Als voltants de moltes platges, s'hi han construït centres turístics, on cada estiu milers de persones s'allotgen durant les vacances. Tot i així, de totes les platges de Mallorca, encara n'hi ha 65 que es preserven en el seu estat natural, algunes fàcilment accessibles i d'altres més amagades, a les quals només es pot arribar caminant o per mar.

A més de les platges i les meravelloses aigües, a Mallorca s'hi poden fer altres activitats que no són nàutiques. Un dels atractius de molts excursionistes és la Serra de Tramuntana, ja que s'hi poden fer molts itineraris a peu.

Pel que fa a la gastronomia, es pot dir que la cuina de Mallorca és genuïnament mediterrània, i que es pot tastar a qualsevol racó de l'illa. Combina plats de carn i embotits, i plats de peix. Potser els dos productes més coneguts fora de l'illa són la sobrassada i l'ensaïmada. Però val la pena que es descobreixi l'àmplia varietat de plats que ens ofereix Mallorca.

PISTA 6 **Exercici 34**

1. La Lluïsa treballa a Guatemala. Hi va arribar quan, ara fa cinc anys, ella i la seva parella, la Mònica, van decidir fer un viatge d'un any per Amèrica del Sud. Van visitar molts països: Argentina, Brasil, Xile, Veneçuela, Colòmbia, Perú... fins que pujant, pujant van arribar a Guatemala. Es van enamorar del país i de la gent. Quan van arribar a Guatemala van començar a treballar en una escola d'un poble on encara continuen treballant. Els agrada llevar-se cada matí enmig de la natura, descobrir la geografia d'aquest país: els llacs, les muntanyes... Han viatjat pel país i el coneixen molt bé. A vegades organitzen rutes per a turistes, però encara no n'hi ha gaires que s'arrisquin a sortir de les rutes turístiques.

2. Em dic Arnau i tinc 42 anys. Quan era jove vaig decidir que volia visitar tots els països del món. Abans d'acabar la carrera ja havia viatjat molt, però quan la vaig acabar vaig decidir fer una pausa abans de buscar feina. Vaig agafar la motxilla i vaig començar a voltar pel món. No he deixat de viatjar des de llavors. He visitat molts llocs i encara me'n falten uns quants! Per sort vaig començar a escriure guies i articles per a diferents revistes de viatges. O sigui que em paguen per fer allò que m'agrada. Què més vols?

3. Em dic Fina i sóc bombera. Em van regalar una bicicleta quan tenia 4 anys. Va ser el regal que em va fer més il·lusió. Aquesta que tinc ara fa dos anys que me la vaig comprar i juntes, l'any passat, vam recórrer tot Europa durant les vacances. Ara estic preparant un itinerari per l'Àfrica Occidental, que vull fer l'any que ve. Demanaré una excedència a la feina, agafaré la bicicleta i me n'aniré cap a Àfrica, a descobrir els meravellosos paisatges que hi ha. Què, t'hi apuntes?

LLIBRE DE L'ALUMNE

PISTA 7 **Exercici 3**

El senyor Kingsley va preguntar al detectiu Marlowe quant volia cobrar, i aquest li va dir que volia cobrar vint-i-cinc "papers" diaris. Com que el senyor Kingsley hi va estar d'acord, Marlowe va preguntar què havia de fer i el senyor Kingsley li va dir que havia de trobar la seva dona.

Marlowe va preguntar-li quan havia desaparegut i el senyor Kingsley li va dir que feia aproximadament un mes. El detectiu va assegurar que la trobaria, però que necessitava saber tots els moviments de la senyora Kingsley.

El senyor Kingsley va explicar que la seva dona se n'havia anat d'una cabana que tenien a la muntanya. Marlowe va demanar on era aquella cabana i si hi havia anat sola. El senyor Kingsley va explicar que la cabana, de fet, era una finca a cinc-cents quilòmetres del poble, a la vora d'un llac. Allà també hi vivien uns amics. Marlowe volia saber si la senyora Kingsley tenia per costum anar a la finca i amb quina freqüència i el senyor Kingsley va contestar que la seva dona hi pujava a mitjan maig i baixava dues vegades, dos caps de setmana. Marlowe li va demanar quant feia que no sabia res de la seva dona i el senyor Kingsley va respondre que no sabia on era des del dotze de juny, dia que la seva dona havia d'anar a una festa, a la qual no va anar.

Marlowe va preguntar al senyor Kingsley què havia fet per trobar la seva dona i ell li va dir que no havia fet res. Llavors el senyor Kingsley li va ensenyar un telegrama de la seva dona que deia que passaria la frontera per aconseguir el divorci mexicà i que es casaria amb el Chris.

PISTA 8 **Exercici 5**

Fa anys el meu home i jo vam anar de viatge per les vacances de setmana santa. A la tornada, per culpa del trànsit, vam arribar a casa tard, cansats, pensant que l'endemà havíem d'anar a treballar. Quan vam sortir de l'ascensor, ens vam adonar de seguida que la porta del pis estava mal tancada. Vam pensar el pitjor i no ens vam equivocar. Penjat a la porta hi havia un paper que deia: "Per denunciar el robatori aneu a la comissaria més pròxima". Quin ensurt! Jo estava a punt de marxar corrent i dir: «Això no és casa meva, me'n vaig...» Però vaig haver de fer el cor fort i tirar endavant. Quin merder! La roba de l'armari era tota per terra, la personal i la de casa. A l'estudi tampoc no hi havia res al seu lloc. Els calaixos estaven buits i tots els papers eren per terra; en canvi, els llibres no els havien tocat. També em van robar les joies, tret d'unes quantes que s'havien deixat sobre el llit... poques. El televisor i l'aparell de música no se'ls van endur, encara que devien pensar fer-ho, perquè estaven desconnectats. Els quadres no els havien ni tocat, tot i que n'hi havia algun de bo. Estàvem nerviosos, desorientats i, sobretot, emprenyats. Vam decidir que havíem de fer el que deia la nota; així doncs, vam anar a la policia per denunciar el robatori.

Afortunadament les comissaries d'ara no són com les de llavors, tot i que prefereixo no haver-hi d'anar. Quan ens va tocar el torn, un policia, davant d'una màquina d'escriure de l'era dels dinosaures (val a dir que en aquella època els ordinadors encara eren força desconeguts), va posar-hi dos fulls de paper separats per un paper còpia i va començar l'interrogatori, a mesura que anava teclejant suposadament el que nosaltres anàvem dient. A mi em semblava que érem en una pel·lícula. Les preguntes eren tan rutinàries com absurdes, i nosaltres ens limitàvem a contestar, també rutinàriament. A l'hora d'explicar què havíem trobat a faltar, jo vaig anar dient les coses que recordava que no hi eren. D'entre les joies, em faltava un petit rellotge d'estil modernista que m'havia regalat una persona que m'estimava molt i per això em feia molta pena haver-lo perdut. Quan li vaig dir al poli: «A més, em falta un rellotge modernista», ell em va replicar: «Deu voler dir: modern». «Doncs no –li vaig dir jo–, vull dir modernista». No em va contestar a mi sinó que es va dirigir al meu home i, d'home a home, va dir-li: «Està nerviosa, oi?» En aquell moment, l'hauria mort; després ens vam fer un tip de riure.

PISTA 9 **Exercici 6**

Això rai!	No n'hi ha per a tant!
Caram!	No pot ser!
Collons!	Òndia!
De debò?	Ostres!
Déu n'hi do!	Pots pensar...
Digues, digues...	Què dius, ara!
Hòstia!	Que fort!
I ara!	Sí, home!
I com ha estat això?	Vaja!
I com va anar?	Ves per on...
Ja pots comptar...	Vols dir?
N'estàs segur / segura?	
No fotis!	
No m'ho acabo de creure...	

Conversa 1

La senyora Benet?

Sí, sóc jo. Sort que han arribat!

Calmi's, senyora, i a veure si ens pot explicar què recorda.

Ho recordo tot. L'hi explico.

D'acord. Com és que ha anat a casa seva aquest matí?

Perquè tenia la música molt forta. Era molt estrident i no em deixava dormir.

Quina música era?

A mi què m'explica! No hi entenc, amb aquest tipus de música. Soroll, això és el que és.

Bé, bé... I com ha entrat?

Per la porta. El senyor Bonifaci em va donar la clau de casa seva per si un dia la perdia. Com que vivia sol...

I quan l'ha vist, ja era mort?

Jo què sé, pobra de mi! A mi m'ha semblat com si estigués escoltant música, assegut a la butaca i amb els cascos a les mans, les copes sobre la taula... He pensat que el senyor Bonifaci s'havia tornat boig. Què hi feia escoltant aquella música? Ho he trobat molt estrany perquè ell solia escoltar música clàssica i no acostumava a fer soroll. I menys a aquelles hores de la matinada. Però quan he vist que no em sentia, li he donat un copet a l'espatlla i pum! ha caigut a terra com un mort. És clar, com que era mort, oi? Quin espant, redéu! He marxat corrent i els he trucat, a vostès. Encara em tremolen les cames...

Tranquil·la, tranquil·la.

Conversa 2

Riiiiiiing!

Obri, sisplau, som la policia.

Ja vinc, ja vinc!

Perdoni, vostè és el senyor Jornet?

Jo mateix.

Coneixia el senyor Bonifaci?

És clar, érem veïns. Pobre home...

El va sentir arribar ahir a la nit?

Normalment no el sento gaire: arriba cap a les vuit del vespre i quasi sempre fa el mateix. No és que l'espiï, eh?, però com que viu al pis de sobre, sento les passes. Bé, les sento fins que arriba a l'habitació, perquè de seguida es posa les sabatilles per no fer soroll. És..., bé, era molt bon veí. Sempre disposat a ajudar i no molestar.

I vostè em podria dir si ahir va notar algun soroll estrany, diferent dels altres dies?

Ahir no el vaig sentir arribar a l'hora habitual. Més tard vaig sentir que algú pujava l'escala i vaig pensar: mira el senyor Bonifaci avui va més tard.

I com sabia que era el senyor Bonifaci?

M'ho vaig imaginar perquè és l'únic veí que puja a peu. No agafava mai l'ascensor, deia que així feia esport (li agradava molt fer esport), i que no es gastava tanta energia. Estava una mica carregat de manies, sap?

Es recorda de quina hora era?

Sí que me'n recordo. Era més tard de mitjanit perquè jo ja era al llit i em va despertar. Vaig trobar que era estrany perquè ell acostumava a anar a dormir d'horeta i aixecar-se aviat. Sopava cap a les nou, escoltava una mica de música i després es dutxava. Cada dia es dutxava a la nit i al matí quan es llevava; tenia aquest costum... És que en aquests pisos antics se sent tot, sap?

Hi ha alguna cosa més que recordi?

Sí... Calli, calli, ara que me'n recordo: em sembla que ahir no va pujar sol, vaig sentir les passes de dues persones. Ah! I no es van posar les sabatilles. Després l'altra persona se'n va anar, però després va tornar... bé, no sé si era la mateixa persona. Jo vaig sentir l'ascensor i...

Bé, bé, això era l'únic que necessitava saber.

Ah, i per què no m'ho ha preguntat?

Conversa 3

Perdoni, vostè és la portera?

Sí, senyor, Pepita, per servir-lo.

Ja sap això del senyor Bonifaci?

És clar que ho sé. Jo ho sé tot de tots els veïns de l'escala, però no dic mai res. No sóc xafardera, jo.

Sí, sí, però a nosaltres ens haurà de contestar unes preguntes.

Vostès... és diferent. Digui, digui...

Sap què va fer el senyor Bonifaci ahir?

Sí. M'ho explicava tot. Bé... quasi tot. Era un noi, bé, diguem-ho així, perquè només tenia quaranta anys, que sempre estava de broma. Ahir va sortir de casa molt ben vestit, com sempre, vaja! I li vaig preguntar on anava tan mudat (darrerament hi anava molt), i em va dir que tenia un sopar amb els alumnes, perquè era final de curs. Estava una mica preocupat perquè havia donat les notes i hi havia alguns alumnes suspesos. Però segur que si els va suspendre és que s'ho mereixien, perquè ell sempre es pensava molt les coses.

Sap on va anar a sopar?

Sí. Em va dir que anirien a una pizzeria. No tenia manies amb el menjar. L'únic que no li agradava era la ceba.

La ceba, ha dit?

Sí, sí. Ho sé perquè un dia li vaig preguntar si era de la ceba (ja sap, com que era professor de català, li vaig fer la brometa) i ell fent-se el distret em va dir mig rient que la ceba no li agradava. Ja em dirà! Però deixi que l'hi expliqui: es veu que aquesta pizzeria era del marit d'una alumna i van decidir anar-hi perquè les pizzes són barates i com que els alumnes no tenen gaires diners... Ara, ell tampoc no en tenia gaires, encara que estalviava molt perquè es volia comprar un pis. Em sembla que tenia un amor secret. Però això, no m'ho va explicar mai.

Gràcies, senyora, ens ha estat molt útil.

Ah, sí? Ja sap qui és l'assassí?

Em sembla que sí.

PISTA 11 | **Exercici 15**

Quan es va acabar el sopar, el senyor Bonifaci se'n va anar a casa. Però no hi va anar sol, anava acompanyat, com va dir el veí de sota. Era evident que la companyia era una dona per la pintura dels llavis d'una de les copes, com va notar la veïna del davant. Van posar el disc que els alumnes li havien regalat, sense saber els seus gustos, però això ja acostuma a passar, els alumnes són així... Com que el senyor Bonifaci era molt respectuós, per no molestar els veïns, es va posar els cascos. Llavors es va començar a trobar malament i devia perdre el coneixement a causa del verí que havia pres a l'hora de sopar. Ella es devia espantar i va marxar corrent (el veí de sota la va sentir), i amb les presses es va deixar la porta oberta. Tenia por que la descobrissin; és a dir, tenia alguna cosa a amagar. És clar, era casada!

Al cap d'una estona va arribar el marit, és a dir el cuiner, com va explicar la portera, que havia sortit corrent de la pizzeria, sense canviar-se, ni rentar-se perquè tenia pressa per espiar la seva dona. Quan va veure que ella sortia de l'edifici, va pujar amb l'ascensor, com va sentir el veí de sota, i va entrar al pis del professor sense fer soroll perquè va trobar la porta oberta. Va veure que el senyor Bonifaci estava inconscient; això volia dir que el verí havia fet efecte, i perquè els veïns no sentissin els seus passos, va apujar la música. Per fer l'escena més versemblant, va treure els cascos al senyor Bonifaci, va comprovar que realment era mort i va marxar.

I com sap que era el cuiner?

Elemental, estimat director...

PISTA 12 | **Exercici 16**

Per un detall: els cascos feien pudor de ceba. Algú havia tocat aquells cascos. Qui podia ser? Doncs el cuiner! El senyor Bonifaci potser era de la ceba, però odiava la ceba. Elemental!

LLIBRE D'EXERCICIS

PISTA 13 | **Exercici 2**

En Robert va fer una estafa a l'empresa on treballava. Es pensava que ningú no sospitaria mai qui havia comès el robatori. El director de l'empresa no volia tractes amb la policia i va contractar un detectiu privat, l'Hernandes, d'Hernandes i Hernandes, per investigar el cas. El detectiu va seguir el Robert durant quinze dies, va escorcollar el pis on vivia, amb la seva amant, i va interrogar els veïns, que van revelar que el Robert havia fet alguns canvis en la seva vida. Gastava cotxes luxosos, vestia amb roba de marca i, la Puri, la seva amant, portava més joies que mai. Va ser un cas fàcil, l'Hernandes va esbrinar on eren els diners robats i va amenaçar en Robert dient-li que el delataria si no n'hi donava la meitat. Llavors el Robert, enfadat, va anar a la policia a denunciar-lo. És clar, el van detenir allà mateix. A ell i al detectiu. Els van jutjar tots dos, però els van deixar en llibertat per falta de proves. Els diners no es van trobar mai. Ah! I la Puri, tampoc.

PISTA 14 | **Exercici 11**

1. A un home de negocis li perden la maleta en un vol de tornada dels Estats Units d'Amèrica. Quan la hi tornen resulta que hi havia milions de dòlars i el denuncien per estafa.

2. A una dona li roben el cotxe i a dintre hi havia el seu fill petit dormint.

3. La policia va a casa d'una noia per detenir-la. La mare explica que la seva filla fa temps que és morta.

4. Un noi deixa passar una noia, que puja a l'ascensor de casa seva. Quan arriben al pis de la noia, baixen tots dos. Resulta que l'acompanyant era un lladre, que entra amb ella al pis.

5. Un home va amb cotxe i recull un autoestopista. La policia el para per excés de velocitat i li posa una multa. Quan arrenca, l'autoestopista tenia el bloc de multes del policia.

6. Una parella denuncia que han entrat a robar a casa seva i que els lladres li han deixat un gos que sembla rabiós.

7. Un home atura el cotxe perquè té un mareig. Un policia municipal li recomana que prengui una mica de whisky. Més tard el paren els Mossos i el denuncien per donar positiu al control d'alcoholèmia.

8. Un noi compra un llibre de cuina. Elabora un plat i convida uns amics. Resultat: tots intoxicats. El noi denuncia l'autor del llibre de cuina.

PISTA 15 **Exercici 12**

1. A un home de negocis li perden la maleta en un vol de tornada dels Estats Units d'Amèrica. Quan la hi tornen resulta que hi havia milions de dòlars i el denuncien per estafa.
   Què dius, ara!
   No fotis!
   Hòstia!
   Això rai!

2. A una dona li roben el cotxe i a dintre hi havia el seu fill petit dormint.
   Que fort!
   No hi donis més voltes.
   Collons!
   De debò?

3. La policia va a casa d'una noia per detenir-la. La mare explica que la seva filla fa temps que és morta.
   Què dius, ara!
   N'estàs segur?
   No n'hi ha per a tant!
   Vols dir?

4. Un noi deixa passar una noia, que puja a l'ascensor de casa seva. Quan arriben al pis de la noia, baixen tots dos. Resulta que l'acompanyant era un lladre que entra amb ella al pis.
   Pots pensar!
   Ostres!
   De debò?
   I com va anar?

5. Un home va amb cotxe i recull un autoestopista. La policia el para per excés de velocitat i li posa una multa. Quan arrenca, l'autoestopista tenia el bloc de multes del policia.
   Ja pots comptar...
   Sí, home!
   No pot ser!
   Òndia!

6. Una parella denuncia que han entrat a robar a casa seva i que els lladres li han deixat un gos que sembla rabiós.
   Què dius, ara!
   Digues, digues...
   N'estàs segura?
   Caram!

7. Un home atura el cotxe perquè té un mareig. Un policia municipal li recomana que prengui una mica de whisky. Més tard el paren els Mossos i el denuncien per donar positiu al control d'alcoholèmia.
   Vols dir?
   No fotis!
   Ves per on...
   Déu n'hi do.

8. Un noi compra un llibre de cuina. Elabora un plat i convida uns amics. Resultat: tots intoxicats. El noi denuncia l'autor del llibre de cuina.

Vaja!
No m'ho acabo de creure!
I com va anar?
Això rai!

PISTA 16 **Exercici 16**

Aquest vespre cap a les vuit els Mossos d'Esquadra han trobat el taxista Albert B., que havia desaparegut aquest migdia. La història és una mica estranya, ja que les informacions que ha donat el taxista no acaben de ser del tot creïbles. Diu que no recorda res del que ha fet a partir de dos quarts de dotze. Anteriorment havia agafat passatgers al barri de Sant Andreu. Això és tot el que recorda. Els seus companys de Teletaxi han explicat que els havia trucat i els havia dit la paraula clau, que és el codi d'atracaments i segrestos, però que posteriorment no hi han pogut connectar perquè sembla que havia desconnectat el mòbil i no contestava la ràdio. Els familiars d'Albert B. han sabut notícies seves quan ell els ha telefonat cap a les vuit del vespre i els ha dit que l'havien segrestat, que li havien donat un cop al cap i que no podia recordar res. També els ha dit que era a Vic i que es trobava bé.

Els Mossos, que l'havien estat buscant tot el dia, han enviat una patrulla a Vic, que l'ha portat a l'hospital, a la comissaria a declarar, i després a casa seva. Durant el matí els Mossos també s'han reunit amb la família i han estat en contacte amb alguns taxistes que havien decidit buscar el seu company.

Després del reconeixement mèdic practicat a l'hospital de Vic, els metges no han trobat cap lesió prou important que justifiqui l'amnèsia. El cas és obert.

PISTA 17 **Exercici 25**

1. Quan vaig entrar a casa seva al matí el vaig trobar assegut a la butaca amb els cascos posats. Ja era mort, l'havien enverinat a l'hora de sopar.

2. Jo no sé què va passar ahir a la nit, però vaig sentir gent que pujava i baixava amb l'ascensor i a peu. Es veu que quan va pujar l'última persona el senyor Bonifaci ja s'havia mort.

3. Ell era molt presumit i molt polit. Va sortir de casa per anar a una cita i per això s'havia vestit molt elegant.

4. Va sortir molt de pressa de la pizzeria i quan va arribar a casa del senyor Bonifaci les mans li feien pudor de ceba perquè no se les havia rentat.

5. Havien sortit de la pizzeria abans que els altres per poder anar casa seva, i perquè ningú no els veiés.

6. L'últim dia de classe van anar a sopar a una pizzeria. El dia abans ja havia donat les notes de final de curs.

UNITAT
3 COM A CASA

LLIBRE DE L'ALUMNE

PISTA 18 | Exercici 3

1.

Hola!

Hola, bon dia!

Bon dia! Seguin, seguin. Diguin.

Estem buscant un pis de lloguer.

Molt bé. I quines característiques ha de tenir aquest pis?

Doncs miri, estem buscant un pis que no sigui gaire car.

Ui, ara per ara això ho tenim difícil.

No cal que sigui gaire gran, perquè és per a nosaltres dos. Volem que tingui un dormitori, una cuina, un menjador, un bany... Que faci uns 50 m².

Ah, i, si pot ser, que hi toqui el sol.

Sí, sí, i que tingui una sortida: un balcó o una terrasseta.

I volen que sigui cèntric?

Home, si pot ser, millor. I si no, que estigui ben comunicat.

Mirin, en tinc un que fa 60 m². Està ben distribuït, hi toca el sol, però és un sisè sense ascensor.

Ostres, un sisè sense ascensor... I no en té cap que sigui més baix o que tingui ascensor?

Si volen que hi toqui el sol ha de ser alt: un àtic, per exemple. I els àtics no solen ser barats...

2.

Immobiliària Cases, mani'm?

Bon dia! Estic buscant un pis o una casa de compra i vull saber si vostès en tenen cap que s'adeqüi a les meves necessitats.

Segur que sí, dona! Justament ahir ens van entrar alguns immobles que estan molt bé. Si no és gaire exigent, segur que en trobarem un que li farà el pes.

Exigent jo? I ara!

Doncs un moment, que li obro una fitxa. Digui'm el seu nom.

Montserrat Setcases.

Montserrat Setcases. Molt bé. Doncs digui, digui.

Ja li he dit que no sóc gaire exigent. Demano que hi hagi el mínim. Ja no demano que sigui assolellat, ni que tingui terrassa o balcó, ni que doni al carrer, ni que tingui aire condicionat ni calefacció, ni que els serveis estiguin donats d'alta, ni que hi hagi piscina comunitària, ni que estigui ben comunicat... Bé, si hi ha tot això millor; però, si no, no passa res.

Ostres! Ja veig que no demana gaire...

Doncs no, ja l'hi he dit. Això sí, sobretot no vull que estigui moblat.

Molt bé, cap problema. Li és igual un pis o una casa, oi?

Sí. Tant me fa.

I té un límit de preu?

Cap. Això sí! Vull que tingui una banyera d'hidromassatge.

Una banyera d'hidromassatge? Bé, deixi'm mirar què tenim...

PISTA 19 | Exercici 8

Quan entres a casa, hi ha el rebedor. No és gaire gran, però hi cap un moble de calaixos, davant per davant de la porta, que em va regalar la meva àvia, i un penja-robes, a l'esquerra del moble.

A la cuina, hi tinc uns mobles baixos en forma de ela, de color marró. Dos armaris tenen calaixos i els altres, prestatges. Quan entres, a l'esquerra, hi ha la nevera, al costat l'aigüera, un moble raconer, la cuina amb el forn i el rentavaixella. I davant de la nevera, al racó, hi ha una taula amb quatre cadires, que faig servir per esmorzar. La peça més cara de la cuina és l'aixeta, d'un dissenyador italià.

Quan surts al safareig des de la cuina, a la dreta hi ha la caldera, penjada a la paret, i, a sota mateix, la rentadora. A l'esquerra, els comptadors del gas. I al fons del safareig, l'estenedor.

La sala d'estar i el menjador és una sala única, però amb dos ambients. A la dreta, hi ha una taula rodona, cadires al voltant de la taula i un moble amb calaixos, no gaire alt. A l'altra part de la sala, hi ha un sofà i tres butaques. Davant del sofà hi una taula baixa. Al costat d'una butaca hi tinc un llum de peu, per llegir. Les cortines de la sala són d'un color claret.

Al bany no hi tinc banyera, sinó una dutxa. El lavabo queda davant de la porta, quan entres. Gairebé darrere de la porta hi ha el vàter i al costat, el bidet. A sobre del lavabo hi ha un mirall. A l'esquerra del lavabo hi ha la dutxa. La finestra que dóna al celobert és sobre del vàter i del bidet. Al costat de la dutxa hi ha prestatges.

Entrant al dormitori, a mà esquerra, hi ha el llit i dues tauletes de nit, a banda i banda del llit, amb dos llums. A terra, davant del llit, hi ha una catifa molt gran i dues butaques petites. També hi ha un armari, de punta a punta de l'habitació. Al racó hi ha una cadira, per deixar-hi la roba.

PISTA 20 | Exercici 11

Bon dia. Avui parlarem del fengshui amb la senyora Sales, que és la directora de l'empresa Bon Espai, empresa que es dedica a decorar espais de treball i cases. Si no m'equivoco, el fengshui és un art mil·lenari xinès a través del qual es pretén aconseguir la màxima energia i salut, millorar les relacions humanes i mantenir una riquesa espiritual a l'ambient on ens movem.

Exacte. De fet, és una disciplina que ensenya a dissenyar i a decorar els espais de forma equilibrada i harmònica. En altres paraules, és un sistema d'organització especial que busca l'harmonia de l'ésser humà amb l'entorn arquitectònic que l'envolta, i que industrials, arquitectes i interioristes ja utilitzem. El fengshui proposa una ubicació determinada de les coses, ja que les formes de l'edifici, els colors, la llum, l'estructura d'un moble, la posició del llit o de la taula del despatx, posem per cas, poden afectar-nos sense que ens n'adonem.

I ens podria donar algunes recomanacions basades en aquest art oriental i que poguéssim aplicar de manera senzilla a casa o a la feina?

Naturalment. A les nostres llars podem potenciar l'energia positiva tenint en compte quatre normes bàsiques a l'hora de decorar els espais. Per exemple, a l'entrada no hi ha d'haver mobles grossos o pesants. Tampoc no hi ha d'haver cables elèctrics visibles. Ha de ser espaiosa i àmplia, perquè hi entri l'energia positiva.

I la sala d'estar, per exemple?

S'ha de deixar el centre del saló o de la sala d'estar ben lliure de mobles, perquè l'energia pugui arribar a tots els racons. Als racons foscos s'hi pot col·locar un llum de peu. Cal evitar les parets completament blanques o negres. Es poden pintar de color verd, blau o vermell combinat amb un blanc trencat, i penjar-hi quadres. També es pot fer contrastar el color de les parets amb el de les cortines. Si l'espai ho permet, podeu unir el menjador i la sala d'estar. El menjador s'ha de mantenir net i ben ventilat i durant els àpats no s'ha de tenir el televisor engegat. És important que la porta no quedi darrere del sofà. Poseu coixins sobre el sofà i sobre la catifa, si en teniu. Tingueu sempre una bona il·luminació.

I les altres parts de la casa? El bany o la cuina?

Els banys haurien de tenir llum natural i una bona ventilació. És important vigilar que el vàter, el lavabo, el bidet, la banyera o la dutxa no facin pudor. Barregeu elements de fusta per contrastar l'element aigua. No situeu mai el bany davant de la porta d'entrada ni davant de la cuina. Per cert, la cuina cal que sigui còmoda i que s'hi pugui circular bé, sense obstacles. La millor distribució dels electrodomèstics és la que separa els de foc, els forns i les cuines, dels d'aigua, com la rentadora, el rentavaixella o la nevera. Ah, i la nevera ha d'estar ben assortida. Els colors ideals de la cuina són els torrats.

I per dormir bé, alguna recomanació?

Cal col·locar el llit arrambat a una paret sense finestres i que des del llit es pugui veure la porta d'entrada a l'habitació. Cal evitar miralls que reflecteixin directament el llit. Les tauletes de nit donen harmonia a l'habitació. I el que és importantíssim és la il·luminació: a més d'un llum al sostre, s'ha de tenir un llum a la tauleta de nit i un llum de peu, si hi ha algun racó fosc. El dormitori ha de transmetre una sensació de calma i benestar. Per això s'aconsellen els colors clars. També es recomana que les habitacions infantils es pintin amb tons clars.

Doncs ja ho saben, senyores i senyors oients. Ja han apuntat les recomanacions de la senyora Sales per millorar les nostres llars? I al nostre estudi, quins consells ens pot donar per aconseguir un ambient més equilibrat i harmònic?

Els estudis, els despatxos, o sigui els llocs on treballem, han de ser nets i lliures de trastos, de mobles que no fan cap servei. Els armaris i els prestatges s'han d'ordenar sovint i vigilar que tots els aparells que hi guardem funcionin correctament. S'han d'endreçar els papers que hi ha sobre les taules, per tenir la sensació d'ordre. I sobretot s'ha d'evitar tenir flors seques.

No sé si ha estat una indirecta o què, però intentarem seguir els seus consells. Moltes gràcies, senyora Sales, i fins ben aviat.

PISTA 21 **Exercici 12**

Passeu, passeu. Mireu com ens ha quedat la casa. No està del tot acabada. Encara ens falten algunes coses, però de mica en mica. Ja se sap... aquestes coses són lentes. Ens ha costat, però al final estem molt contents del resultat. Ui! Perdoneu, que ens demanen. Però mireu, mireu, com si fóssiu a casa vostra. Ara tornem.

Què? T'agrada?

Home... Has vist el color de la façana? No et sembla una mica massa cridaner. I la teulada?

Déu n'hi do! No fa pel clima d'aquí. No sé on s'han pensat que viuen, aquests.

Sembla una teulada d'una casa d'alta muntanya.

T'has fixat en la distribució de la casa? Vine, vine per aquí... Mira aquest envà que hi ha entre el menjador i l'estudi! Jo el tiraria a terra i faria el menjador més gran.

Tiraries a terra l'envà del menjador? Però si l'estudi és molt útil.

Sí, és útil si el fas servir, però si aquests no el fan servir per a res... I el sostre? El trobo massa alt. Jo l'abaixaria. Ells tampoc són gaire alts...

Que abaixaries el sostre? No, home, no. A mi m'encanten els sostres alts. Però això sí, el pintaria d'un altre color.

Potser sí.

Vine, vine. Mira per aquí. Ah! Hi ha la cuina. Què et sembla?

Què vols que et digui! Jo hi faria una finestra, que

comuniqués amb el menjador. És molt còmode..., però és clar ells tampoc no cuinen mai.

Fer-hi una finestra? Vols dir? No ho sé, no ho trobo tan important. I aquesta porta? Ah! Dóna al rebedor. Ostres! Quin paper pintat que hi ha a la paret! Jo el trauria, ja! Encara que diuen que el paper pintat és l'última moda, però a mi no m'agrada gens. I el terra! Que el veus?

No m'hi havia fixat!

Marbre fosc! Això sí que no té solució. Jo hi posaria una rajola clara, per donar-hi més caliu, saps?

Doncs jo hi posaria parquet.

Qualsevol cosa abans que aquest marbre. Amb els terres s'han passat molt. Ah! I m'han dit que volen posar moqueta a l'habitació de convidats.

Que volen posar moqueta a l'habitació de convidats? Com si fossin anglesos!

Això em van dir. Anem a l'habitació a veure què hi han posat.

Ah! Espantosa!

És horrible. Quin mal gust! Sort que no tenen gaires convidats! Mira, mira l'escala que puja a la planta de dalt. També de marbre! Quina mania! I amb la barana de fusta, que no hi lliga gens. Hauria de ser una escala més discreta, que no ocupés tant espai. Jo la faria de fusta perquè fes joc amb la barana.

Ja t'ho dic: volen fer una casa massa moderna. No sé quin decorador els està aconsellant.

No ho saps? Un amic seu, que fa de decorador.

Mare de Déu! Doncs amb aquests amics, fill, no cal tenir enemics.

Ui, calla, que vénen.

Ostres, sí!

I què? Què us semblen les reformes? Us agraden els canvis?

I tant! Ara ho estàvem comentant. Us ha quedat molt maca.

Sí, sí. Nosaltres no canviaríem res de res. Ho deixaríem tot igual. Teniu molt bon gust!

LLIBRE D'EXERCICIS

PISTA 22 **Exercici 8**

1. Tens gas ciutat? De gas ciutat, en tens?
2. Hi ha ascensor? D'ascensor, n'hi ha?
3. Teniu garatge? De garatge, en teniu?
4. Hi ha mobles? De mobles, n'hi ha?
5. Té balcons? De balcons, en té?

PISTA 23 **Exercici 18**

Entrant a casa, hi ha el rebedor. No és gaire gran, però hi cap un moble de calaixos, davant per davant de la porta, que em va regalar la meva àvia, i un penja-robes, a la dreta del moble. Darrere de la porta hi ha un mirall.

A la cuina, hi tinc uns mobles baixos, de punta a punta de la paret. Entre el forn i el rentavaixella hi ha un armari amb calaixos. El microones és al racó, al costat de la nevera. A l'esquerra de la nevera hi ha uns prestatges.

A la galeria, hi ha la caldera, penjada a la paret, i, a sota mateix, la rentadora. A sobre de la rentadora hi ha l'assecadora. I l'estenedor, arrambat a la paret.

La sala d'estar i el menjador és una sala única, però amb dos ambients. A la dreta, hi ha la taula quadrada, les cadires al voltant de la taula i un llum penjat al sostre. A l'altra part de la sala, hi ha un sofà i una butaca. Davant del sofà i de la butaca hi una taula baixa. Al racó hi tinc un llum de peu, per llegir. I darrere del sofà, a l'esquerra, hi ha prestatges amb llibres.

Al dormitori hi ha un llit i dues tauletes de nit, a banda i banda del llit. A sobre de les tauletes de nit hi ha un llum. A terra, davant del llit, hi ha una catifa. Al dormitori, també hi ha un armari, de punta a punta de l'habitació. Al racó hi ha una cadira, per deixar-hi la roba.

Al fons del bany hi ha la banyera. Al costat de la banyera hi ha el lavabo. A la dreta del lavabo hi ha el vàter i al costat, el bidet. A sobre del lavabo hi ha un mirall.

A l'estudi hi ha una taula tocant a la paret. A sobre de la taula hi ha l'ordinador. I darrere de la cadira hi ha una llibreria.

UNITAT 4 LLEPAR-SE'N ELS DITS

LLIBRE DE L'ALUMNE

PISTA 1 **Exercici 2**

Diàleg 1

T'agraden les escarxofes?

Ui, sí! M'agraden molt, sobretot a la brasa o al forn.

A mi m'encanten els bunyols d'escarxofa, fets a la romana, quan les escarxofes són tendres.

I amb truita, que no t'agraden?

Sí, però s'ha de vigilar de treure les fulles verdes, perquè són amargants.

Doncs jo, les fulles amargants me les menjo.

Com te les menges?

Crues o bullides; una mica dures, que no siguin toves, a la vinagreta.

Ah! Doncs les tastaré.

Diàleg 2

A l'estiu la fruita que m'agrada més és el meló. Ni gaire madur, ni gaire verd, que estigui al punt, i ben fresc.

A mi també m'agrada, però potser prefereixo la síndria, quan és madura i ben vermella.

Sí, no està malament, però no m'agrada que tingui tantes llavors...

Home! Les fruites, si no tenen llavors, tenen pinyols, ja se sap!

És una llàstima! Jo només menjo la fruita si me la donen sense pell, sense pinyols, sense llavors...

Que mandrós, que ets!

Diàleg 3

Quina carn t'agrada més?

La de bou. Un bon filet de bou fregit, una mica cru, és molt gustós. A tu, no t'agrada?

No gaire, perquè a mi m'agrada que la carn sigui ben cuita i el bou cuit el trobo una mica dur. M'estimo més un bistec de vedella a la planxa, que és més magre i més tendre.

Vaja! No em convidis a dinar a casa teva...

Diàleg 4

Com us les mengeu les cloïsses?

A mi m'agraden molt al vapor, com els musclos.

Jo me les menjo crues, amb un raig de llimona. Són delicioses!

A mi em fan una mica de fàstic crues, prefereixo que siguin guisades, a la marinera, en una caldereta o fetes amb un suquet de peix amb patates o mongetes.

Tu no deus fer dieta, oi?

PISTA 2 **Exercici 5**

1. Té problemes perquè els seus fills mengin? Oblidi-se'n! Amb la nova Zip-zap aconseguirà un puré tan fi que el nen o la nena se l'acabarà i fins i tot repetirà. Però no només els purés, amb la Zip-zap podrà batre tot tipus d'aliments: crus o cuits. És una revolució en el món de la cuina. Provi-la i ja veurà com no en podrà prescindir. Zip-zap, un minut i ja està!

2. No pot anar a comprar cada dia? És un home modern que cuina els caps de setmana? Doncs necessita un Brrrrrrr. Faci els seus macarrons diumenge i mengi-se'ls com acabats de fer qualsevol dia de la setmana, del mes i fins i tot de l'any. Brrrrrrr li garanteix una conservació perfecta. Ah! I, si se'ls vol menjar calents, li oferim un Cliiiing. En un minut estaran a punt per servir a taula. Preu d'oferta del lot, fins a exhaurir existències. Cregui'ns, el seu estómac l'hi agrairà.

3. No s'hi pensi més! Amb gas o amb electricitat podrà fer les seves millors receptes: des d'una paella, a una verdura al vapor. La nostra marca li garanteix una cocció segura. Consulti els nostres professionals i quedi's la GL que s'ajusti més als seus hàbits culinaris. Aquesta setmana amb una GL li regalem una paella. I bon profit!

4. Vol esmorzar bé cada dia a casa i amb molt poc temps? Doncs no deixi passar l'oportunitat de quedar-se, pel preu d'un, dos aparells magnífics. Mentre amb la Zum fa un suc de taronja natural, la Clac li deixarà el pa a punt per posar-hi el que més li agradi: mantega, confitura, oli... Suc natural i pa, cruixent i calentó, i ja pot començar el dia amb energia! Zum, Clac!

5. Ha fet mai hamburgueses? I mandonguilles? Li agradaria, però el temps... Compri la carn ben tendra, posi-la a la Set-vuit-nou i en un tres i no res la tindrà a punt. Només l'ha d'amanir amb sal, pebre i tot allò que vulgui... I llestos! A coure!

PISTA 3 **Exercici 6**

Ring, ring!

Hola, mare! Escolta, acabo d'instal·lar el forn que m'has regalat, però no tinc ni idea de com funciona. M'ho expliques? És que aquesta nit vull fer un pollastre al forn i, com que no tinc les instruccions, no sé com fer-m'ho.

És molt fàcil. Mira: el comandament de l'esquerra serveix per si el vols fer anar manualment o si el vols programar. Si vols engegar-lo i apagar-lo quan tu vulguis, és a dir manualment, has de girar la rodeta a l'esquerra fins on hi ha el dibuix d'una mà. Si el vols programar, has de girar la rodeta a la dreta. Veus que hi ha uns números? Indiquen el temps, en minuts, que el forn pot estar engegat. Gira-la fins al número que vulguis, segons el temps de cocció del menjar que hi posis.

I els altres comandaments per a què serveixen?

El del mig serveix per programar si vols que funcioni la part de dalt, per gratinar; la de baix, per coure lentament, o totes dues. Has de girar el comandament en el sentit de les agulles del rellotge. Veus que a la rodeta hi ha uns dibuixos?

Ah, sí! Ja els veig. I la rodeta de la dreta marca la temperatura, oi?

Sí, gira-la fins que marqui la temperatura que vulguis. Mira, tinc el fullet que explica què es pot fer i què no es pot fer per assegurar l'ús del forn. Vols que te'l llegeixi?

Ah, sí...

Diu: No desi olis, greixos o materials inflamables dintre del forn, ja que pot ser perillós si l'engega.

No es recolzi ni s'assegui a la porta oberta del forn, podria espatllar-la a més de posar en perill la seva seguretat.

Això ho diu, o t'ho inventes?

No, no. T'asseguro que ho diu. Continuo?

Sí, sí. És molt divertit.

No cobreixi l'interior del forn amb fulls de paper d'alumini, ja que pot afectar el menjar i pot fer malbé l'esmalt de l'interior del forn i l'interior del moble de cuina.

Per coure qualsevol aliment, posi les plates o la graella que se subministren a les guies laterals del forn.

Les plates i la graella tenen un sistema que facilita treure-les parcialment i manipular els aliments.

No posi recipients ni aliments a baix de tot del forn, utilitzi sempre les plates i la graella.

Les plates i la graella són dins del forn?

És clar!

Ah, sí ja les veig. Continua, continua...

No tiri aigua a l'interior del forn mentre estigui engegat, ja que l'esmalt es pot fer malbé.

Durant la cocció no obri la porta del forn si no és imprescindible, així reduirà el consum d'energia.

Per refredar el forn, obri la porta perquè es ventili i per eliminar les olors de l'interior.

I últim: En els cuinats que contenen molts líquids és normal que es produeixi alguna condensació d'aigua a la porta del forn.

Carai! Aquestes instruccions semblen per a persones que no han fet mai un ou ferrat.

Ja! I tu n'has fet gaires?

PISTA 4 **Exercici 15**

Bon dia, la xatonada és un plat típic català amb una certa disputa geogràfica entre diversos pobles i viles del Penedès: Vilafranca, Vilanova i la Geltrú, Sitges, el Vendrell... Es tracta d'una amanida d'escarola amb diversos ingredients i una salsa, el xató, que és el que caracteritza el plat. Hi ha tants tipus de xató com persones, que el fan. Avui els donarem dues receptes per fer el xató. Totes dues són molt fàcils perquè les puguin fer a casa sense cap problema. S'hi atreveixen? Els donem les mesures per a 6 persones.

Primera recepta
Ingredients:
3 nyores
10 grams d'avellanes torrades
15 grams d'ametlles torrades
4 llesques petites de pa fregit
3 grans d'all grossos escalivats
2 tomàquets escalivats
3 decilitres d'oli d'oliva
1 decilitre de vinagre
pebre vermell
pebre negre
sal

Repeteixo:
3 nyores
10 grams d'avellanes torrades
15 grams d'ametlles torrades
4 llesques petites de pa fregit
3 grans d'all grossos escalivats
2 tomàquets escalivats
3 decilitres d'oli d'oliva
1 decilitre de vinagre
pebre vermell
pebre negre
sal

Per fer el xató agafin un morter, hi posen una mica de sal i hi piquen les ametlles i les avellanes, fins que hagin aconseguit una pasta molt fina. Després hi afegeixen les nyores, que prèviament hauran escaldat i hi hauran tret la pell. Hi posen el pebre vermell, una mica de pebre negre i el pa fregit. A final hi incorporen els alls i els tomàquets escalivats, l'oli d'oliva i el vinagre. Ho remenen bé i ho deixen reposar unes hores.

Segona recepta

Per fer el xató es necessita:

7 nyores

10 g d'avellanes torrades

15 g d'ametlles torrades

4 llesques petites de pa remullat en vinagre

3 grans d'all grossos

3 decilitres d'oli

sal

un trosset de bitxo

Repeteixo:

7 nyores

10 g d'avellanes torrades

15 g d'ametlles torrades

4 llesques petites de pa remullat en vinagre

3 grans d'all grossos

3 decilitres d'oli

sal

un trosset de bitxo

Per fer la salsa de xató s'han de posar les nyores en remull durant dues hores en aigua freda o tèbia. Quan s'hagin estovat, amb un ganivet, i amb compte, es rasquen les nyores de manera que se separi la polpa de la pell. Es posa la polpa en un morter, juntament amb els alls, les avellanes i les ametlles. També s'hi pot posar una mica de bitxo. Tot seguit s'hi afegeix el pa sucat amb el vinagre i es pica bé, fins que la pasta queda ben fina. A continuació s'hi va tirant l'oli, com si es fes un allioli o una maionesa. S'hi posa sal i, si es vol, una mica de pebre vermell. I... a punt per tirar-lo sobre l'amanida.

Ja ho han vist, dues maneres molt semblants de fer el xató. Ara, triïn. I bon profit!

LLIBRE D'EXERCICIS

PISTA 5 | **Exercici 7**

El tomàquet, tomaca, tomata, tomàtec, tomàtic, tomàtiga o domàtiga és el fruit de la tomaquera, tomatera, tomatiguera o domatiguera.

La tomaquera és originària de la regió andina de Xile i Perú, des d'on es va estendre per l'Amèrica Central i del Sud, on va ser cultivada pels antics maies i asteques pels volts del set-cents. La paraula "tomàquet" deriva de la paraula asteca "tomatl" i significa "fruit inflat".

El suculent tomàquet, present en infinitat de plats d'arreu del món, va ser conegut a Europa a mitjan segle setze, encara que no es va fer popular fins a finals del disset. Va ser exportat a Espanya per Hernán Cortés al voltant del 1523, després de la conquesta de Mèxic. Cortés va descobrir el fruit rogenc mentre passejava pels jardins de l'emperador derrotat, Moctezuma.

A través dels conqueridors espanyols, el tomàquet va arribar a les cuines europees malgrat que, en els seus inicis, va tenir una difícil acceptació en alguns països. Se'l considerava dolent ja que recordava un fruit verinós i al·lucinogen. Als països germànics, per exemple, li deien "wolfsapfel" (poma de llop) ja que es pensava que atreia els homes llop. Per altra banda, les seves suposades propietats afrodisíaques van dur els francesos a anomenar-lo "pomme d'amour" (poma d'amor). A Itàlia, va adoptar el nom de "pomodoro" (poma d'or) perquè probablement les primeres varietats de tomàquet que van arribar-hi eren de color groc.

El tomàquet no sempre va ser un fruit tan gros i suculent com ho és avui dia. Des del seu primer cultiu, la selecció artificial de les variants més desitjables va fer que el tomàquet evolucionés fins a convertir-se tal com ara el coneixem.

Els tomàquets són consumits crus en amanides i també cuits o fregits, al forn i farcits. És una especialitat de la cuina popular catalana el pa amb tomàquet, que s'elabora preferiblement amb els tomàquets més madurs i sucosos i que s'amaneix amb sal i oli d'oliva. És possible que l'origen d'aquesta preparació fos la necessitat d'aprofitar millor el pa sec.

PISTA 6 | **Exercici 18**

Pancraci, avui, com que és festa, pararà la taula molt ben parada. Ja sap com es para bé una taula?

Home! No sé si me'n recordo de tot. Si em pot ajudar una mica...

Santa paciència! Ja li aniré dient què ha de posar, d'acord?

D'acord, senyor. Quines estovalles poso?

Posi les blanques de fil.

Amb els tovallons grans o petits?

Els grans. Els petits ja els posarà quan serveixi les postres.

I els plats? Quins poso?

Posi'n un de pla, a sota, i un de fondo a sobre, per a la sopa.

Poso coberts de carn o de peix, senyor?

De carn. M'ha dit la cuinera que ha preparat sopa i pollastre rostit amb amanida.

Perdoni, senyor, el ganivet i la cullera a la dreta, oi?

Sí, el ganivet tocant al plat i la cullera més enfora. La forquilla, posi-la a l'esquerra, amb les punxes cap amunt. És que se li ha de dir tot!

I... que poso coberts de postres?

Sí, ja els pot posar. Sap com es posen?

Sí, d'això sí que me'n recordo. Es posen davant dels plats: primer el ganivet de postres, amb el mànec a la dreta; després la forquilleta, amb el mànec a l'esquerra, i per últim la cullereta, com el ganivet. És que jo sóc molt llaminer. Sap?

Encara sort! I les copes, sap quin ordre tenen?

Això sí que no ho sé. Jo sóc abstemi, senyor. A veure, quines poso?

A la dreta posi-hi la copa de vi, a continuació la d'aigua i finalment la de cava.

Ja hi cabran tantes copes?

És clar! S'han de posar ben juntes.

Què més hi poso?

Ja hi pot posar els estalvis de plata, la sopera i el cullerot. Així la sopa començarà a refredar-se.

Què més?

La panera del pa, el gerro de l'aigua, l'ampolla de vi i les setrilleres.

No m'hi caben tantes coses. Sap què? Poso el tovalló sobre del plat i així no ocuparà tant lloc.

Quin desastre! El servei ja no és el que era. Pancraci!

Digui, senyor?

I el canelobre?

El cana, què?

El canelobre!

I què s'hi menja, amb el canelobre?

PISTA 7 **Exercici 19**

Què et sembla si avui que no tenim pressa ens fem un bon esmorzar?

Que bé! Fa dies que ni m'assec per esmorzar.

Què vols menjar?

Jo em menjaré un entrepà, amb una cerveseta i després un tros de pastís o una ensaïmada i un cafè o un cigaló.

Déu, n'hi do!

I tu què menjaràs?

Prendré un bon suc de taronja, un iogurt, una mica de fruita, unes torradetes amb mantega i melmelada, i un te amb llet. I si tinc més gana, un parell d'ous ferrats amb bacó; així serà un esmorzar ben anglès!

Vinga, va! Doncs porta els individuals i comencem a parar taula, que no arribem tard a dinar!

PISTA 8 **Exercici 32**

Exemple: *gelat, xocolata, llentia, pinya*

1. julivert
2. pinyó
3. lluç
4. taronja
5. tonyina
6. cuixa
7. conill
8. bunyol
9. espatlla
10. peix
11. mongeta
12. xai
13. flonjo
14. llom
15. manyopla
16. tall
17. xoriço
18. sofregit
19. nyora
20. maduixa

PISTA 9 **Exercici 33**

Exemple: *fregiu, deixeu, ratlleu*

1. salteja
2. ratlla
3. enganxa
4. gireu
5. serveixi
6. fregeixis
7. talleu
8. aixafa
9. apugeu
10. bullin
11. trinxi
12. abaixeu
13. remulleu
14. amaneixes
15. engega
16. sofregeixin
17. ratllin
18. deixeu
19. vigila
20. afegeixin

LLIBRE DE L'ALUMNE

PISTA 10 **Exercici 3**

Vaig veure l'Agustí per primer cop en un cafè. Buscava algú per compartir el meu pis i em va trucar perquè hi estava interessat. La primera impressió va ser molt bona. Ens vam caure bé i li va agradar el pis. Ens vam anar fent amics de mica en mica. La convivència era molt bona i, de fet, va acabar sent el meu millor amic. Ens ho explicàvem tot. No hi havia secrets entre nosaltres.

Quan vam acabar la universitat ens vam distanciar. L'Agustí era un idealista i se'n va anar de voluntari en una organització a Bolívia. Jo vaig trobar feina en una multinacional. Al principi ens escrivíem cada dia o ens connectàvem a través d'Internet, però a poc a poc ens vam anar allunyant. Ara ens truquem per l'aniversari o per Nadal o cap d'any i ens mantenim informats. Sempre diem que ens hem de veure, però ell viu a Bolívia i quan ve aquí, per vacances, jo sóc fora. Els nostres interessos han canviat i m'adono que després d'una estona de parlar amb ell no tinc gaire cosa a dir-li. Som com dos desconeguts. A més, noto que no li agrada la meva forma de vida i jo tampoc entenc gaire la seva. Però ens respectem i sempre hi haurà aquest sentiment d'afecte i d'amistat, encara que ara no podríem compartir pis, perquè ens discutiríem i ens barallaríem cada dos per tres. Els nostres valors han canviat.

PISTA 11 **Exercici 6**

1.

Bon dia, digui?

Bon dia. Puc parlar amb la Irina?

La Irina avui no hi és. Li vol deixar un encàrrec?

Li pot dir que demà a primera hora ens enviï els pressupostos?

Molt bé. De part de qui?

Del Sr. Fontseca.

Molt bé, Sr. Fontseca. Ja l'hi diré, no es preocupi.

Gràcies. Bon dia.

Bon dia.

2.

Digui?

Bona tarda. Voldria parlar amb la Sra. Mercè Pont.

Ho sento, però és que ara està ocupada. Qui la demana?

Sóc el senyor Vilardell, de l'agència de comunicació. Li pot dir que em truqui quan acabi la reunió? Perquè crec que haurem d'anul·lar la reunió d'aquesta tarda.

Sí, és clar. Molt bé.

Gràcies. Bona tarda.

Bona tarda.

3.

Digui?

Estic trucant a l'empresa Polit?

Sí, sí. Mani'm.

Miri, sóc el senyor Gomis, de l'empresa de manteniment.

Digui, digui...

Us trucava perquè necessitaríem l'última factura dels productes que us vam comprar.

Molt bé, prenc nota i aviso el cap del departament de comptes perquè l'hi enviï.

Molt bé, doncs, ja me l'enviaran, oi? És que anem una mica justos de temps.

Sí, senyor, ja la rebrà. No pateixi.

D'acord. Bon dia.

Bon dia. Passi-ho bé.

4.

Laura?

No, no hi és. Sóc l'Anna.

Ah, hola, bon dia. Sóc la Teresa.

Hola, Teresa, com anem? La Laura ha anat a esmorzar.

Doncs li pots deixar un encàrrec?

Sí, és clar. Digues.

Res, doncs que pugi a la sisena perquè ja tinc els documents que em va demanar.

Molt bé. Ja m'ho apunto.

Gràcies.

Adéu.

Adéu.

PISTA 12 **Exercici 7**

Hola! És un missatge per al Carles. Sóc la Irina Moles. Miri, li deixo aquest missatge al contestador perquè demà quan arribi al despatx sàpiga què ha de fer. Haurà d'encarregar-se de la meva feina i espero poder confiar en la seva capacitat, ja que és la persona més competent al meu càrrec.

Doncs miri, quan arribi engegui l'ordinador i contesti els correus que siguin urgents. Si n'hi ha algun que va adreçat a la Carme, reenviï-l'hi. La primera cosa que fa la Carme quan arriba és contestar el correu. A dos quarts de deu, prepari-li un cafè i porti-l'hi. Sense sucre. Recordi-li que ha de signar el nou projecte. Quan la Carme l'hagi signat vagi a correus i enviï'l. Prepari els documents per a la reunió dels anglesos i deixi'ls a la seva taula. La companyia de manteniment vindrà a cobrar. Pagui'ls i desi la factura al primer calaix.

Ah, enviï un ram de flors al marit de la Carme, perquè és el seu aniversari de casats. Per acabar, cap al migdia, escolti els missatges del telèfon privat de la Carme i deixi-li una nota amb les trucades importants. M'he explicat, oi? Queda tot clar, eh?

Bé, espero que no tingui problemes i que ho faci tot bé. Enviï'm un correu si hi ha missatges per a mi. Quan em trobi millor li trucaré. I, sobretot, no em molesti si no és que l'empresa fa fallida! En tot cas, escrigui'm un correu electrònic.

PISTA 13 **Exercici 9**

1. Carme, sóc el Martí. Com que ahir a la nit, quan vas arribar de la reunió, ja dormia i no vam poder celebrar el nostre aniversari, et vindré a buscar a la feina i anirem a dinar fora.
2. Hola, reina! Sóc jo, el teu colomet. Ahir a la nit va ser fantàstic. Ho hem de repetir. T'esperaré a l'hotel a les vuit.
3. Mama, aquesta nit no vindré a casa perquè aniré a estudiar a casa de la Laura i m'hi quedaré a dormir. És que m'han posat un examen sorpresa.
4. Hola, maca. Torno a ser el teu colomet. Sort que ahir vaig substituir l'estirada de la teva secretària, i així et vas fixar en mi! T'esperaré a l'hotel.

PISTA 14 **Exercici 11**

Molt bé, després de llegir i d'aprovar l'acta de l'última reunió, podem passar a l'altre punt. Poden fer el favor de callar, que continuarem amb la reunió? Sisplau, una mica de silenci. Moltes gràcies. Com a president de l'associació de veïns del barri, els he convocat perquè hem de discutir alguns punts que afecten el barri i cal que avui prenguem algunes decisions. Per començar voldria explicar la situació de les obres de la plaça.

Això, això! Van dir que acabarien les obres abans de vacances i encara no les han acabat.

Però està quedant molt bé. Ja veurà com li agradarà quan acabin, Sra. Palmira.

No estic segura que m'agradi, però el que vull és que acabin! Em fa por que les obres no s'acabin mai! I també van dir que posarien bancs i encara no ho han fet.

Un moment, sisplau. Demanin la paraula i parlin un darrere l'altre. No parlin tots alhora. Tenen raó. És evident que les obres no han acabat i m'indigna tant com a vostès que tinguem la plaça en obres durant les vacances.

De quines vacances parlem, les d'aquest any o les de l'any que ve?

Bé, resumint: que aquestes vacances la plaça encara estarà en obres. El que vull dir amb això és que la festa d'estiu no es podrà celebrar a la plaça. I per ser franc em preocupa que per culpa de les eleccions municipals tot vagi més lent i no hi puguem celebrar el dia de la Salut.

A mi m'entristeix que aquests polítics només vulguin els vots: que et prometin mil coses i que després no facin res. No m'estranyaria que la plaça quedés en obres fins després de les eleccions. Hi hauria d'haver una llei que fes complir les promeses!

En qualsevol cas, demanaré una reunió amb el regidor d'Urbanisme de l'Ajuntament per expressar-li el nostre malestar i per demanar-li que es comprometi a donar-nos una data d'acabament de les obres. En l'última reunió es va decidir que es restauraria la imatge de la Verge de la Salut que hi haurà a la plaça. Per tant, tothom, i quan dic tothom vull dir cadascun de nosaltres, ha d'ingressar al compte de l'associació els diners per a la restauració, perquè ha d'estar restaurada el dia de la Salut, que és quan es farà el dinar. Em sap greu que encara hi hagi gent que no hagi ingressat els diners. I per cert, parlant de l'organització del dinar del dia de la Salut, s'haurien de fer comissions que s'encarreguessin de diferents coses. Tothom té l'obligació d'apuntar-se a una de les comissions que hi ha penjades al suro de l'entrada. En la pròxima reunió, cada comissió presentarà la seva proposta.

I cadascun de nosaltres ens hem d'apuntar a una comissió? No hi estic d'acord!

I tant! En cap cas farem excepcions. Confio que entre tots puguem organitzar un dinar ben lluït! I finalment, passem al punt de precs i preguntes. Hi ha algú que vulgui dir res?

Jo, jo! Demano la paraula! Voldria insistir que en el nostre barri hi falta llum. No s'hi veu gens. Hauríem de demanar a l'Ajuntament que hi posés més llum.

Sí, hi estic totalment d'acord. I, entre altres coses, les voreres estan totes fetes malbé i és molt fàcil caure. Considero que l'associació hauria de pressionar l'Ajuntament perquè les arreglés.

Molt bé, m'ho apunto. Senyor Mir, digui.

Només voldria dir una cosa. M'agradaria que l'Ajuntament ens digués quin tipus d'arbre pensen plantar a la plaça. És que sóc al·lèrgic, saben? Em preocupa que hi plantin, posem per cas, plataners...

Sí, sí... Però ja sap com són les coses. De tota manera m'ho apunto i a la reunió que tindrem amb el regidor l'hi demanarem. Cap altra pregunta? El torn un altre cop de la senyora Palmira. Pot parlar, senyora Palmira.

Voldria denunciar aquests joves que seuen al carrer a beure a les nits. No em deixen dormir. No hi ha dret! Caldria que l'Ajuntament fes alguna cosa, que posessin més vigilància. És que no sé pas on anirem a parar amb aquest jovent!

D'acord. Doncs si ningú més demana la paraula, acabem aquí la reunió. Per cert, ara que hi penso, vull recordar-los que només queden cinc dies, com tothom ja sap, perquè s'acabi el termini de presentació de fotografies del concurs de "El barri: ahir i avui". Recordin que queda prohibit presentar-hi més d'un original per concursant. Doncs ara sí que acabem. Gràcies per venir i bona tarda a tothom.

PISTA 15 **Exercici 13**

Marina? Pots parlar?

Sí, sí, digues. Què et passa?

Et fa res ajudar-me?

No. Què et passa?

Doncs mira, noia, que em deu haver entrat un virus a l'ordinador, un altre cop.

Ni virus ni res. És que ets un desastre amb les màquines.

Ei, ei! Si t'has de posar així!

Vols que t'ajudi o no vols que t'ajudi?

Si no et fa res...

Vinga, vinga! Explica'm què et passa.

Doncs que no funcionen els altaveus.

Què vols dir? Que no se sent res?

Doncs...

Per començar, connecta l'ordinador.

Sí, sí, ja ho he fet. Ja l'he endollat. Fins aquí hi arribo! No sóc tan beneit!

No em facis parlar. Doncs, desendolla'l i torna'l a connectar.

Molt bé. Ja està. Ja l'he desendollat i l'he tornat a connectar.

Ara pitja el botó per engegar l'ordinador.

Ja ho he fet. Ja l'he pitjat.

Espera un moment. Fa soroll?

Sí, sembla que s'engega.

Molt bé. Clica la icona de l'altaveu, que hi ha a la dreta de la pantalla. Ja? Encara no l'has clicat?

Espera, dona, espera. Ara la veig. Fet! Ja l'he clicat. I ara?

T'ha aparegut una barra, oi?

Sí.

Doncs apuja el volum. Ja ho has fet?

Sí, ja ho he fet. Ja l'he apujat. Ara, ara, ja se sent! Ets un crac!

I si fessis un curs per a inútils dels ordinadors?

Te'n dec una. Digue'm què vols que faci i ho faré!

Ostres! Doncs ara que ho dius... Et fa res...

PISTA 16 **Exercici 14**

1. Mai dels mais he pogut fer que funcionés. Ni el primer dia. Primer vaig pensar que l'havia instal·lat malament, però el meu nebot, que és informàtic, em va dir que hi havia una peça defectuosa. Vaig tornar a la botiga on l'havia comprat i em van dir que m'enviarien un tècnic a casa. Tu l'has vist? Hi he trucat un munt de vegades i res. No hi ha dret!

2. Em va trucar una senyora molt amable i em va explicar tots els avantatges del servei. Com que ja m'havia mirat altres empreses, vaig decidir donar-me d'alta. Quan vaig rebre el contracte, em vaig adonar que no hi havia cap dels avantatges que m'havia dit la senyora per telèfon. Truco cada dia a l'empresa per donar-me de baixa i sempre em passen d'una persona a una altra, em fan esperar... Tot plegat un malson!

3. Vaig veure un anunci d'un pis que m'interessava i hi vaig trucar. Em van dir que passés per l'agència. Un cop allà volien que els pagués per donar-me la llista de pisos que estaven de lloguer i per ensenyar-me'ls. Els vaig dir que no creia que fos legal. Es van quedar tan amples. No hi tornaré mai més.

4. Tampoc em van sortir tan barates. A la primera rentada es van escurçar dues o tres talles, com a mínim! Es van fer tan petites que ni la meva filla les va poder aprofitar. I a més van perdre el color! Quan vaig anar a queixar-me em van dir que la culpa era meva, que les devia haver rentat amb aigua calenta. Tot plegat una bona estafa!

5. Dels set dies, els dos primers els vam passar a l'aeroport. Els altres cinc, en una pensió amb el bany al replà, comunitari per a tota la planta. Les estrelles que havia de tenir l'allotjament, ni de broma. No les podíem veure ni al cel, perquè l'habitació no tenia finestra. Dels àpats, ni te'n parlo. Ens vam aprimar dos quilos!

6. Vaig comprar un robot per a la cuina que havia vist en un catàleg, d'aquests que t'envien a casa. Doncs el vaig demanar. Havies d'ingressar els diners en un compte i després te l'enviaven. Quan el vaig rebre no era exactament el que havia demanat. Vaig haver de fer la reclamació i, al final, al cap d'un parell de mesos, em van enviar el que havia demanat i es van endur l'altre.

PISTA 17 **Exercici 15**

Vaig anar a València a passar-hi el cap de setmana. Vaig sortir dissabte al matí amb avió i vaig tornar diumenge al vespre. L'hotel el vaig contractar per Internet, una oferta d'avió més una nit d'hotel. Per començar, quan vaig arribar a l'aeroport no va arribar la bossa que havia facturat. Allà mateix vaig fer la reclamació i em van dir que quan la bossa arribés me la portarien a l'hotel. Llavors vaig agafar un taxi i vaig anar a l'hotel. L'hotel era cèntric i feia bona pinta. A la recepció els vaig informar que havien d'enviar-me la bossa des de l'aeroport. Em vaig registrar i em van donar la clau de l'habitació. Però quan vaig voler obrir la porta de l'habitació, no vaig poder, perquè la clau es va trencar i va quedar dintre del pany. Vaig avisar el recepcionista i em va dir que avisaria el cap de manteniment. Quan va venir el cap de manteniment, va haver de forçar la porta perquè s'obrís. Finalment, quan vaig entrar a l'habitació em vaig adonar que els llums de les tauletes de nit no funcionaven. Les bombetes estaven foses. Vaig trucar a recepció perquè les canviessin. A la nit, quan vaig tornar a l'hotel després de fer un volt per la ciutat, em van dir que la bossa no havia arribat. Vaig pujar a l'habitació i em vaig voler dutxar. Però quan vaig obrir l'aixeta, em vaig adonar que no es podia tancar. Estava trencada i no parava de rajar aigua. Sortia aigua sense parar i, a més, la banyera estava embussada. Vaig trucar un altre cop a recepció perquè fessin venir algú de manteniment. Mentre arreglaven l'aixeta i desembussaven la banyera, vaig demanar si em podien rentar la roba per tenir-la neta l'endemà, ja que la bossa no havia arribat. Cap problema, em van contestar. Em van assegurar que l'endemà a les vuit em portarien la roba neta i planxada a l'habitació, i em van donar un pijama per dormir.

Però aquí no s'acaba tot. Quan em vaig posar al llit, vaig notar alguna cosa estranya: els llençols estaven foradats. Se m'estava acabant la paciència. Aleshores vaig engegar la tele per relaxar-me. Ni es veia ni se sentia bé. La vaig apagar i llavors vaig agafar un llibre per llegir, però la bombeta del llum es va fondre un altre cop. Em vaig posar a plorar. Vaig apagar els llums i vaig intentar dormir. L'endemà a les vuit un noi em va portar la roba a l'habitació. Quan m'estava vestint vaig veure que tota la roba, els pantalons, els calçotets, la camisa… estava tacada! Llavors sí que vaig perdre la paciència! Vaig sortir de l'habitació en pijama i vaig anar a recepció a queixar-me. Els vaig exigir que em tornessin els diners que havia pagat i que m'indemnitzessin, i em van contestar que fes una reclamació i que ja veuríem. Per sort, la bossa havia arribat!

LLIBRE D'EXERCICIS

PISTA 18 **Exercici 3**

Text 1

La relació amb la meva família és molt estreta. Parlem sovint per telèfon perquè ens avenim molt. El meu germà i la seva dona viuen a prop de casa dels meus pares. Jo visc en una altra ciutat, però cada diumenge ens reunim a casa dels pares, perquè la mare fa el dinar. És una tradició. Així, ens podem veure i explicar-nos les coses. També aprofito l'ocasió per veure els meus avis, els pares de la meva mare, que viuen amb els meus pares. A vegades, amb el meu pare ens discutim, perquè no veu les coses com les veig jo, però després canviem de tema i tot arreglat. M'agrada tenir aquesta relació i, quan tingui un fill, m'agradarà veure'l com juga amb els meus pares, com quan jo era petit i jugava amb els meus avis.

Text 2

Quan vaig començar a treballar, me'n vaig anar a viure a ciutat, a dos-cents quilòmetres de casa dels meus pares. De tant en tant ens truquem, però no ens veiem sovint. El meu germà tampoc viu al poble, perquè se'n va anar a viure a França. Viu amb una noia francesa i tenen un fill. Amb el meu germà no ens avenim gaire, perquè som molt diferents. La meva mare es va separar i va tenir un fill amb la seva nova parella. El meu pare també es va ajuntar amb una dona, que té una filla de la meva edat. Ens estimem, ens respectem i gairebé mai ens discutim ni ens barallem. Si necessito alguna cosa, sé que els meus pares em donaran un cop de mà. Hi puc comptar. Però no depenem els uns dels altres. Ara visc amb el meu xicot i pensem adoptar un nen. Ara per ara, aquesta és la meva família.

PISTA 19 **Exercici 5**

1. No es parlen des de fa més de vint anys.
2. Fa més de trenta anys que ens coneixem. Som com germans.
3. No el puc veure. Es fa el simpàtic, però… uf!
4. La Maria està molt contenta i s'arregla molt.
5. La Mònica s'ha barallat amb la Montse per una ximpleria.

PISTA 20 **Exercici 33**

1. **Amor de gos**

   Estic d'acord amb el Sr. Conill, quan diu que els animals de companyia tenen el mateix dret que els nens a viatjar amb els transports públics, sempre que paguin el bitllet. I evidentment sempre també que els seus propietaris vigilin que no molestin els altres passatgers.
   Filomena Martí

2. **Dones i homes**

   Arran de l'article "Les dones al poder", lamento haver de dir que tant l'home com la dona es comporten de la mateixa manera, quan tenen poder. Vaig perdre la meva feina perquè la meva cap es va embolicar amb el meu secretari, que evidentment va ocupar el meu càrrec. Si la meva cap fos un home, parlaríem de masclisme, oi?
   Irina Moles

3. **Estafa'm, sisplau**

   No entenc que encara hi hagi gent que es deixi prendre el pèl. Senyor Llopis, si unes persones li diuen que vénen a fer la revisió de la instal·lació de gas i vostè no els demana que s'identifiquin, què hi pot fer la companyia de gas? Em sap greu dir-li que la culpa és seva i no, de la companyia.
   M.C.

4. **Vàters públics**

   Em preocupa que l'Ajuntament no es plantegi seriosament el problema que patim al nostre barri. Caldria que controlessin que ningú no fes pipí al carrer i haurien de multar les persones que ho fan. Estic tip de veure gent pixant i de sentir la pudor d'orina. Tenim dret a respirar aire pur!
   Pep Coll

UNITAT 6 EL MÓN D'AVUI... I EL DE DEMÀ

LLIBRE DE L'ALUMNE

PISTA 21 Exercici 3

Imagineu un país molt petit, de cent habitants. D'aquestes cent persones n'hi ha cinquanta-set que són asiàtiques, vint-i-una provenen del continent americà, catorze són europees i vuit són africanes. Quina barreja! Diuen que pertot arreu hi ha ambaixades i consolats. Entre tot aquest conjunt hi ha cinquanta-dues dones i quaranta-vuit homes. Com sempre, les dones dominen. Però, dominen?

Parlant de temes referents a allò que s'anomenen "minories": setanta persones no són de pell blanca i, per tant, només trenta l'hi tenen. Cosa força òbvia, per la procedència dels seus habitants. Poca cosa hi tenen a fer els blancs, oi? Continuem; hi ha trenta persones que són cristianes i setanta que no ho són. Creieu que això és un problema? I ja, en el terreny més personal; d'entre ells i elles, vuitanta-nou són heterosexuals, i onze, homosexuals. Què penseu que hi diu la constitució? Tenen tots els ciutadans llibertat d'expressar-se tal com són?

Pel que fa a la forma de viure, hi ha una cosa que ens sorprèn: vuitanta persones viuen en condicions infrahumanes. Com pot ser? I la justícia social? Espereu, que aquí no s'acaba: setanta no saben llegir, només una és universitària —deu haver arribat amb la cultura incorporada! I també només una té un ordinador —no sabem si és la mateixa.

Pel que fa a la distribució de la riquesa, qui diríeu que acumula el 59% de tota la riquesa del país? Doncs, tan sols sis persones. I, no endevinaríeu d'on procedeixen, oi? De l'Amèrica del Nord, és clar! Quina injustícia!

Coneixeu cap país del món com aquest? O, potser ens hem equivocat i allà on diu país hi ha de dir món? Ai!

PISTA 22 Exercici 6

Ai, quina set... Passa'm l'ampolla!

L'ampolla? L'ampolla és mig buida.

Bé, doncs passa'm la mig plena!

No te l'acabis. Pensa en la sequera!

Saps què et dic, que jo això que hi hagi sequera no m'ho crec.

Com que no t'ho creus? Diuen que l'aigua està a punt d'acabar-se. Ja et dic jo que d'aquí a dos dies s'haurà acabat del tot. Hi haurà restriccions i caldrà que en portin de fora...

No, home, no! Això són coses polítiques. Si d'aigua se'n llença cada dia... un munt de litres!

Això sí que és veritat: si les instal·lacions estiguessin bé, no es perdria tanta aigua, però amb tot fan igual. Recorda què va passar amb el llum, van actuar quan era massa tard, i què? Doncs que ja s'havien acabat els recursos, i tot l'estiu sense llum. Oh! I ara passarà el mateix: no faran res fins que no quedi ni una gota d'aigua.

Mira què et dic: abans d'una setmana plourà o s'hauran desglaçat les muntanyes o hi haurà un miracle... Veuràs com no caldrà fer res, s'haurà acabat el problema.

Acabat! El que s'ha acabat és l'ampolla.

Cambrer, una altra ampolla de vi, sisplau! Hem d'estalviar l'aigua...

PISTA 23 Exercici 8

Doctor Guillén, vostè que ha treballat com a metge de la selecció olímpica, creu que l'exercici físic és bo per a la salut?

Bona pregunta! I no li puc contestar amb un sí o amb un no. Per fer exercici físic el cos s'ha de preparar, de manera que una persona no pot fer aixecament de pesos, si abans no ha preparat la seva musculatura de braços, espatlles, etcètera, com tampoc no podrà córrer, com un desesperat, suat i vermell com un tomàquet, sense saber el seu estat cardíac, respiratori... Per això, sempre recomanem que, abans de fer un exercici, sigui de competició o per mantenir la forma, es faci un reconeixement mèdic.

I s'ha de fer exercici a totes les edats?

Depèn del que entenguem com a exercici i sempre que el cos estigui en condicions. Miri, perquè sigui bo per a la salut, l'exercici físic ha de ser adequat a cada tipus de cos i a l'edat. Sempre que l'esforç no sigui superior a la capacitat de la persona, serà bo. Posem per exemple, una persona de setanta anys, que no ha fet mai exercici. Li diuen que per tal de mantenir bé el cor ha de caminar cada dia dos quilòmetres. Què passarà? Que es cansarà i, aleshores, en comptes de millorar el seu cor, el cansarà; per tant, l'exercici en lloc d'afavorir-lo el perjudicarà. En canvi, una persona en les mateixes condicions, però que ha fet regularment exercici, podrà caminar aquests dos quilòmetres, podrà nedar... sempre amb l'objectiu de mantenir el seu cos, mai intentant superar els seus límits.

I així, una persona que no ha fet mai exercici, què pot fer?

Molt fàcil! Podrà començar pujant l'escala de casa seva. I quan es cansi? Doncs que agafi l'ascensor. Només que ho faci dos o tres cops per setmana, ja està bé. Al començament s'ha d'anar a poc a poc, a fi que l'exercici no sigui excessiu.

Així que vostè recomana que es faci exercici quotidianament, oi?

Exacte! Sempre hauríem de tenir, com a mínim, mitja hora diària per fer una activitat física. I en cas que no es tingui temps, sempre es pot pujar l'escala o jugar a córrer amb els fills.

Ara que parla de nens. No s'estan massa estona davant del televisor o de l'ordinador, o jugant amb les maquinetes?

Sí, i per això augmenta l'obesitat infantil.

Així doncs, hauríem de fer fer esport als nostres fills?

Miri, doni una pilota a un nen o una nena i ja veurà com es mou. No cal apuntar-los a fer esport amb la finalitat de tenir esportistes d'elit. Deixem-los jugar al pati, al parc..., que corrin. Ja veurà que, a més de riure, cosa molt sana, mantindran el cos en forma.

Gràcies, doctor.

Gràcies a vostès.

PISTA 24   **Exercici 9**

Retransmissió 1

...Cesc l'agafa, l'estira per la samarreta... li pren la pilota, però el Pep l'empeny, el fa caure... Falta, això és falta! El Cesc s'aixeca... L'àrbitre marca la falta, assenyala la distància. El porter està quiet, se'l mira. El Cesc es belluga cap a un costat i l'altre. Es tira una mica enrere, corre, s'atura, xuta i... Oh! Ha fallat. Ha llançat amb força, però el porter ha saltat i ha atrapat la pilota.

Retransmissió 2

La parella número dos és a la pista. Sona la música i comença l'actuació. Han de passar les figures obligatòries de la prova. Ara tots dos, agafats per la cintura, s'agenollen, amb una cama doblegada i l'altra estirada enrere, i fan una volta a la pista. S'alcen i inicien la prova de les rotacions. Ell gira cap a l'esquerra i ella cap a la dreta. Magnífic! S'acosten, s'agafen de les mans. Ell l'aguanta, mentre ella s'estira, panxa enlaire. Està quasi ajaguda! I tot això, rodant i repenjant-se únicament amb els patins. Ell s'ajup i en aquesta posició fan la volta a la pista. Prova superada!

Retransmissió 3

Tercer set. Se'n va caminant a la pista. Fica la mà a la butxaca i en treu la pilota. Es disposa a servir. Pica fort amb la raqueta i... cau! No sabem què passa. Sembla que s'ha fet mal. Es queixa, s'asseu a terra i no es mou. Sembla que s'ha fet mal al turmell. Es tomba cap al seu entrenador, que surt a la pista, seu al seu costat i li diu que descansi, que no es mogui. Es tomba cap al jutge. No sabem què li diu, però el Jan s'aixeca, es recolza sobre el seu entrenador i surt de la pista. Quina llàstima!

PISTA 25   **Exercici 14**

1. Nosaltres som una família molt divertida: som mig germanes i tenim dues mares en una casa i dos pares en una altra. La meva segona mare és l'exdona del pare de la meva germana i el meu segon pare és l'exmarit de la mare de la meva germana. A veure si ho endevineu!

2. Fa quatre anys que vaig arribar del Perú. Vaig venir amb la meva filla gran i vam deixar la resta de la família allà. El meu marit es va quedar amb els tres nens petits. Però d'aquí a una setmana vénen tots. Estic tan contenta!

3. Vaig acabar la carrera fa anys i he treballat a molts laboratoris mèdics. Amb el meu equip hem guanyat molts premis d'investigació, però els recursos que tenim són insuficients i les subvencions només són projectes. M'han ofert una feina a Suïssa. Em sap molt greu, però hauré d'abandonar el país. La ciència és la meva vida!

4. Sóc periodista i he treballat a diversos diaris i revistes. Cada un tenia avantatges que l'altre no tenia, però a tots havia de fer un horari molt estricte i força absurd. Al final m'he decidit. M'he fet autònom. Treballo des de casa i envio els articles per Internet. És fantàstic!

5. Tinc trenta-nou anys i he decidit tenir un fill. He tingut parelles diverses i totes han estat un fracàs. Hi ha un refrany que diu: val més boig conegut que savi per conèixer. Però sempre hi ha excepcions i per això busco un pare desconegut. Aniré a un banc de semen, a veure si em deixen triar un espermatozou ben bonic.

6. El meu avi va viure i treballar tota la vida al mateix lloc. El meu pare i la meva mare han viscut i treballat tota la vida al mateix lloc. Jo, fa cinc anys que treballo i he treballat i viscut a deu llocs diferents. Entre poc i massa. Quin mareig!

7. Érem una família tradicional: pare, mare i tres fills, tots nois. Ja n'estava farta de parlar només en masculí i en català; així que vaig parlar-ne amb la família i em va donar la raó. Solució: vam anar a buscar una nena a fora, que no fos catalana. I ara tenim una xinesa, que és un xicotot, i parla català. Alguna cosa ha fallat?

LLIBRE D'EXERCICIS

PISTA 26 **Exercici 6**

Els kunes

El poble *kuna* viu a la costa atlàntica de Panamà, en una comarca autònoma anomenada *Kuna Yala*. En aquesta regió hi trobem cinquanta-dues comunitats, que oscil·len entre vuitanta i cinc mil habitants.

A *Kuna Yala* hi ha institucions de govern regionals i locals. El *Congreso General Kuna* és el principal organisme polític i administratiu. És on es prenen les decisions d'aspecte regional. Aquesta institució està integrada pels *sailagans* (representants de la col·lectivitat, que les comunitats escullen en el ple de cada sessió dels congressos locals). El *Congreso General Kuna* es reuneix de manera ordinària i extraordinària. Ordinàriament, cada sis mesos, i extraordinàriament, quan és convocat per les dues terceres parts de les comunitats de la comarca o pels tres *sailes dummagans*.

Els *sailes dummagans* són els representants i portaveus del poble *kuna* davant de l'Estat i les institucions privades. Aquestes autoritats guien i orienten el poble, però depenen del *Congreso General*. Per tant, no poden prendre decisions sense la seva aprovació.

A nivell local, els màxims organismes d'expressió religiosa, cultural, política i administrativa són els *congresos locales,* que constitueixen la base d'*El Congreso General Kuna.* Cada vespre a l'*onmaket negra,* és a dir la casa de reunió, s'hi troben els membres de la comunitat per parlar de problemes col·lectius i prendre decisions apropiades per solucionar-los. En aquestes reunions també s'hi escullen tres *sailagans*. Però el poder d'aquests *sailagans* és limitat: no poden prendre decisions sense tenir el consens del congrés local.

Cal assenyalar que *Kuna Yala* no està integrada per comunitats homogènies. Cada comunitat decideix les normes que regulen la vida col·lectiva. Les normes poden variar de població en població: en algunes illes el consum de l'alcohol està prohibit i sancionat a partir de les deu del vespre, mentre que en altres el consum no està regulat.

PISTA 27 **Exercici 27**

Llibres: *Alta tecnologia*

Potser la Lupèrcia i el Basili es van casar enamorats i es van jurar amor etern. Malauradament, després d'uns quants anys de vida en comú, els nostres protagonistes s'avorreixen l'un de l'altre. Comparteixen casa, però dormen en habitacions separades. Només els diumenges acostumen a dinar junts en un restaurant i s'expliquen, sense gaire entusiasme, alguna coseta de la seva vida. Per suportar la seva soledat, decideixen com-prar-se un ninot i una nina de silicona, d'alta tecnologia, que cobreixin les seves necessitats sexuals. Un diumenge a la tarda, tornant del restaurant, troben els seus respectius amants de silicona fent l'amor sobre el sofà... Crítica divertida i una mica àcida sobre la mitificació del sexe que caracteritza la nostra societat.

Cine: *Quant val un cafè?*

Valent documental que mostra una terrible paradoxa: mentre que nosaltres cada vegada paguem més diners per una tassa de cafè, el pagesos que el cultiven a l'Àfrica en reben cada vegada menys. El protagonista del documental lluita, des de la seva cooperativa a Etiòpia, pels drets dels pagesos. Pagar un preu just pel cafè serveix, per exemple, perquè hi hagi escoles per als seus fills. Val la pena, oi?

Música: *Sonny Davis*

El seu últim concert ens mostra la millor cara, la menys ambiciosa, la més connectada amb els seus grans ídols de sempre. El blues, el country i el folk tornen a irradiar veritat a les seves cançons, amb una veu que s'ha tornat més sàvia i reflexiva, i una guitarra que ja no busca els sons efectistes d'abans. És com un obrer més al servei de la cançó. D'alguna forma està dignificant la seva carrera, ara que ja no necessita vendre per ser reconegut.

Pintura: *Flors i fruits*

Pintar flors resulta moltes vegades un recurs fàcil perquè hi ha molt públic per al tema; però, per això mateix, és un obstacle a vèncer per a l'artista. Aquesta exposició és un treball realitzat a consciència i amb sentit de l'espontani. Perquè en els quadres, tant si són roses com margarides, hi ha la personalitat de cada planta i el pensament que aquesta inspira. I el mateix passa amb les llimones i les magranes, que tenen a la vegada presència real i simbòlica. Obstacle superat! En recomano la visita.

ÍNDEX